suhrkamp taschenbuch 1834

207

Peter Handke wurde 1942 in Griffen (Kärnten) geboren. Sein Werk im Suhrkamp Verlag ist auf Seite 338 dieses Bandes verzeichnet.

Erst in den unruhigen Tagen der Gegenwart tritt die Bedeutung eines Landes am Rande Europas nachdrücklich ins Bewußtsein: Slowenien. Bereits bei Erscheinen 1986 erkannte Sigrid Löffler *(profil)* in Peter Handkes großem epischen Werk *Die Wiederholung* »ein Sprachdenkmal für das verstreute, vertriebene, unterdrückte, staatenlose Volk der Slowenen. Peter Handke gibt diesem ›so zärtlichen wie grobianischen Volk‹ eine literarische Identität, einen Ort, einen Mythos, eine Geschichte, eine hochgemute Gegenwärtigkeit.« Filip Kobal, der dieses Land als das »Land der Freiheit« erfährt, reist auf den Spuren seines im Partisanenkrieg verschollenen Bruders nach Slowenien. Was ihm vom Bruder geblieben ist, sind Aufzeichnungen in slowenischer Sprache: »Durch Wörter bildet sich ihm die Welt, aber auch durch Gehen von Schwelle zu Schwelle, bis Buch und Berg, Landschaftslinien und Schriftzeilen ihm verschmelzen zu einem gemeinsamen Grundmuster, zu einer Ganzheit, in der auch der Erzähler Ort und Aufgabe findet: als Wieder-Holer der Welt, als Herrscher eines unfaßbaren, grenzenlosen Reichs der Schrift, als Redner gegen den Tod.« *(Badische Zeitung)*

Peter Handke
Die Wiederholung

Suhrkamp

Umschlagbild: Jerry Bauer

suhrkamp taschenbuch 1834
Erste Auflage 1992
© Suhrkamp Verlag Frankfurt am Main 1986
Suhrkamp Taschenbuch Verlag
Alle Rechte vorbehalten, insbesondere das
des öffentlichen Vortrags, der Übertragung
durch Rundfunk und Fernsehen
sowie der Übersetzung, auch einzelner Teile.
Satz: LibroSatz
Druck: Ebner Ulm
Printed in Germany
Umschlag nach Entwürfen von
Willy Fleckhaus und Rolf Staudt

1 2 3 4 5 6 – 97 96 95 94 93 92

»Die Könige der Urzeit sind
gestorben, sie haben ihre
Nahrung nicht gefunden.«
Der Sohar

»Bald war ich bei diesen,
bald bei jenen.«
Epicharmos

» . . . laboraverimus«
Columella

1. Das blinde Fenster

Ein Vierteljahrhundert oder ein Tag ist vergangen, seit ich, auf der Spur meines verschollenen Bruders, in Jesenice ankam. Ich war noch nicht zwanzig und hatte in der Schule gerade die letzte Prüfung hinter mir. Eigentlich hätte ich mich befreit fühlen können; denn nach den Wochen des Lernens standen mir die Sommermonate offen. Aber ich war im Zwiespalt weggefahren: Zuhause in Rinkenberg der alte Vater, die kranke Mutter und meine verwirrte Schwester. Außerdem hatte ich mich in dem letzten Jahr, von dem geistlichen Internat erlöst, in die Gemeinschaft der Klagenfurter Schulklasse, wo die Mädchen in der Mehrzahl waren, eingelebt und fand mich nun jäh allein. Während die andern zusammen in den Bus nach Griechenland stiegen, spielte ich den Einzelgänger, der lieber für sich nach Jugoslawien wollte. (In Wahrheit hatte mir zu der gemeinsamen Reise nur das Geld gefehlt.) Dazu kam, daß ich noch nie im Ausland gewesen war und das Slowenische, mochte es für den Bewohner eines Dorfes im südlichen Kärnten auch keine Fremdsprache sein, kaum beherrschte.

Der Grenzsoldat in Jesenice redete mich freilich, nach einem Blick in meinen frischausgestellten österreichischen Paß, in seiner Sprache an. Als ich nicht verstand, sagte er deutsch, Kobal sei doch ein slawischer

Name, »kobal« heiße der Raum zwischen den ge-grätschten Beinen, der »Schritt«; und so auch ein Mensch, der mit gespreizten Beinen dastehe. Mein Name treffe demnach eher auf ihn, den Soldaten, zu. Der ältere Beamte neben ihm, in Zivil, weißhaarig, randlose runde Gelehrtenbrille, erklärte mit einem Lächeln, das zugehörige Tätigkeitswort bedeute »klettern« oder »reiten«, so daß mein Vorname Filip, der Pferdeliebe, zu Kobal passe; ich möge meinem Namen insgesamt einmal Ehre machen. (Noch oft ist es mir später begegnet, wie gerade die Beamten eines sogenannt fortschrittlichen Landes, das einst Teil ei-nes Großreiches war, eine überraschende Bildung hervorkehrten.) Unversehens wurde er ernst, trat ei-nen Schritt näher und blickte mir feierlich in die Augen: Ich müßte wissen, daß vor einem Vierteljahr-tausend hier im Land ein Volksheld namens Kobal gelebt habe. Gregor Kobal, aus der Gegend von Tolmin, an dem Oberlauf des Flusses, der weiter unten in Italien Isonzo heiße, sei im Jahr eintausend-siebenhundertunddreizehn einer der Führer des Gro-ßen Tolminer Bauernaufstands gewesen und im Jahr darauf mit seinen Genossen hingerichtet worden. Von ihm stamme der heute noch in der Republik Slowenien für seine »Frechheit« und »Verwegenheit« berühmte Satz, der Kaiser sei nichts als ein »Diener«, und man werde die Dinge selbst in die Hand nehmen! So belehrt – mit etwas, das ich schon wußte –, durfte ich, den Seesack über der Schulter, ohne ein Bargeld vorzeigen zu müssen, aus dem finsteren Grenzbahnhof hinaus in die nordjugoslawische Stadt treten, die damals in den Schulkarten, neben Jesenice, in Klammern noch altösterreichisch Aßling hieß.

Ich bin lange vor dem Bahnhof gestanden, die Kette der Karawanken, die mir in meinem bisherigen Leben immer fern vor Augen gewesen war, nah im Rücken. Die Stadt beginnt gleich am Ausgang des Tunnels und zieht sich durch das enge Flußtal; über dessen Flanken ein schmaler Himmel, der sich nach Süden erweitert und zugleich verhüllt wird von dem Qualm der Eisenwerke; eine sehr lange Ortschaft mit einer sehr lauten Straße, von der links und rechts nur Steilwege abzweigen. Es war ein warmer Abend Ende Juni 1960, und von dem Straßenbelag ging eine geradezu blendende Helligkeit aus. Ich merkte, daß die Düsternis innen in dem Schalterraum von den vielen Autobussen kam, die in rascher Folge vor der großen Schwingtür hielten und weiterfuhren. Eigenartig, wie das allgemeine Grau, das Grau der Häuser, der Straße, der Fahrzeuge, ganz im Gegensatz zu der Farbigkeit der Städte in Kärnten, das in dem angrenzenden Slowenien, Refrain aus dem neunzehnten Jahrhundert, den Beinamen »das Schöne« trägt, in dem Abendlicht meinen Augen wohltat. Der österreichische Kurzzug, mit dem ich angekommen war und der gleich zurück durch den Tunnel fahren würde, wirkte, hinten auf den Gleisen, zwischen den massigen, verstaubten jugoslawischen Zügen, sauber und bunt wie eine Spielzeugeisenbahn, und die blauen Uniformen der zugehörigen Mannschaft, die sich auf dem Bahnsteig laut unterhielt, bildeten in dem Graukreis einen fremdländischen Farbeinschluß. Auffällig auch, daß die Scharen der Leute, die in dieser eher kleinen Stadt unterwegs waren, mich, ganz anders als in den Kleinstädten meiner Heimat, zwar hin und wieder wahrnahmen, aber keinmal anstarrten, und je länger ich da stand, umso gewisser wurde ich, in einem großen Land zu sein.

Wie vergangen schien jetzt, kaum ein paar Stunden später, der Nachmittag in Villach, wo ich meinen Geschichte- und Geographielehrer besucht hatte. Wir hatten meine Möglichkeiten für den Herbst erwogen: Sollte ich gleich den Militärdienst ableisten, oder mich zurückstellen lassen und ein Studium anfangen, und welches Studium? In einem Park hatte mir der Lehrer dann eines seiner selbstverfaßten Märchen vorgelesen, nach meinem Urteil gefragt und sich dieses mit einer überaus ernsten Miene angehört. Er war ein Junggeselle und lebte allein mit seiner Mutter, die, während ich bei ihm war, immer wieder durch die geschlossene Tür sich nach dem Wohlergehen und den Wünschen des Sohnes erkundigte. Er hatte mich zum Bahnhof begleitet und mir dort, so verstohlen, als fühlte er sich beobachtet, einen Geldschein zugesteckt. Obwohl meine Dankbarkeit groß war, hatte ich sie nicht zeigen können, und auch als ich mir jetzt den Mann jenseits der Grenze vorstellte, sah ich nur eine Warze auf einer bleichen Stirn. Das zugehörige Gesicht war das des Grenzsoldaten, der kaum älter gewesen war als ich und doch schon deutlich, in Haltung, Stimme und Blick, seinen Platz gefunden hatte. Von dem Lehrer, von seiner Wohnung und von der ganzen Stadt, war mir kein Bild geblieben außer zwei schachspielenden Rentnern an einem Tisch im Gebüschschatten des Parks und dem Gleißen eines Strahlenkranzes über dem Kopf der Marienstatue auf dem Hauptplatz.

Dagegen bedachte ich, vollkommene Gegenwart, die auch heute, nach fünfundzwanzig Jahren, wieder ganz Gegenwart wird, den Morgen desselben Tages, mit dem Abschied vom Vater, auf dem Waldhügel, von dem das Dorf Rinkenberg seinen Namen hat. Der ältliche Mensch, schmächtig, viel kleiner als ich, stand mit geknickten Knien, hängenden Armen und den gichtverbogenen Fingern, die in diesem Augenblick wutgeballte Fäuste darstellten, an dem Wegkreuz und schrie mir zu: »Geh doch zugrunde, wie dein Bruder zugrunde gegangen ist, und wie alle in unserer Familie zugrunde gehen! Aus keinem ist etwas geworden, und auch aus dir wird nichts werden! Aus dir wird nicht einmal ein guter Spieler werden, wie ich einer bin!« Dabei hatte er mich gerade noch, zum ersten Mal überhaupt, umarmt, und ich hatte ihm über die Schulter auf seine taunasse Hose geblickt, in dem Gefühl, er umarme in mir eher sich selber. In der Erinnerung aber wurde ich dann von der Umarmung des Vaters gehalten, nicht bloß an jenem Abend vor dem Bahnhof in Jesenice, sondern auch über die Jahre, und seinen Fluch hörte ich als Segen. In Wirklichkeit war er todernst gewesen, und in der Vorstellung sah ich ihn schmunzeln. Möge seine Umarmung mich auch durch diese Erzählung tragen.

Ich stand in der Dämmerung, in dem Dröhnen des Durchzugsverkehrs, das ich geradezu als wohlig empfand, und bedachte, wie ich mich dagegen in den bisherigen Umarmungen mit Frauen nie gehalten gespürt hatte. Ich hatte keine Freundin. Sooft das einzige Mädchen, das ich sozusagen kannte, mich umarmte, erlebte ich das eher als Mutwillen oder als Wette. Was für ein Stolz jedoch, mit ihr im Abstand auf der Straße zu gehen, wo wir für die Entgegenkommenden offensichtlich zueinander gehörten. Einmal rief es da aus einer Gruppe von streunenden Fast-noch-Kindern: »Hast *du* eine schöne Freundin!«, und ein andermal blieb ein altes Weib stehen, blickte von dem Mädchen zu mir und sagte wörtlich: »Sie Glücklicher!« In solchen Momenten erschien die

Sehnsucht bereits erfüllt. Wonne, dann in dem wechselnden Licht eines Kinos neben sich das schimmernde Profil zu sehen, den Mund, die Wange, das Auge. Das Höchste war das leichte Körper-an-Körper, wie es sich manchmal von selber ergab; auch eine bloß zufällige Berührung hätte dabei als Übertretung gewirkt. Hatte ich demnach nicht doch eine Freundin? Den Gedanken an eine Frau kannte ich nämlich nicht als Begehren oder Verlangen, sondern allein als das Wunschbild von dem schönen Gegenüber – ja, das Gegenüber sollte schön sein! –, dem ich, endlich, erzählen könnte. Was erzählen? Einfach nur erzählen. Der Zwanzigjährige stellte sich das Einander-in-die-Arme-Fallen, das Lieb-Haben, das Lieben als ein beständiges, so schonendes wie rückhaltloses, so ruhiges wie aufschreihaftes, als ein klärendes, erhellendes Erzählen vor, und es fiel ihm dazu seine Mutter ein, die ihn, sooft er lang aus dem Haus gewesen war, in der Stadt, oder auch allein im Wald oder auf den Feldern, jedesmal gleich bedrängte mit ihrem »Erzähl!« Nie war es ihm da, jedenfalls vor ihrer Krankheit, gelungen, ihr zu erzählen, trotz seiner ständigen Proben im voraus; überhaupt glückte ihm das Erzählen nur ungefragt – benötigte in der Folge freilich die richtigen Zwischenfragen.

Und jetzt vor dem Bahnhof entdeckte ich, daß ich schon seit meiner Ankunft der Freundin im stillen den Tag erzählte. Und was erzählte ich ihr? Weder Vorfälle noch Ereignisse, sondern die einfachen Vorgänge, oder auch bloß einen Anblick, ein Geräusch, einen Geruch. Und der Strahl des kleinen Springbrunnens jenseits der Straße, das Rot des Zeitungskiosks, die Benzinschwaden der Laster: Sie blieben, indem ich sie im stillen erzählte, nicht mehr für sich, sondern spielten eins in das andere. Und der da erzählte, das war gar nicht ich, sondern es, das Erleben selber. Und dieser stille Erzähler, in meinem Innersten, war etwas, das mehr war als ich. Und das Mädchen, dem seine Erzählung galt, verwandelte sich dabei, ohne zu altern, in eine junge Frau, so wie auch der Zwanzigjährige, mit dem Gewahrwerden des Erzählers in sich, zum alterslosen Erwachsenen wurde. Und wir standen einander gegenüber, genau in Augenhöhe. Und die Augenhöhe war das Maß der Erzählung! Und ich spürte die zarteste der Kräfte in mir. Und sie bedeutete mir: »Spring!«

In dem gelblichen Fabrikshimmel über Jesenice erschien ein Stern, für sich allein ein Sternbild, und durch den Straßenrauch unten flog ein Glühkäfer. Zwei Waggons knallten aufeinander. In dem Supermarkt wurden die Kassiere abgewechselt von den Putzfrauen. An dem Fenster eines Hochhauses stand ein rauchender Mann im Unterhemd.

Erschöpft wie nach einer Anstrengung bin ich fast bis Mitternacht in der Gaststätte des Bahnhofs gesessen, bei einer Flasche des dunklen süßen Getränks, das es damals in Jugoslawien an der Stelle des Coca-Cola gab. Zugleich war ich ganz wach, so anders als an den Abenden zuhause, wo ich, ob im Dorf, im Internat oder in der Stadt, alle Geselligkeiten störte mit meiner Müdigkeit. Bei dem einzigen Ball, zu dem man mich mitnahm, schlief ich mit offenen Augen ein, und in den letzten Stunden des Jahrs bemühte sich der Vater jedesmal vergebens, mich durch Kartenspielen vom Bett abzuhalten. Ich glaube, was mich so wachhielt, das war nicht nur das andere Land, sondern auch der Gastraum; in einem Wartezimmer wäre ich wohl bald müde geworden.

Ich saß in einer der mit braunem Holz verkleideten Nischen, die etwas von einem Chorgestühl hatten, vor mir die Bahnsteige, hell, weit nach hinten gestaffelt, und im Rücken die ebenso helle Fernstraße mit den beleuchteten Wohnblöcken. Immer noch fuhren, kreuz und quer, hier volle Autobusse, dort volle Züge. Ich sah von den Reisenden keine Gesichter, nur die Umrisse, doch die Umrisse betrachtete ich durch ein in den Glaswänden gespiegeltes Gesicht, das mein eigenes war. Mit Hilfe des Abbilds, das mich nicht im besonderen zeigte – nur Stirn, Augenhöhlen, Lippen –, konnte ich von den Silhouetten träumen, nicht allein der Passagiere, sondern auch der Hochhausbewohner, wie sie sich durch die Zimmer bewegten oder hier und da auf den Balkonen saßen. Es war ein leichter, lichter, scharfer Traum, in dem ich von all den schwarzen Gestalten Freundliches dachte. Keine von ihnen war böse. Die Alten waren alt, die Paare waren Paare, die Familien waren Familien, die Kinder waren Kinder, die Einsamen waren einsam, die Haustiere waren Haustiere, ein jeder einzelne Teil eines Ganzen, und ich gehörte mit meinem Spiegelbild zu diesem Volk, das ich mir auf einer unablässigen, friedfertigen, abenteuerlichen, gelassenen Wanderung durch eine Nacht vorstellte, wo auch die Schläfer, die Kranken, die Sterbenden, ja sogar die Gestorbenen mitgenommen wurden. Ich richtete mich auf und wollte diesen Traum wahrhaben. Es störte ihn dann nur das überlebensgroße Porträt des Staatspräsidenten, das genau in der Raummitte, über der Theke, hing. Der Marschall Tito zeigte sich da sehr deutlich, mit seiner betreßten, ordenbehängten Uniform. Er stand vorgebeugt an einem Tisch, auf dem seine geballte Faust lag, und blickte mit starrhellen Augen auf mich herunter. Ich hörte ihn geradezu sagen: »Dich kenne ich!«, und wollte antworten: »Aber ich kenne mich nicht.«

Das Träumen ging erst weiter, als hinter der Theke, in der trüben Beleuchtung, die Kellnerin erschien, mit einem schattigen Gesicht, in dem das Deutliche nur die auch beim Geradeausschauen fast augenbedeckenden Lider waren. Im Betrachten dieser Lider bewegte sich unversehens, gespenstisch leibhaftig, die Mutter vor mir. Sie stellte die Gläser ins Waschbecken, spießte einen Kassenzettel auf, wischte über das Messing. Namenloses Erschrecken, als mich momentlang ihr Blick traf, spöttisch, nicht zu durchdringen; Erschrecken, das eher ein Ruck war, ein Entrücken in einen größeren Traum. In diesem war die Kranke wieder gesund geworden. Springlebendig durchmaß sie, verkleidet als Kellnerin, die verzweigte Gaststätte, und aus den hohen, hinten offenen Kellnerinnenschuhen leuchteten ihre runden weißen Fersen. Was für stämmige Beine die Mutter bekommen hatte, was für einen Hüftschwung, was für einen Haarturm. Und obwohl sie doch, anders als die Mehrzahl der Frauen im Dorf, nur ein paar Wörter des Slowenischen konnte, sprach sie es hier, in der Unterhaltung mit einer unsichtbaren Männergesellschaft in der Nachbarnische, ganz selbstverständlich, fast herrisch. Sie war also nicht das Findelkind, der Flüchtling, die Deutsche, die Ausländerin, als die sie sich immer ausgegeben hatte. Kurz schämte sich der Zwanzigjährige, daß diese Person mit den bestimmten Bewegungen, dem Singsang, dem lauten Lachen, den schnellen Blicken seine Mutter sein sollte, und sah diese dann, an der fremden Frau, so genau wie noch nie: Ja, auch die Mutter hatte bis vor kurzem mit einer solchen Singstimme gesprochen, und sooft sie tatsächlich zu singen anfing, wollte der Sohn sich die Ohren zuhalten. Aus jedem noch so großen Chor war sofort die Mutterstimme herauszuhören: ein Zittern, ein Beben, ein inbrünstiger Schall, von dem die Sängerin, im Gegensatz zu dem Lauscher, vollkommen ergriffen war. Und ihr Lachen war nicht nur laut gewesen, sondern geradezu wild, ein Geschrei, ein Ausbruch, der Freude, des Zorns, der Bitterkeit, der Verachtung, ja des Rechtsprechens. Noch in den Anfangsschmerzen der Krankheit klangen die entsprechenden Schreie wie ein überraschtes, halb belustigtes, halb empörtes Auflachen, das sie, mit der Zeit immer hilfloser, wegzuspielen versuchte mit ihren Gesangstrillern. Ich stellte mir die verschiedenen Stimmen in unserem Haus vor und hörte den Vater fluchen, die Schwester kichernd und weinend Selbstgespräche murmeln, und die Mutter von einem Dorfende zum anderen lachen – und Rinkenberg ist ein langes Dorf. (Mich selbst sah ich in der Vorstellung stumm sein.) So erkannte ich, daß die Mutter nicht nur herrisch auftrat wie jetzt die Kellnerin, sondern herrscherlich. Immer hatte sie einen mächtigen Gasthof führen wollen, mit den Bediensteten als ihren Untertanen. Unser Anwesen war klein, und ihr Anspruch war groß: In ihren Erzählungen von meinem Bruder trat dieser auf als der um seinen Thron betrogene König.

Und ich galt bei ihr als der rechtmäßige Thronfolger. Und zugleich bezweifelte sie von Anfang an, daß ich es schaffen würde. Ihr Blick auf mir erstarrte manchmal in einem Mitleid, das ohne einen Schimmer Erbarmen war. Immer wieder war ich ja bisher von jemandem beschrieben worden, einem Priester, einem Lehrer, einem Mädchen, einem Schulfreund: doch von jenen stummen Blicken der Mutter fühlte ich mich in einer Weise beschrieben, daß ich mich davon nicht bloß erkannt, sondern verurteilt sah. Und ich bin sicher, daß sie mich nicht erst mit der Zeit, durch die äußeren Umstände, so anschaute, sondern schon seit dem Moment meiner Geburt. Sie hat mich emporgehoben, mich ins Licht gehalten, beiseite gelacht und mich verurteilt. Und ebenso hat sie später, um sich zu vergewissern, das im Gras strampelnde und vor Daseinslust kreischende Kleinkind aufgenommen, es in die Sonne gehalten, es angelacht und wieder verurteilt. Ich versuchte zu denken, daß es mit Bruder und Schwester zuvor ähnlich gewesen war, und konnte es nicht. Nur ich brachte sie zu dem, solch erbarmungslosem Blick in der Regel dann folgenden, Ausruf: »Ach wir zwei!«, den sie bei Gelegenheit auch an ein für die Schlachtbank bestimmtes Stalltier richtete. Zwar hatte ich schon sehr früh das Bedürfnis, gesehen, wahrgenommen, beschrieben, erkannt zu werden – aber nicht so! Wie erkannt hatte ich mich zum Beispiel empfunden, als einmal, statt der Mutter, das Mädchen »wir zwei« gesagt hatte. Und als ich nach den Jahren im geistlichen Internat, wo wir allesamt nur mit unseren Familiennamen angeredet worden waren, in der öffentlichen Schule zum ersten Mal von der Banknachbarin ganz beiläufig meinen Vornamen hörte, erlebte ich das als eine Beschreibung, die mich freisprach, ja als Liebkosung, unter der ich aufatmete; und jetzt noch leuchten mir die Haare der Mitschülerin. Nein, seit ich die Blicke der Mutter entziffern konnte, wußte ich: Da ist nicht mein Platz.

Dabei hatte sie mich schon zweimal in den zwanzig Jahren buchstäblich gerettet. Daß ich von der Hauptschule in Bleiburg weg auf das Gymnasium gegangen war, kam ganz und gar nicht aus irgendeinem Ehrgeiz der Eltern, aus dem Sohn solle etwas Besseres werden. (Ich glaube, der Vater wie die Mutter waren überzeugt, aus mir würde, so oder so, entweder gar nichts, oder »etwas Besonderes«, womit sie eher etwas Unheimliches meinten.) Der Grund für den Schulwechsel war vielmehr, daß ich, mit zwölf, meinen ersten Feind hatte, der gleich ein Todfeind war.

Mißstimmungen zwischen den Kindern im Dorf hatten sich schon immer ergeben. Jeder war da des anderen Nachbar, und durch die Nähe wurden die verschiedenen Eigenarten oft unverträglich. Auch bei den Erwachsenen war es so; auch bei den Alten. Eine Zeitlang ging man dann grußlos aneinander vorbei, tat beschäftigt im Hof vor dem Haus, während der andere, in Sichtweite vor dem Nachbarhaus, sich auf seine

Weise beschäftigt zeigte. Auf einmal bestanden, auch ohne Zäune, Grundstücksgrenzen, die unübertretbar waren. Selbst im eigenen Haus stellte sich ein Kind, das sich etwa von einem Familienmitglied ungerecht behandelt fühlte, stumm, das Gesicht zur Wand, gleichsam nach altem Brauch in eine abgegrenzte Ecke der Wohnstube. In meiner Phantasie fügen sich da alle Stuben des Dorfs zu einer einzigen, vieleckigen Räumlichkeit, wo ein jeder Winkel beansprucht wird von den einander den Rücken zukehrenden, zerstrittenen, schmollenden Dorfkindern, bis schließlich von einer der Gestalten, oder von sämtlichen zugleich (wie es auch in der Wirklichkeit immer geschah), das den Bann brechende Wort oder Lachen kommt. Zwar nannte niemand im Dorf den anderen Freund – man sprach dafür vom »guten Nachbarn« –, aber es gab auch, zumindest unter den Kindern, keine Streitigkeit, die zu dauernder Feindschaft führte.

Noch bevor ich an meinen ersten Feind geriet, hatte ich freilich die Verfolgung erfahren, und diese Erfahrung bestimmte einiges von dem Verlauf meines späteren Lebens. Jedoch nicht ich in Person wurde damals verfolgt, sondern das Kind aus dem Dorf Rinkenberg, von einer Gruppe aus einem anderen Dorf. Die Kinder von dort hatten es zur Schule weiter und beschwerlicher als unsereiner, mußten einen tiefen Graben durchqueren, und galten schon deshalb für stärker als wir. Auf dem Heimweg, den wir, bis zu einer Abzweigung, gemeinsam gehen mußten, wurden die »Rinkenberger« von den »Humtschachern« in der Regel gejagt. Obwohl diese nicht älter waren als wir, konnte ich in ihnen nie die Kinder sehen. (Erst heute, vor den Porträts der Frühverunglückten auf den Grabsteinen, fällt mir auf, wie jung, ja kindlich sie, noch als Burschen, allesamt waren.) Eine Ewigkeit liefen wir, auf einer Landstraße, wo gerade in einer solchen Stunde nie ein Auto fuhr, mit dem Drohgebrüll der gesichtslosen, dickbeinigen, plumpfüßigen Rotte im Nacken, die ihre gorillalangen Arme als Stöcke schwang und die Schultaschen am Rücken als Tornister beim Sturmangriff trug. Es gab Tage, an denen ich, bis ich die Urwaldgefahr vorbei wußte, über die Zeit, so hungrig ich war, in der schützenden Kleinstadt Bleiburg blieb, aus der es mich sonst immer heimzog und die mir da lieb war. Aber dann kam sozusagen die Wende – oder eher der Umschwung, der Umsprung. Ich ließ, wieder einmal, schon seit der Stadtgrenze, das gerade durch seine Unverständlichkeit so bedrohliche Schreien hinter mir, meine Mitdörfler rennen und setzte mich an der Abzweigung, wo die Straße und die zwei Schenkel des einmündenden Wegs ein Dreieck umschlossen, ins Gras. Schon in diesem Augenblick, während man auf mich zustürmte, war ich sicher, daß mir nichts geschehen würde. Ich streckte die Beine in meinem Dreieck aus, schaute südwärts auf das Petzenmassiv, auf dessen Gipfelplateau die jugoslawische Grenze verläuft, und wußte mich in Sicherheit. Daß ich zugleich dachte, was ich sah, empfand ich gleichsam als Brustschild. Und nicht nur geschah mir dann nichts, sondern die Verfolger wurden im Näherkommen langsamer, und der eine oder andere folgte meinem Blick. »Dort oben ist es schön!« hörte ich. »Ich bin mit dem Vater einmal hinaufgestiegen.« Ich sah sie alle an und bemerkte, daß sich die Horde in ein paar einzelne auflöste. Diese lachten mich im Vorbeischlendern an, so als hätte ich ihr Spiel durchschaut, und als seien sie selber erleichtert darüber. Es wurden keine Worte gewechselt, und doch war es offenbar, daß mit diesem Moment jede Verfolgung aufhörte. Ihnen nachblickend, bedachte ich die geknickten Knie und die schleifenden Schritte: Wie weit sie es noch hatten, im Vergleich zu mir. Und ein Gefühl der Verbundenheit stellte sich ein, im Abstand – wie es sich zu den Nachbarkindern, im eigenen Dorf, nie ergeben hatte, wodurch sich dann später, im Abstand der Zeit, das staubaufwirbelnde Durcheinandergetorkele und schrekkenverbreitende Kehllautausstoßen der Humtschacher Horde zu einer Tanz- und Springprozession umbildete, die heute noch, wie die Mitglieder eines Stamms, auf der Kindheitslandstraße dahinzieht, mit keinem anderen Ziel, als in diesem Bild weiterzuleben. (Im nachhinein erzitterte ich freilich als ganzer und konnte mich lange nicht von dem Grasdreieck wegbewegen. Ich lehnte mich an den hölzernen Milchstand dort und sagte im stillen die Zahlen auf.)

Gegen meinen ersten Feind half dagegen gar nichts. Er war der Sohn des unmittelbaren Nachbarn und wurde die Tage über von der Mutter verprügelt, an den Abenden vom Vater. (Mich schlug man zuhause nie; statt dessen hämmerte sich der Vater, im Zorn über mich, vor meinen Augen oft selber gegen die Brust oder ins Gesicht, vor allem aber, mit der Faust, gegen die Stirn, so heftig, daß er zurücktaumelte oder in die Knie ging; mein Bruder allerdings sei noch, trotz seiner Einäugigkeit, nicht nur geschlagen, sondern für ganze Nachmittage in den Hangkeller hinter dem Haus gesperrt worden, der als Kartoffellager diente, und wo der Bruder, wenn er sein eines Auge schloß, sicherlich mehr sah, als wenn er es offenhielt.) Mein »kleiner Feind« – wie ich ihn jetzt nenne, im Gegensatz zu dem späteren »großen« – wurde aber nicht tätlich. Und trotzdem war er sofort der Feind, auf den ersten Blick, dem lange nichts weiteres folgte, nicht einmal ein Blick. Kein übliches Zungezeigen, Spucken, Beinstellen. Der Kindfeind erklärte sich nicht, war nur feindselig da, und seine Feindschaft brach dann aus als ein Überfall.

Eines Tages, bei der Lesung des Evangeliums in der Kirche, wo alle standen, spürte ich hinten in der Kniekehle einen leichten Schlag, fast nur einen Stups, aber genug, daß ich einknickte. Ich drehte mich um und sah den andern, der vor sich hinstarrte. Von diesem Augenblick an ließ er mir keine Ruhe mehr. Er schlug mich nicht, warf nicht mit Steinen, beschimpfte mich nicht – versperrte mir bloß jeden Weg. Sowie ich aus dem Haus trat, war er neben mir. Er kam sogar ins Haus herein – es war in den Dörfern ja üblich, daß die Kinder in die Nachbarhäuser gingen – und rückte mir auf den Leib, so unauffällig, daß es niemand sonst merkte. Seine Hände gebrauchte er nie; alles, was er tat, das waren kleine Schulterstöße (nicht einmal ein Rempeln zu nennen, wie etwa beim Fußball), die aussahen, als wollte er mich freundschaftlich auf etwas aufmerksam machen, und mich in Wahrheit in eine Ecke gezwängt hielten. Doch in der Regel berührte er mich nicht einmal, sondern äffte mich nur nach. Wenn ich irgendwo ging, sprang er zum Beispiel aus dem Gebüsch und bewegte sich in meiner Haltung, die Füße gleichzeitig aufsetzend, die Arme im selben Rhythmus schwingend, neben mir her. Lief ich los, lief auch er; blieb ich stehen, stoppte auch er; zuckte ich mit den Wimpern, zuckte auch er. Dabei schaute er mir nie in die Augen, musterte diese nur, so wie auch die übrigen Körperteile, um jede Bewegung möglichst schon im Ansatz zu erkennen und zu wiederholen. Oft versuchte ich ihn über meinen nächsten Schritt zu täuschen, deutete eine falsche Richtung an, rannte weg aus dem Stand. Doch er ließ sich nie überlisten. Auf diese Weise ahmte er mich weniger nach, als daß er mich beschattete, und ich war der Gefangene meines Schattens.

Recht bedacht, war er vielleicht nur lästig. Diese Lästigkeit wurde freilich mit der Zeit eine Feindseligkeit, die ans Leben ging. Der andere wurde allgegenwärtig – auch wenn er nicht in Person neben mir war. War ich einmal froh, verlor ich sofort die Freude, weil ich sie in Gedanken von meinem Feind geäfft und damit bestritten sah. Ebenso war es mit sonstigen Lebensgefühlen – Stolz, Trauer, Zorn, Zuneigung: Im Schattenspiel verloren sie auf der Stelle ihre Echtheit. Und wo ich mich am lebendigsten fühlte, in der Versenkung, da drängte sich nun der Widersacher schon bei der geringsten Annäherung zwischen mich und den Gegenstand, ob dieser ein Buch, ein Wasserplatz, eine Feldhütte oder ein Auge war, und schnitt mich ab von der Welt. Mörderischer konnte sich kein Haß ausdrücken als in solch ständigem, wie unter lautlosen Peitschenhieben erfolgendem Nach-Stellen. Ich faßte es nicht, derart gehaßt zu werden, und versuchte eine Versöhnung. Doch er war nicht zu begütigen. Er stutzte nicht einmal, machte nur, fallbeilschnell, meine Versöhngeste nach. Kein Tag, auch kein Traum verging mehr ohne meinen Bewacher. Als ich ihn dann zum ersten Mal anschrie, wich er nicht etwa zurück, sondern horchte auf: Der Schrei war das Zeichen, auf das er gewartet hatte. Und wer schließlich tätlich wurde, das war ich. Ich wußte, zwölf Jahre alt, im Gedränge mit dem andern, nicht mehr, wer ich war; das hieß: Ich war nichts mehr; und das hieß: Ich wurde böse. Mein Kindheitsfeind zeigte mir (und ich bin mir sicher, er hatte es klar so vorbedacht), daß ich böse war, daß ich böser als er, ein Böser war.

Anfangs wehrte ich mich mit einem bloßen Gefuchtel, das eher etwas von dem Umsichschlagen jemandes hatte, der zu ertrinken droht. Der andere ging mir dabei nicht von der Seite, hielt mir statt dessen, als eine Aufforderung, sein Gesicht hin. Die Larve kam so nah, wie vielleicht, in einem Falltraum, die Aufschlagstelle sich nähert. Daß ich da hineingriff, war aber nicht nur ein Reflex der Abwehr, sondern auch die Äußerung, das Einbekenntnis, das Geständnis, auf das alle Welt gewartet hatte: Ich war dem hier gleich; ich gab endlich zu, indem ich handgreiflich wurde, meinem Feind der noch viel bösere Feind zu sein. Und wirklich hatte ich, in der Berührung der fremden Mundflüssigkeit und des Nasenschleims, eine Zweifachempfindung der Gewalt und des Unrechts, wie ich sie nie mehr erleben wollte. Vor mir eine Triumphmaske: »Es gibt für dich kein Zurück mehr!« Nun trat ich ihn in den Hintern, und zwar von ganzem Herzen! Er wehrte sich nicht, hielt nur stand, mit einem unerschütterlichen Grinsen. Er hatte sein Ziel erreicht: Von diesem Tag an war ich, vor aller Augen, sozusagen »sein Schläger«. Er hatte jetzt den

Grund und das Recht, mich nie mehr in Frieden zu lassen. Unsere bis dahin verborgene Feindschaft war übergegangen in einen Krieg, und der mußte offen ausgetragen werden, ohne eine andere Ausgangsmöglichkeit als unser beider gemeinsamer Höllensturz. Daß dann sein Vater mich einmal beobachtete, wie ich seinen Sohn schlug, herbeigerannt kam, uns trennte, mich zu Boden warf und mit den Stallschuhen (in einer großen Fistellitanei mir Namen gebend, die mein eigener Vater sonst nur als Bannstrahl gegen den Hangrutsch, das Blitzfeuer, den Hagel und die Haus- und Flurschädlinge losließ) auf mir herumtrampelte, geschah zu meinem Glück – die einzige Art des Glücks übrigens, von der ich, nicht nur damals, sondern auch ein Jahrzehnt später noch, überhaupt wußte.

Die Mißhandlung löste mir die Zunge, und ich konnte der Mutter (ja, ihr) von dem Feind erzählen. Jene Erzählung begann mit einem Befehl: »Hör zu!«, und schloß mit einem andern Befehl: »Tu etwas!« Und die Mutter wurde, wie immer in der Familie, die Handelnde: Sie handelte, indem sie mit dem Zwölfjährigen, unter dem Vorwand, Priester und Lehrer hätten sie überredet, zur Aufnahmsprüfung ins Internat fuhr.

Auf dem Rückweg von der Prüfung versäumten wir in Klagenfurt den letzten Zug nach Bleiburg. Wir

gingen zur Stadt hinaus und standen an der Aus-
fahrtsstraße, in der Dunkelheit und im Regen, ohne
daß ich mich erinnere, naß geworden zu sein. Nach
einiger Zeit hielt ein Autofahrer, unterwegs nach
Jugoslawien, ins Untere Drautal, nach Maribor oder
Marburg, und nahm uns mit. Es waren keine Rück-
sitze in dem Auto, und wir saßen hinten auf dem
Boden. Da die Mutter dem Mann unser Ziel auf
slowenisch angegeben hatte, versuchte sich dieser
zunächst mit ihr zu unterhalten. Doch als er merkte,
daß sie, bis auf die Grußformeln und ein paar Volks-
liedstrophen, von der Sprache nichts wußte, schwieg
er. Von dieser stummen Nachtfahrt, hinten auf dem
Blechboden des Fahrzeugs, blieb mir ein Bild der
Einheit mit meiner Mutter, das, zumindest in den
darauffolgenden Internatsjahren, sich immer wieder
als gültig und wirksam erwies. Die Mutter hatte sich
für die Reise Wasserwellen legen lassen, war einmal
ohne das Kopftuch, und das Gesicht, bei aller
Schwere des fünfzigjährigen Körpers, kam mir, ab
und zu von einem Lichtstrahl gestreift, jung vor. Mit
angezogenen Knien saß sie da, die Handtasche neben
sich. Außen an den Scheiben liefen schräg die Tropfen
weg, und drinnen im Trockenen rutschten uns bei
jeder Kurve irgendwelche Werkzeuge, Pakete mit
Nägeln, leere Kanister entgegen. Zum ersten Mal im
Leben erfuhr ich da in mir etwas Unbändiges, Unge-
stümes – etwas wie Zuversicht. Mit der Hilfe der

Mutter war ich auf den Weg gebracht worden, der für mich der richtige war. Davor und auch danach habe ich die Frau, fremd wie sie mir erschien, nicht selten buchstäblich verleugnet – allein das ihr entsprechende Wort kam mir kaum über die Lippen –, doch an dem Sommerregenabend von 1952 war es mir einmal selbstverständlich, eine Mutter zu haben und ihr Sohn zu sein. Auch war sie da ja nicht das Bauernweib, die Landarbeiterin, die Stallmagd oder die Kirchgängerin, als die sie im Dorf oft verkleidet ging, sondern enthüllte, was dahinter war: die Wirtschafterin eher als die Hausfrau, die Weltläufige eher als die Bodenständige, die Handelnde eher als die Zuschauerin.

An der Abzweigung nach Rinkenberg ließ uns der Fahrer aussteigen. Ich merkte gar nicht, daß sich die Mutter bei mir eingehängt hatte, bis sie sich einmal im Kreis drehte. Es regnete nicht mehr, und die Petzen stand am Rand der Ebene im Mondlicht, jede Einzelheit deutlich wie eine Bilderschrift: die Bachschluchten, die Felswände, die Baumgrenze, die Karmulden, die Gipfelzeile; »unser Berg!«. Die Mutter sagte weiter, lang vor dem Krieg sei da unten, den Berg entlang, mein Bruder in die gleiche Richtung wie »unser Chauffeur« jetzt gefahren, südostwärts über die Grenze, in die Landwirtschaftsschule nach Maribor.

Die fünf Jahre im Internat sind eine Erzählung nicht wert. Es genügen die Wörter Heimweh, Unterdrückung, Kälte, Gemeinschaftshaft. Das Priestertum, auf das wir alle angeblich abzielten, winkte mir keinmal als eine Bestimmung, und auch kaum ein andrer der Jugendlichen kam mir berufen vor; das Geheimnis, welches dieses Sakrament noch in der Dorfkirche ausgestrahlt hatte, wurde hier von morgens bis abends entzaubert. Keiner der zuständigen Geistlichen begegnete mir je als ein Seelsorger; entweder saßen sie zurückgezogen in ihren warmen Privatgemächern, und wenn sie einen zu sich kommen ließen, war es höchstens, um zu verwarnen, zu drohen und auszuhorchen – oder sie gingen, immer in ihren schwarzen, bodenlangen Soutanen-Uniformen, das Gebäude ab als Wärter und Aufseher, von denen es eben solche und solche gab. Selbst am Altar, bei der täglichen Messe, verwandelten sie sich nicht in die Priester, zu denen sie doch einmal geweiht worden waren, sondern führten jede Einzelheit der Zeremonie aus in der Rolle des Ordnungshüters: Standen sie abgekehrt, in Schweigen, mit zum Himmel erhobenen Armen, so schienen sie zu lauschen, was hinter ihrem Rücken geschah, und wendeten sie sich dann um, wie um alle zu segnen, so wollten sie nur mich ertappen. Wie anders war es mit dem Pfarrer des Dorfs gewesen: Gerade hatte er noch vor meinen Augen die Kisten mit den Äpfeln in den Keller geschafft, die Radionachrichten gehört, sich die Haare aus den Ohren geschnitten – und jetzt stand er im Prachtornat im Gotteshaus und beugte das Knie, mochte dieses auch knacken, vor dem Allerheiligsten, entrückt uns übrigen, die aber gerade so zu einer Gemeinde wurden.

Die einzige schöne Gesellschaft in der Geistlichenkaserne dagegen erfuhr ich allein, beim Lernen. Im Alleinlernen nahm eine jede Vokabel, die ich behielt, eine jede Formel, die ich richtig anwendete, ein jeder Flußlauf, den ich auswendig nachzeichnen konnte, jenes einzige Ziel vorweg, wonach es mich damals drängte: draußen, im Freien, zu sein. Auf die Frage, was ich mir unter einem »Reich« vorstelle, hätte ich kein bestimmtes Land genannt, sondern das »Reich der Freiheit«.

Und als die Verkörperung jenes bis dahin nur im Lernen erahnten Reichs erschien mir gerade der Mensch, der dann im letzten Internatsjahr mein großer Feind wurde. Diesmal war es kein Gleichaltriger, sondern ein Erwachsener, auch kein Geistlicher, sondern einer von draußen, aus der Welt, ein Weltlicher, ein Lehrer. Er war noch sehr jung, hatte eben erst fertigstudiert und wohnte in dem sogenannten Lehrerhaus, das, mit dem Internatsschloß und der in den Hang gegrabenen Bischofsgruft, auf dem abgelegenen, baumlosen Hügel im weiteren Umkreis das einzige Gebäude war. So unauffällig ich allen sonst war (noch Jahrzehnte danach hörte ich bei Begegnungen mit anderen Ehemaligen die immergleiche Beschreibung »still, abseits, in etwas vertieft«, in der ich mich nicht wiedererkannte): Er bemerkte mich sofort. Was er vortrug, richtete er an mich, so als gäbe er mir eine Privatstunde. Dabei sprach er ohne einen Tonfall der Belehrung; schien mich eher mit jedem Satz zu fragen, ob ich mit seiner Art, den Stoff zu gliedern, einverstanden sei. Ja er tat, als sei mir der Stoff längst vertraut, und er erwarte von mir nur jeweils ein bestätigendes Nicken, daß er den übrigen nichts Falsches erzähle. Und als ich ihn einmal tatsächlich verbesserte, spielte er nicht etwa drüber hinweg, sondern äußerte fröhlich seine Begeisterung darüber, wie ein Schüler doch mehr sein könne als jeder Lehrer: So habe er sich das immer gewünscht. Ich war keinen Moment geschmeichelt – es war etwas ganz anderes: Ich fühlte mich erkannt. Nach Jahren des Übersehenwerdens wurde ich endlich wahrgenommen, und das war geradezu eine Erweckung. Und ich erwachte im Überschwang. Eine Zeitlang war alles gut: Ich, die Gleichaltrigen, und vor allem der junge Lehrer, mit dem ich nach dem Unterricht in Gedanken täglich hinüber zum Lehrerhaus ging, heraus aus dem kurzatmigen Glaubensverlies in einen Luftraum des Studierens, Forschens und Weltbetrachtens; in eine Einsamkeit, die ich mir damals als etwas Herrliches dachte. Wenn er an den Wochenenden wegfuhr, waren meine

Gedanken bei ihm in der Stadt, wo er nichts tat, als sich für die Schultage zu sammeln; und blieb er einmal da, bezeichnete mir das einzelne beleuchtete Fenster draußen am Lehrerhaus ein ganz anderes Ewiges Licht als das zuckende Flämmchen neben dem Altar der finsteren Internatskirche.

Nie kam es mir dabei in den Sinn, etwa selbst ein Lehrer zu werden – ich wollte immer ein Schüler bleiben, zum Beispiel eines solchen Lehrers, der zugleich der Schüler des Schülers war. Das ging freilich nur im Abstand, und diesen so notwendigen Abstand verspielten wir, ich vielleicht im Überschwang des Erwachens, und er vielleicht im Überschwang einer Entdeckung, von der er sich bis dahin nur hatte träumen lassen. Vielleicht war es aber auch so, daß ich es auf die Dauer nicht ertrug, mich als erwählt zu denken. Es trieb mich geradezu, das Bild, das er sich von mir gemacht hatte, so sehr es auch meinem Innersten entsprach, zu zerstören. Ich wollte aus seinem Blickfeld. Ich sehnte mich, wieder im verborgenen zu leben, wie die sechzehn Jahre zuvor, versteckt in der weitläufigen, blauen Höhlung meines Lernpults, wo niemand von mir eine, auch noch so hohe, Meinung haben konnte – ja jetzt, nachdem ich jemandem so nahe bekannt geworden war, wie nicht einmal dem seinerzeit oft in mir spukenden Doppelgänger, erst recht und erst schön im verborgenen. Über einen bestimmten Augenblick hinaus als ein Muster oder gar Wunder zu gelten, und zwar nicht etwa vor den andern, sondern vor sich selber, das war nicht auszuhalten; es verlangte mich, in Widersprüchen zu verschwinden. So zog ich, gerade als mich, nach einer wohl wieder einmal mein »Mitdenken« beweisenden Zwischenfrage, ein großer Blick der Freude, ja Bewegtheit traf, eine fürchterliche Grimasse, die lediglich von mir ablenken sollte, den jungen Lehrer aber, ich fühlte es im gleichen Moment mit ihm, ins Herz traf. Er erstarrte, verließ dann die Klasse und kehrte in dieser Stunde nicht mehr zurück. Niemand wußte, was mit ihm war, außer mir: Er glaubte, gerade mein wahres Gesicht gesehen zu haben; meinen Ernst, die Liebe zu den Lerngegenständen, die Zuneigung zu ihm, dem in seiner Sache ganz Aufgehenden, hatte ich bloß vorgetäuscht; ich war ein Schwindler, ein Heuchler und ein Verräter. Während die andern sich aufgeregt unterhielten, blickte ich ruhig zum Fenster hinaus. Der Lehrer stand unten auf dem Vorplatz, mit dem Rücken zum Gebäude, und als er sich umdrehte, genau zu mir, sah ich nicht seine Augen, sondern die gespitzten Lippen, hart wie ein Vogelschnabel. Es tat mir weh, und es war mir recht. Ich genoß es sogar, endlich niemanden zu haben als mich selber.

In der Folgezeit wurde der Vogelmund nur noch spitzer. Jedoch nicht mit einem hassenden Feind hatte ich es zu tun, sondern mit einem kalten Vollstrecker, dessen einmal gefälltes Urteil unwiderruflich war.

Und die Lernpulthöhle zeigte sich nicht als die gedachte Asylstätte. Mit dem Lernen war es vorbei. Der Lehrer bewies mir jeden Tag, daß ich nichts wußte, oder daß, was ich wußte, nicht »verlangt« war: Mein sogenanntes Wissen war irgendein »Zeug«, nicht der »Stoff«; es kam nur aus mir und galt, in dieser Form, ohne eine von der Allgemeinheit beglaubigte Formel, niemandem. Ich starrte in die Höhlung, wo mir einmal, die Stirn erwärmend, die helle Welt der Zeichen, der Unterscheidungen, der Übergänge, der Verbindungen und der Gemeinsamkeiten geblaut hatte, und war allein mit der schwarzen Wolke in mir. Unvorstellbar, sie könnte sich auflösen; sie wurde schwerer, breitete sich aus, stieg in den Mundraum, die Augen, verschlug mir Stimme und Blick, was freilich nicht auffiel: In der Kirche hatte ich beim Gemeinschaftsbeten ohnehin meist nur die Lippen bewegt, und in der Schule wurde ich, da der Lehrer zugleich der Hauptlehrer war, bald weder gefragt noch überhaupt wahrgenommen. In dieser Zeit erfuhr ich, was es hieß, die Sprache zu verlieren – nicht nur ein Verstummen vor den andern; auch kein Wort, kein Laut und keine Geste mehr vor sich selber. Eine solche Stummheit schrie nach Gewalt; ein Einlenken war nicht denkbar. Und die Gewalt konnte sich, zum Unterschied von dem kleinen Feind, nicht nach außen kehren; der große Feind, er lastete im Innern, auf der Bauchhöhle, dem Zwerchfell, den Lungenflügeln, der Luftröhre, dem Kehlkopf, dem Gaumensegel, versperrte die Nüstern und die Gehörgänge, und das von ihm eingeschlossene Herz in der Mitte, es schlug, klopfte, pulste, pochte, schwirrte und blutete nicht mehr, sondern tickte, scharf, spitz und böse.

Da wurde ich an einem Morgen vor der Schule zum Leiter des Internats bestellt, der mich, wobei er mich mit dem Vornamen anredete, unterrichtete, es werde gleich meine Mutter anrufen (vor ihr hatte er mich immer »Filip« genannt, während ich sonst nur »Kobal« hieß). Noch nie hatte ich bis dahin die Mutter am Telefon gehört, und bis heute, da fast all ihre anderen Äußerungen, ob Sprechen, Singen, Gelächter oder Klagelaute, verklungen sind, habe ich ihre Stimme von damals im Ohr, gedämpft, wie eben eine Stimme aus der Kabine eines Postamts, eintönig und klar. Sie sagte, der Vater und sie seien übereingekommen, mich aus dem »Knabenseminar« in eine weltliche Schule wechseln zu lassen, und zwar sofort. In zwei Stunden werde sie, in dem Auto eines Nachbarn, unten vor dem Eingangstor auf mich warten. Für das Gymnasium in Klagenfurt sei ich bereits angemeldet. »Gleich morgen wirst du in deine neue Klasse gehen. Du wirst neben einem Mädchen sitzen. Du wirst jeden Tag mit dem Zug fahren. Du wirst im Haus ein eigenes Zimmer bekommen; die Speisekammer wird nicht mehr gebraucht; der Vater ist dabei, dir einen Sessel und einen Tisch zu zimmern.« Ich wollte

widersprechen, und widersprach auf einmal nicht
mehr. Die Stimme der Mutter war die einer Recht-
sprecherin. Sie wußte von mir, was zu wissen war; sie
war für mich zuständig; sie bestimmte; und sie ver-
fügte meine unverzügliche Freilassung. Es war eine
Stimme, die, nur für dieses eine Mal, sich aufschwang
aus der Tiefe, aus der dort lebenslang angesammelten
Verschwiegenheit, angesammelt vielleicht gerade, um
in einem einzigen Augenblick, bei der richtigen Gelegenheit, unwiderstehlich, ein für allemal den Macht-
spruch zu tun, und gleich danach zurückfallen konnte
in das Schweigen, wo ihr Volk Thron und Reich
hatte; eine leichte, beschwingte, geradezu tänzerische
Stimme, fast zu verwechseln mit einem Leiern. Ich
teilte die Entscheidung der Mutter dem Vorsteher
mit, der diese wortlos annahm, und keine Zeit später
bewegte sich eine vergnügte kleine Gruppe, mit dem
Begnadigten und dessen Koffer hinten auf dem Rück-
sitz, unter einem sehr hohen Himmel, in einer Helligkeit, als sei das Autodach aufgeklappt, über das offene
Land. Sooft die Straße vor uns leer war, fuhr der
Nachbar am Steuer in weitschwingenden Schlangen-
linien und sang aus ganzer Kehle Partisanenlieder.
Die Mutter, die den Text nicht wußte, summte mit
und rief dazwischen, in einem immer feierlicheren
Tonfall, die Namen der Orte aus, die, links oder
rechts, meinen Heimweg säumten. Ich war taumelig
und hielt mich am Koffer fest. Hätte ich meine Emp-

findung benennen sollen, es wäre nicht »Erleichterung«, »Freude« oder »Seligkeit« gewesen, sondern
»Licht«, fast zuviel davon.

Trotzdem bin ich nie mehr recht heimgekehrt. Dabei
war, gerade in den Jahren des Internats, jede Fahrt
nachhause in einer Stimmung des großen, festlichen
Aufbruchs vor sich gegangen, und das nicht nur, weil
wir, außer im Sommer, einzig zu den heiligen Zeiten
weg durften. Vor Weihnachten stürmten die Freige-
lassenen, noch in der Stockfinsternis, den Hügel hinunter, bei der ersten Gelegenheit weg von der Serpen-
tinenstraße, mitsamt dem Gepäck über den Zaun,
gleichsam in der Luftlinie den steilen, verlassenen,
hartgefrorenen Viehsteighang durchschneidend, und
weiter über die Sumpfebene mit den vor Frost rau-
chenden Bächen zur Bahnstation. Während der Fahrt
stand ich dann draußen auf der Plattform des Waggons, im Gedränge mit den andern, die mir ihre
Freudenschreie am Ohr vorbei brüllten. Immer noch
war es Nacht, eine den Himmel und die Erde umspannende, kräftigende Dunkelheit, mit den Sternen oben
und dem Funkenflug aus der Lokomotive unten, und
das diesen schwarzen Kraftraum durchwehende Element kann ich mir auch heute noch als etwas Heiliges
denken. Es war, als brauchte ich gar nicht mehr eigens
zu atmen, so belebt war mein Inneres, bis hinauf in die
Nase, von jener Fahrtluft; den Jubel, den die Neben-

leute aus sich herausschrien, den ich aber nur still in mir hatte, hörte ich dafür, statt von meiner eigenen Stimme, ausgedrückt von den Dingen der Außenwelt, tönen aus dem Stampfen der Räder, dem Rattern der Schienen, dem Klacken der Weichen, den wegbahnenden Signalen, den wegsichernden Schranken, dem Knistern in dem ganzen dahinbrausenden Eisenbahnwerk.

Jeder trennte sich dann vom andern in der Gewißheit, die schönste Strecke, den abenteuerlichsten abschließenden Fußweg und ein Zuhause vor sich zu haben, wie es der Mitinternierte nie gekannt hatte. Und wirklich wurde der Heranwachsende einmal, als er an einem solchen Tag vom Ankunftsbahnhof über die Felder auf das Dorf zuschritt, von etwas begleitet, in dem er damals das vom religiösen Kalender angekündigte Erlöserkind sah. Es geschah freilich nichts, als daß hinter den verschrumpelten Maisstengeln am Wegrand, indem er vorbeiging, die Zwischenräume aufblitzten. Diese zeigten sich in der Bewegung, Schritt für Schritt, von Zeile zu Zeile immergleich, leer, weiß, windig, und er hatte die Erscheinung, es sei ein und derselbe kleine Raum, der ihn da nicht nur begleitete, sondern ihm ruckhaft vorausflog; ein Lufthauch, der in den Augenwinkeln jeweils vogelgleich aufschwirrte, auf mich wartete, dann wieder vorflog. An einem Brachacker wirbelte aus einer Furche eine Handvoll Maisspreu in die Höhe, die fahlgelben Blätter schwebten erst eine Zeit auf der Stelle, trieben dann langsam, in Säulenform, über den Erdboden, und im Hintergrund fuhr ein Zug, der, fast verschwunden im Nebel, auf dem Gleisdamm einmal zu stehen, einmal weit vorauszuschießen schien, ebenso ruckhaft wie das luftige Etwas an meiner Seite. Heimzu lief ich, brennend, zu erzählen, wovon ich schon auf der Schwelle wußte, daß es nicht unmittelbar, und auch nicht mündlich, zu erzählen war. Es bestand, mit dem Öffnen der Tür, nur noch das Haus, warm, nach gewaschenem Holz riechend, bevölkert von Wesen, die, anders als im Internat, meine Angehörigen waren. Der Ruß im Gesicht, von der frühmorgendlichen Bahnfahrt, erzählte zur Begrüßung genug.

Das Internat war so sehr die Fremde gewesen, daß es von dort weg, ob nach Süden, Westen, Norden, Osten, nur eine Richtung gab: nachhause. Wenn man nachts im Schlafsaal lag und unten in der Ebene die Züge rollen hörte, stellte man sich darin nur Leute vor, die heimwärts fuhren. Das Flugzeug flog auf seiner Transkontinent-Route genau über das Dorf. Auch die Wolken trieben da hin. Die Allee, an deren Ende der Viehsteighang abfiel, wies den Weg; auf den grasüberwachsenen leeren Steigen war man dem Ziel schon so nahe, daß man, wie im Suchspiel, zu hören glaubte: »Heiß!« Der Brotwagen, der einmal in der Woche kam, fuhr danach weiter in einen nur mit seinem Namen bekannten Ort, wo aber das Licht auf der Straße das von mir daheim war. Gerade die fernsten Gegenstände – Berg, Mond, Leuchtfeuer – erschienen als Luftbrücken hin zu dem Ort, wo man, wie es in den Geburtsurkunden hieß, »zuständig« war. Die täglichen Fluchtgedanken richteten sich nie auf eine große Stadt oder gar auf das Ausland, immer nur auf den Heimatbezirk: eine Scheune dort, die bestimmte Feldhütte, die Waldkapelle, den Schilfunterstand am See. Fast alle Priesterzöglinge entstammten den Dörfern, und wer tatsächlich flüchtete, der wurde in seinem Dorfbereich, oder auf dem geradesten Weg dahin, unverzüglich aufgestöbert.

Jetzt aber, freizügig geworden, mit dem täglichen Hin und Her zwischen dem entlegenen Dorf und der städtischen Schule, erfuhr ich, daß ich keinen festen Platz mehr hatte. Das eigene Zimmer, das mir eingeräumt worden war, benutzte ich einzig zum Schlafen. Ich erlebte das Dorf Rinkenberg, dessen Weichbild sich in meinen Internatsjahren doch kaum geändert hatte – die Kirche, die niedrigen slowenischen Bauernhäuser, die uneingezäunten Obstgärten –, nicht mehr als einen Zusammenhang, sondern nur noch als eine ländliche Streusiedlung. Dorfplatz, Scheunenauffahrten, Kegelbahn, Bienenhäuser, Grasmatten, Bombentrichter, Altarstatue, Waldlichtung waren zwar vorhanden, ergaben jedoch nicht das Gefüge, in dessen Einheit ich mich früher bewegt hatte als ein

Einheimischer unter Einheimischen, als »Hiesiger«. Es war, als sei ein Schutzdach weggeflogen, und in dem grellen, kalten Licht bestünden keine Treffpunkte, Festorte, Schlupfwinkel, Blickfänge, Ruhestätten – überhaupt keine ineinander übergehenden Räumlichkeiten mehr. Anfangs meinte ich, das liege an dem Dorf, wo die Maschinen viele der Handwerksgeräte ersetzt hatten, und erkannte dann: Der Ungefüge, der aus dem Zusammenhang Geratene, das war ich. Wo ich ging, stolperte ich, stieß an, griff daneben. Kam mir einer entgegen, so scheute ich, mochten wir einander auch von Kind auf kennen, seinen Blick; so lange weggewesen zu sein, nicht zuhause geblieben zu sein, meinen Ort verlassen zu haben, das traf mich als Schuld; ich hatte das Recht verspielt, hier zu sein. Einmal wollte ein Gleichaltriger, mit dem ich in meiner Dorfzeit gemeinsam die Volksschuljahre verbracht hatte, mir dies und jenes Nachbarschaftliche erzählen, brach dann ab und sagte: »Du schaust ja, als ob du nichts kennst.«

Ich fand in den Kreis der Altersgenossen nicht mehr hinein. Ich war auch der einzige unter ihnen, der noch zur Schule ging; die anderen, ob Hofnachfolger oder Handwerker, waren alle zu Arbeitern geworden. Dem Gesetz nach Jugendliche, erschienen sie mir schon als erwachsen. Entweder sah ich sie nur tätig oder unterwegs zu einer Tätigkeit. In ihren Monturen und Schurzen, mit den geradeausgerichteten Köpfen,

den immer geistesgegenwärtigen Augen, den zupack-
bereiten Fingern, hatten sie etwas Militärisches, und
entsprechend war aus dem Stimmengewirr in den
Schulräumen eine Einsilbigkeit, ein bloßes Zunicken
oder ein stummes, blickloses Am-andern-vorbei (ein
lakonisches Handzeichen genügte) auf den Mopeds
geworden. Auch ihre Vergnügungen waren die von
Erwachsenen; und ich blieb wie selbstverständlich
draußen. Mit einem Schauder des Staunens, ja der
Ehrfurcht, als ginge es um die Anbetung eines Ge-
heimnisses, betrachtete ich die so ernsten, aufmerksa-
men, schrittsicher sich drehenden Paare auf dem
Tanzboden. Diese würdevoll sich bewegende junge
Frau war doch dieselbe, die einmal, auf einem Bein,
über die Kreidestriche eines Himmel-Hölle-Felds gesprungen war? Und die jetzt gemessen, das Kleid
gelüpft, zum Podium emporschritt, hatte uns vor
nicht langem, draußen auf der Viehweide, ihr haarlo-
ses Kindergeschlecht gezeigt! Wie schnell waren sie
alle aus den Kindereien herausgewachsen und schauten buchstäblich auf mich herab. Jeder der Burschen
hatte auch schon einen schweren Unfall überlebt; dem
einen oder andern fehlte ein Finger, ein Ohr, der
ganze Arm; mindestens einer war tödlich verun-
glückt. Ein paar waren Väter; mehrere Mädchen Müt-
ter. Der dort war eingesperrt gewesen. Und was war
mit mir? Ich erkannte, daß mit den Jahren im Internat
meine Jugend vergangen war, ohne daß ich diese,

auch nur in einem Augenblick, erfahren hätte. Und ich sah die Jugend als einen Fluß, als ein freies Zusammenströmen und gemeinsames Weiterfließen, wovon ich mit dem Eintritt ins Internat, mit allen übrigen dort, ausgesperrt worden war. Es war eine verlorene Zeit, die nicht mehr nachzuholen war. Es fehlte mir etwas, etwas Lebensentscheidendes, und es würde mir immer fehlen. Wie manchem Gleichaltrigem im Dorf gebrach es mir an einem Körperteil; doch war dieser nicht von mir abgetrennt worden, wie ein Fuß oder eine Hand, sondern hatte sich gar nicht erst ausbilden können, und war außerdem nicht bloß eine sogenannte Extremität, vielmehr ein durch nichts zu ersetzendes Organ. Mein Gebrechen hieß, daß ich mit den andern nicht mehr mitkonnte: weder mittun noch mitreden. Es war, als sei ich gestrandet, ein Krüppel, und die Strömung, die allein mich mitgetragen hätte, sei für immer an mir vorbeigeflossen. Ich wußte, ich brauchte die Jugend, für alles weitere; daß ich sie nun unwiederholbar versäumt hatte, machte bewegungsunfähig, ja bewirkte, besonders in der mir doch gemäßen Gleichaltrigen-Gesellschaft, zeitweise einen sehr schmerzhaften inneren Starrkrampf, aus dem heraus ich den für meine Lähmung Verantwortlichen – und es gab diese! – die Unversöhnlichkeit schwor.

Obwohl es mir im Abseits immer wieder auch gefiel, fand ich mich auf die Dauer nicht damit ab, alleinzustehen. So gesellte ich mich zuerst zu den Jüngeren im Dorf, zu den Kindern. Diese nahmen mich bereitwillig auf, als Schiedsrichter für ihre Spiele, als Helfer, als einen, der ihnen etwas vorerzählte. In der Stunde zwischen der beginnenden Dämmerung und dem Nachtanbruch wurde die freie Stelle vor der Kirche zu einer Art Platz, der den Kindern gehörte. Sie saßen dort auf den Mauersimsen oder auf ihren Rädern und ließen sich in der Regel erst mehrere Male rufen, bevor sie nachhause zum Schlafen gingen. Sie sprachen kaum, waren nur, umkurvt von den Fledermäusen, zusammen da, wobei einer dem andern im Lauf der Stunde fast unsichtbar wurde. Hier versuchte ich mich, ausgestattet mit verschiedenen Werkzeugen, als Erzähler; rieb mitunter ein Streichholz an, schlug zwei Steine gegeneinander, blies in die zur Hohlkugel geformten Hände; kam dabei freilich über das Beschwören von Abläufen – dem Gehen von Klumpfüßen, dem Anschwellen von Wasser, dem Sichnähern eines Irrlichts – nie hinaus. Die Zuhörer wollten auch gar keine Handlung, die Abläufe allein taten es schon. Als genügte mir aber solch ein Teilnehmen am Rande nicht, hockte sich der Heranwachsende, wie einer ihresgleichen, zu den Kindern in die Mitte. Sie nahmen das ganz selbstverständlich, doch die einstigen Spielgefährten, inzwischen »die Großen« geworden, verspotteten mich. Als ich einmal mit ein paar Figuren, von denen mir kaum eine bis zur Schulter reichte, auf dem Platz um die Wette rannte, schritt auf Stöckelschuhen, erhobenen Kopfes, das Mädchen vorbei, das ich in den Internatsnächten oft hinter blauen Schleiern gesehen hatte – die Nacktvorstellung einer Frau glückte nie –, und verzog, fast unmerklich, den Mund, ohne mich vorher überhaupt angeschaut zu haben: als habe der Blick aus den Augenwinkeln ihr schon alles, und das hieß, alles Schlechte über mich verraten.

Nicht nur die Gesellschaft der Kinder, auch der Platz war mir mit einem Schlag verwehrt. Es trieb mich an jenen Randstreifen, der im Sprachgebrauch des Ortes den Namen »hinter den Gärten« hatte. Übertragen bedeutete dieser Ausdruck auch das Gebiet, das zwar bewohnt war, aber nicht mehr so recht zum Dorf gezählt wurde: wo die einzelnen, die Alleinstehenden hausten. Der Wegmacher zum Beispiel lebte dort, in einem Einzimmerbauwerk, mit dicken Mauern, dunkelgelb angestrichen, wie die Pförtnerloge zu einem Schloß, das es nirgends gab (und auch nie im Umfeld der Dörfer gegeben hatte). Ich betrat das Haus keinmal, und blieb auch zu dem Mann immer im Abstand. Er war der einzige in meiner Umgebung, der ein Geheimnis – nicht zu verbergen hatte, sondern offen zeigte. Das Instandhalten der Gemeindewege war nur sein Alltagsberuf; an manchen Tagen aber erhob er sich von der Schotterkiste draußen in der Ödnis der Landstraße und stand verwandelt, zum Schriftenmaler geworden, auf einer Leiter, etwa über dem Gast-hofeingang in der Dorfmitte. Wenn ich ihm zuschaute, wie er dem fertigen Buchstaben, mit einem äußerst langsamen Pinselstrich, noch einen Schattenbalken ansetzte, wie er die dicke Letter durch ein paar feine Haarlinien gleichsam lüftete und das nächste Zeichen, als sei es schon längst dagewesen und er ziehe es nur nach, aus der Leerfläche zauberte, erblickte ich in der entstehenden Schrift die Insignien eines verborgenen, unbenennbaren, dafür umso prächtigeren und vor al-lem grenzenlosen Weltreichs. Und angesichts dessen entschwand das Dorf nicht etwa, sondern trat aus der Bedeutungslosigkeit, als des Reiches innerster Kreis, ausgestrahlt von den hier jetzt sich zusammenfügen-den Formen und Farben des Schriftbilds als dem Zen-trum. Schon die Leiter des Malers wurde in solchem Augenblick etwas Besonderes: Sie lehnte nicht, ragte auf. Der Prellstein zu ihren Füßen erglänzte. Ein Sprossenwagen zog vorbei, die Strohsträhnen ver-flochten zu Girlanden. Die Haken an den Fensterläden hingen nicht mehr bloß herab, wiesen in Richtungen. Die Wirtshaustür festigte sich zum Portal, und die Eintretenden gehorchten der Schrift und entblößten, sie betrachtend, die Häupter. Aus dem Hintergrund trat der Fuß des dort scharrenden Huhns hervor – als die gelbe Klaue eines Wappentiers. Die Straße, an welcher der Maler stand, führte nun, statt in die nahe Kleinstadt, zum Dorf hinaus ins Weite, und zugleich geradewegs auf die Pinselspitze des Schreibenden zu. Auch an gewissen anderen Tagen, im herbstlichen Laubsturm, im winterlichen Schneetreiben, in den Blütenschwaden des Frühjahrs, im sommernächtlichen Wetterleuchten, hatte vor mir auf dem Dorfplatz die große Welt geherrscht als reines Jetzt; an den Schriftmaltagen jedoch erlebte ich den Zusatz: Im Jetzt die Zeit, erhoben zum Zeitalter.

Der Wegmacher erschien mir noch in einer weiteren Verwandlung: Er frischte an den Bildstöcken draußen auf den Fluren die Bemalungen auf. Eins der Feldheiligtümer hatte die Form einer Kapelle, mit einem Innenraum, allerdings zu klein, darin auch nur einen einzigen Schritt zu tun. In dieses Viereck an der abgelegenen Wegkreuzung gezwängt, nur vom Kopf bis zu dem Ellbogen sichtbar, den er auf die Brüstung der zu mir hin offenen Luke stützte, traf ich ihn immer wieder bei seiner Arbeit. Der Bildstock erinnerte dabei an einen ausgehöhlten Baumstamm, eine Führerkabine, ein Schilderhäuschen; und es war, als habe ihn der Mann auf seinen Schultern hinaus in die Menschenleere geschleppt. Der Maler hatte nicht einmal den Platz, zurückzutreten und, was er tat, zu überprüfen. Doch die Ruhe, in der er dastand, den Hut auf dem Kopf, von meinen Schritten keinen Moment lang abgelenkt, zeigte an, daß er einen solchen Spielraum gar nicht benötigte. Das zu erneuernde Wandbild blieb von außen unsichtbar; um zu erkennen, was es darstellte, würden die Vorbeigehenden sich über die Brüstung beugen müssen. Nur die Hauptfarbe schien in dem Häuschen wider, ein lichtes Blau, in dem dann, beim längeren Hinschaun, jede Bewegung des andern auf mich als ein Beispiel wirkte. Ja, so langsam, so bedächtig, so schweigsam, nicht beirrbar durch gleichwelche Gesellschaft, ganz auf mich allein gestellt, ohne Zuspruch, ohne Lob, ohne Erwartung, ohne Forderung, überhaupt ohne Hintergedanken, wollte auch ich später einmal meine Arbeit verrichten. Was immer sie wäre, sie hatte der Tätigkeit hier zu entsprechen, welche den, der sie ausführte, so augenscheinlich veredelte und den zufälligen Zeugen mit.

In diesen Jahren, wo ich täglich erfahren mußte, daß es für mich in dem Dorf, nach dem vorzeitigen, gewaltsamen Abbruch der Kindheit, keine Anknüpfung mehr, keine Fortsetzung und keine Dauer gab, war es auch, daß mir erstmals meine verwirrte Schwester näherkam. Eigentümlich dabei, wie mich schon von klein auf sämtliche Geistesgestörten der Umgebung angezogen hatten, und ich umgekehrt sie. Auf ihren unablässigen Streifzügen traten sie oft an das Fenster, preßten Nase und Lippen an die Scheibe und grinsten ins Haus herein, und während meiner Hauptschulzeit in Bleiburg war dort in meinen Augen der einzige Ort, wo es immer hoch herging, die Pflegestätte, das Idiotenheim. Regelmäßig machte ich nach dem Unterricht einen Umweg dahin und ließ mich durch die Umzäunung mit Geschrei und stummem Gefuchtel – ich erinnere mich auch an Luftumarmungen – begrüßen, worauf ich belebt, auf der leeren Landstraße zwischendurch selber fuchtelnd und schreiend, heimwärts ging. Es war, als seien die Geisteskranken oder -schwachen meine Schutzheiligen, und wenn mir einmal länger keiner von ihnen begegnet war, spürte ich dann bei dem Anblick des ersten besten einen Ruck der Kräftigung und Gesundung.

Die Schwester jedoch erschien mir weder als eine aus der herzhaften Schar der Schwachsinnigen noch der Verrückten. Sie war immer finster allein gewesen, und ich hatte seit jeher vor ihr Scheu empfunden und sie gemieden. Wenn ich ihren Blick bedachte, kam er mir auch nicht verwirrt vor, wie man es mir eingeredet hatte, eher starr; nicht leer, eher klar; nicht versunken, sondern allezeit gegenwärtig. Ich wurde von diesen Augen ständig gemessen, und die Messung fiel keinmal zu meinen Gunsten aus. Dabei zeigte das Gerät (und als solches sah ich den reglosen Blick) nicht meine jeweiligen Fehler oder Schurkereien an, vielmehr das Grundübel: Ich verstellte mich; ich war nicht der, als der ich mich gab; ich war nicht echt, ich war gar nicht, ich spielte. Und es war mit ihr auch wirklich nie gut sein; was immer ich tat – und wenn ich nur so oder so dreinschaute –: ich hatte das Gefühl, ihr wie mir selbst etwas vorzumachen, noch dazu falsch und schlecht. Anfangs hatte sie mich wenigstens dann und wann mit ihrem fast mitleidigen Kichern ausgelacht, später blieb sie nach dergleichen vernichtenden Prüfmomenten bloß schadenfroh stumm. So ging ich ihr, wo möglich, aus dem Weg (freilich stand sie dann vielleicht unerwartet auf der Galerie und hatte da ihre Blickfalle aufgestellt).

Zu meiner Befremdung trug wohl auch bei, daß die Schwester so viel älter war als ich. Den Bruder und sie trennte ein Jahr, und mich und sie zwei Jahrzehnte. Das Kind hielt sie tatsächlich lange für eine Fremde im Haus, für einen unheimlichen Eindringling, der einmal aus seinem Haarknoten eine Nadel ziehen und zustechen würde. Und nun, bei meiner Rückkehr aus dem Internat, zog sie sozusagen die Nadeln aus ihrem Haar, was da aber hieß: Sie rückte näher, sie eröffnete sich mir, sie neigte sich mir zu, in einer Fürsorge, die eine Art von Begeisterung war. Begeistert ging sie mir querfeldein entgegen, wenn ich vom Zug kam; begeistert trug sie mir die Tasche; begeistert überreichte sie mir eine Vogelfeder, brachte einen Apfel, kredenzte ein Glas Most. Die ganze Zeit hatte ich geleugnet, und endlich war ich es: Endlich war nicht nur sie das Verwirrte, nirgends Zugehörige, sondern auch ich; endlich hatte sie einen Komplizen, einen Verbündeten, und konnte um mich herum sein. Ihr

Blick, statt mich zu treffen, ruhte auf mir, und hatte er mir bisher Unheil vorausgesagt, so verkündete er jetzt nichts als Freude an meiner, ihrer, unser beider Gegenwart; drängte sich dabei aber nie auf, geschah immer bloß, jedem Dritten entgehend, wenn ich ihn brauchte, als reine Andeutung, zeichenhaft.

In meiner Vorstellung ist die entsprechende Haltung der Schwester das Sitzen, ein ruhiges, aufrechtes Dasitzen, mit den Händen neben sich auf der Bank. Obwohl ja vor jedem Haus sich solch eine Bank befand, hockten sonst da eher die Männer, in der Mehrzahl die alten – und mein Vater, den ich doch einzig als alt im Gedächtnis habe, hat sich mir keinmal als ein Sitzender eingeprägt. Die Frauen des Dorfs dagegen sah ich, wie man von den Gastwirtinnen sagte, »immer auf den Beinen«; auf der Straße gehend, in den Gärten sich bückend, und in den Häusern drinnen gar laufend. Vielleicht bildete ich es mir nur ein: Aber es erschien mir als eine Eigenart der slowenischen Dorffrauen, daß im Hausinnern jede ihrer Bewegungen von einem Fleck zum andern ein Laufen war. Sie liefen vom Tisch zum Herd, vom Herd zur Kredenz, von der Kredenz zurück zum Tisch, und wenn die jeweilige Stubenstrecke auch noch so kurz war. Dieses Laufen in den engen Räumen begann aus dem Stand, war eine rasche Folge aus Trippeln, Huschen-auf-den-Zehenspitzen, Auf-der-Stelle-Rennen, Fußwechseln, Wenden und Weitertrippeln, und bot sich im ganzen dar als ein schwerfüßiges Tänzeln, als ein Tanz von langjährigen Dienerinnen. Auch die jungen Mädchen, kaum aus den Schulen zurück in den Häusern, schnellten dort unverzüglich los und sprangen, mit den andern um die Wette, wie von altersher im Dienstgalopp durch die Wohnküchen. Und sogar die Mutter, die doch eine Ortsfremde war, hatte den Volksbrauch angenommen und hüpfte, nur um mir zum Beispiel eine Tasse hinzustellen, eifrig mit zu Boden geschlagenen Augen und angehaltenem Atem, herbei, als sei ich ein unerwarteter, herrschaftlicher Gast. Dabei erinnere ich mich nicht, daß in unser Haus je so etwas wie ein Gast kam; nicht einmal der Pfarrer. Die Schwester nun, einzig unter den Dorffrauen, zeigte sich mir als die Sitzende. Sie saß vor dem Haus auf der Bank, in der Öffentlichkeit, und tat nichts als sitzen. Und auch sie betrachtete ich, wie den Wegmacher, als ein Vorbild. Dasitzend und mit den Fingern spielend, ohne den üblichen Rosenkranz dazwischen, verwandelte sie sich, vor aller Augen, in eine Luftgestalt, und wurde erblickt nur von dem, den zu sehen ihr höchstselbst beliebte, also von mir. Auch sie verkörperte, vergleichbar dem Schriftenmaler, abseits vom Tanz der übrigen, in ihrer Narrenfreiheit die Dorfmitte. Wo sie jetzt saß, hätte, bedachte ich, die tausendjährige kleine Steinstatue thronen können, die, völlig unbeachtet, ihren Platz in einer dunklen Nische der Kirche hatte. Sie bestand nur noch aus Rumpf, Hand und Kopf, und aus dem verwitterten Gesicht wölbten sich nichts als Augen und breit lächelnder Mund, beide geschlossen. Lider, Lippen und Hand mit der Steinkugel schienen hier im Freien wider von der Sonne, und das ganze Bild rückte weg in die lichtflimmernde Hauswand als deren Sockel.

Ja, der Moment der Kinder in der Dämmerung, ja, der Moment des ohne Zeugen arbeitenden Malers, ja, der Moment der in der Sonne sitzenden Mitverschworenen: Doch auf die Dauer konnten mir alle diese Momente nicht den verlorenen Ort ersetzen.
Der Traum war aus, die Träume mußten einspringen, große und kleine, des Tages und der Nacht. Aber auch zum Städter wurde ich nicht in diesen Jahren. Obwohl ich, im Dorf unheimisch geworden, oft nach der Schule erst den letzten Zug nahm, blieb ich in der Stadt überall draußen. Gaststätten besuchte ich damals nicht, ebenso nicht die Kinos, und so ließ ich mich entweder treiben oder wartete auf Parkbänken die Zeit ab. Vielleicht trug auch die Besonderheit Klagenfurts dazu bei, daß ich kein Ziel hatte: Der See lag, für einen Fußweg, zu weit abseits, und die mir doch weitflächig erscheinende Stadt, die Hauptstadt eines ganzen Landes, wurde von keinem Fluß durchströmt, an dessen Ufer man hätte gehen, auf dessen Brücken man hätte stehen können. Das einzige städ-

tische Gebäude, das mir, neben dem Bahnhof, zu etwas wie einer Behausung wurde, war die Schule. Ich verbrachte dort Nachmittage allein in der Klasse oder, wenn saubergemacht wurde, in einer Bucht des Flurs, die angeräumt war mit abgestellten Tischen und Bänken. Manchmal kamen da andere sogenannte Fahrschüler dazu, und wir bildeten in dem riesigen, leeren, immer lautloser und dunkler werdenden Gebäude eine eigene, kleine Klasse, ein Häufchen aus schweigenden Fensterbanksitzern und Eckenstehern. Hier traf ich auch das bewußte Mädchen, mit dem ich dann doch einmal einen Film anschaute; sie wohnte ebenso weit weg, in der entgegengesetzten Richtung, an einem Ort, den ich mir da, im Unterschied zur Internatszeit, ungleich verlockender dachte als meinen eigenen; mit ihrem Gesicht, wie es aus der Dämmerung des Korridors mir entgegenleuchtete, konnte sie nur in ein fürstliches Haus an einer Prachtstraße gehören.

Mit den eigenen Mitschülern dagegen erlebte ich eine Gemeinschaftlichkeit einzig während der Stunden des Unterrichts. Hier hatte ich das Wort, war sogar manchmal der Wortführer (oder der, der im Zweifelsfalle gefragt wurde). Nach der Schule aber blieb ich allein. Die andern wohnten alle in der Stadt, bei den Eltern oder bei Gastfamilien. Und sämtlich waren sie die Kinder von Anwälten, Ärzten, Fabrikanten und Kaufleuten. Keiner, der, wie ich, nicht hätte angeben können, was der Beruf seines Vaters war. War ich nun der Sohn eines »Zimmermanns«, eines »Landwirts«, eines »Wildbacharbeiters« (was im Lauf der Jahrzehnte die väterlichen Tätigkeiten gewesen waren), oder genügte nicht die Ausweichantwort, mein Vater sei »im Ruhestand«? Wie ich auch meine Herkunft verschwieg, über sie log, indem ich sie einmal veredelte, einmal herunterspielte, wie ich sie sogar überspringen wollte, so als sei ich, was mir ja wohl das liebste gewesen wäre, jemand ganz ohne Herkunft – ich erkannte doch klar das schon seinerzeit, in der Kleinstadt Bleiburg, im Umgang mit den Kindern des Lehrers, des Gendarmen, des Postamtsleiters, des Sparkassenangestellten, unklar Empfundene: Ich war keiner von ihnen, ich hatte im Innersten nichts mit ihnen gemein, sie waren nicht meine Welt. Sie hatten Umgangsformen, ich hatte gar keine. Ihre Geselligkeiten, zu denen sie mich anfangs noch höflich einluden, waren mir nicht nur fremd, sondern widerwärtig. Vor der Tür eines Tanzkurssaals stehend und die taktzählende Befehlsstimme der Vormacherin hörend, hatte ich die Vorstellung, da drinnen seien Lebenslängliche eingesperrt, noch dazu freiwillig, und fühlte die Klinke an meinem Gelenk wie die entsprechende Handschelle; und bei einem Gartenfest hockte ich einmal, umzingelt von buntfarbigen Lampions, flackernden Windlichtern, rauchendem Grillfeuer, gebannt von leiser Musik und Springbrunnengeplät-

scher, eingekreist von den Tanzenden und Plaudern-
den, mit angewinkelten Knien in der mir über den
Kopf geschlagenen Hängematte wie in einem Fang-
netz, aus dem es kein Entrinnen mehr gab.

Außerhalb der Lerngemeinschaft fand ich nicht meinen Platz. Ich stand im Weg, wo ich mich auch hin-
stellte; brachte, indem ich vor jedem Satz zögerte, die
so schlagfertig sich abspielenden Gespräche zum
Stocken. Während die andern erhobenen Kopfes mitten auf dem Gehsteig dahinschlenderten, bewegte ich
mich vorgebeugt eng an den Mauern und Zäunen
vorbei; und wenn sie, gleichwo, in der Eingangstür
erst einmal stoppten, um sich sehen zu lassen, benutzte ich diesen Augenblick, unauffällig neben ihnen
über die Schwelle zu gelangen (was manchmal erst
recht, wie es das Gelächter im Raum zeigte, auf mich
aufmerksam machte). Überhaupt standen die freien
Stunden mit den Mitschülern, was wohl nur mir allein
bewußt wurde, unter dem Zeichen meiner Begriffs-
stutzigkeit. Jahre danach erschien mir an einem Mann
in einer Straßenbahn mein Selbstbild von damals: Der
Mann saß da im Kreis von seinesgleichen, die Witze
erzählten. Er stimmte regelmäßig in das Lachen der
andern mit ein, doch jedesmal einen Hauch zu spät,
und brach auch mittendrin immer wieder ab, erstarrte
und lachte dann erst, überlaut, im Chor weiter. Niemand um ihn herum merkte, was mir von außen

sofort klar war: Er verstand wohl, was da erzählt wurde, aber er begriff nicht, was daran der Witz sein sollte. Es fehlte ihm aller Sinn für die Doppeldeutigkeiten und Anspielungen, und so nahm er die Erzählungen der andern ganz wörtlich; in den Schweigesekunden sah ich an seinem geradezu betroffenen Blick, daß er die erzählten Einzelheiten sogar miterlebte, als etwas sehr Ernstes. Genauso, dachte ich da in der Straßenbahn, bin auch ich damals unter den Mitschülern gehockt, und nur einer von außen, wie ich jetzt, hätte erkannt, daß einer »falsch« war in dem Kreis.

Einmal saßen wir zu mehreren an einem Tisch und redeten. Anfangs tat ich noch mit, doch dann, urplötzlich, war es aus zwischen mir und den andern, der Gesellschaft dort und mir hier. Ich hörte sie nur noch sprechen, ohne sie zu sehen; höchstens schnellten, oder verschoben sich, in den Augenwinkeln ein paar Gliedmaßen. Dafür war das Gehör umso schärfer: Wortlaut wie Tonfall eines jeden Satzes hätte ich sofort zum Erschrecken klar wiedergeben können, natürlicher als das beste Aufnahmegerät. Man sagte nur das Übliche, man unterhielt sich. Doch gerade daß man es sagte, und wie man es sagte, empörte mich. Hatte ich dabei nicht eben noch mich selber bemüht, mitzutun? Ja, aber nun saß ich stockstumm am Rand und wollte von der Runde dazu befragt werden. Die andern freilich, so schien mir, unterhielten sich nur umso geläufiger, an mir vorbei, über mich hinweg, als ginge es inzwischen einzig darum, mir damit vorzuführen, daß sie eben sie waren, und ich für sie nicht existierte. Ja, indem diese Bürgersöhne und -töchter vor mir, dem Verstummten, ohne die geringste Zwischenfrage, immer weiterredeten, beabsichtigten sie, einen wie mich, unsereinen, zu verstoßen, und selbst ihre Sprechweise, mochte auch kein böses Wort fallen, der flache, leichtzüngige Singsang, war gegen mich. Ich spürte, wie die Energie, die sich vor dem Zusammentreffen, im Alleinsein, in mir gesammelt hatte – der Drang, auch einmal etwas zu sagen, zu erzählen –, hinter meiner Stirn förmlich umsprang und mit Wucht, das ganze Gehirn erschütternd und betäubend, in mich zurückschlug; die »Einsamkeit«, die ich nur als ein Wort kannte: so erfuhr ich sie. An diesem Tag nahm ich mir vor, daß solche Art der Gesellschaft niemals die meine sein sollte; und war es nicht sogar ein stiller Triumph, da nicht mitreden zu können, ein andrer zu sein? Grußlos ging ich weg von dem Tisch, ohne daß man auch nur kurz stockte. Später erst, als sich das wiederholte, bekam ich zu hören, ich hätte »keine Kinderstube«, worauf mir einfiel, daß es in unserem Haus tatsächlich keinen besonderen Raum für Kinder gegeben hatte. Von diesen Vorfällen blieb mir im übrigen eine Angewohnheit, die ich mir dann selber austreiben mußte: in einer Auseinandersetzung zu einem Gegner, auch wenn dieser in der Einzahl war, »ihr« zu sagen.

So wurde meine Heimstatt damals das Fahren, das Warten an Haltestellen und Bahnhöfen, überhaupt das Unterwegssein. Die täglichen neunzig Kilometer oder, mit den Fußstrecken, drei Stunden des Hin und Her zwischen dem Dorf und der Stadt bildeten einen Zeitraum, der zugleich den, angesichts aller Umstände, mir entsprechenden Lebensraum gab. Es ließ mich jedesmal aufatmen, endlich wieder unter diesen meist Unbekannten zu sein, von denen ich niemanden mehr einzuordnen brauchte, und die auch mich nicht einordneten. Die Fahrtzeit lang waren wir weder arm noch reich, weder Bessere noch Bösere, weder deutsch noch slowenisch, höchstens jung und alt – und auf den Rückfahrten am Abend war mir sogar, als zähle zwischen uns nicht einmal das Alter mehr. Aber was waren wir dann? Im klassenlosen Personenzug einfach »Reisende« oder »Passagiere«, und im Autobus, noch schöner, die »Fahrgäste«. Manchmal zog ich aus verschiedenen Gründen den Bus vor: Einmal konnte ich damit länger unterwegs sein; zum andern war es da dunkel; und schließlich erschienen mir auf den Busfahrten selbst die zum Überdruß Bekannten als Verwandelte. Wo ich sie im Dorf oder in der Kleinstadt gleichsetzte mit ihren Stimmen, ihrem Gang, ihren Blicken, ihrer Art, die Ellbogen auf die Fensterbank gestützt, den Kopf nach dem Vorbeigehenden zu wenden, auch dem, was ich von ihrer Familie oder ihrer Vorgeschichte wußte, da waren sie, in den Bus gestiegen, mit einem Schlag unbestimmbar geworden. Und als Unbestimmbare waren sie in meinen Augen mehr als sonst: Ihren Eigenheiten enthoben, zeigten sie sich endlich allein, einmalig, jetzig, und wirkten in dem dahinbrausenden, schaukelnden Bus so viel richtiger an ihrem Platz als auf den daheim von ihnen behaupteten Kirchenstammsitzen, von der gemeinsamen Fahrt wie geadelt. Unbestimmbar geworden, gaben sie erst ihr Bild. Was sie da andeuteten und was zugleich undeutbar blieb, das waren sie auch in Wirklichkeit, ihr Gruß von Fahrgast zu Fahrgast einmal Grüßen, und ihr Fragen einmal Wissenwollen, und ich konnte mich zwar nicht daran halten, aber ich sollte es! Wie behütet, wie unter meinesgleichen empfand ich mich unter diesen fast immer Einzelnen, oder kleinen Gruppen aus Kind und Erwachsenen, und von einem verläßlichen Beamten (der zuhause vielleicht der mürrische Nachbar war) über die Stadt- und Landstraßen Chauffierten, alle verbunden nicht etwa durch einen Ausflug oder ein Vergnügungsziel, sondern ein Muß, das sie von den Häusern und Gärten weggeschickt hatte zum Arzt, zur Schule, zum Markt, zu einer Behörde. Und nicht immer brauchte dieses Gefühl den Schutz der Dunkelheit. Einmal saß ich an einem sehr hellen Vormittag hinter ein paar Frauen, die sich quer durch den Bus über die Verwandten unterhielten, zu denen eine jede gerade Richtung Spital auf dem Weg war. Durch ihre Krankengeschichten, eine klare Folge verschiedenartiger Stimmen, eine lauthals, eine leise, eine beklagend, eine gelassen, wobei eine jeweils den Einsatz gab, wurde der fahrende Bus zu einem Schauplatz, der jetzt allein den Erzählerinnen gehörte, und in dessen verglastem Gehäuse sich am Ende das Licht eines ganzen Landes gebündelt hatte, ein alles Körperhafte, Lastende zerstreuendes, begeisterndes Licht, eines anderen und doch gegenwärtig mit dem Autobus mitrollenden Landes. Die Kopftücher der Frauen schillerten, und aus den Handtaschen leuchtete es von den Sträußen der Gartenblumen.

In ähnlicher Weise sah ich immer wieder die ausgestiegenen Passagiere an den Haltestellen enteilen in die Finsternis: Diese Stationen waren ebenfalls Schauplätze, Orte einer Handlung, welche einzig darin bestand, daß da Leute kamen und gingen und vor allem warteten. Einige blieben, ehe sie sich wegdrehten, noch momentlang im Lichtkreis, als zögerten sie vor dem Heimweg (zu ihnen gehörte damals auch ich); die andern, kaum draußen, waren, wie manchmal Kinder im Traum, auf der Stelle verschwunden, wie für allezeit verschollen, und die Leere, die sie zurückließen, wurde bezeichnet von einem warmen Nebensitz, verrinnendem Atemdunst an der Scheibe, Finger- und Haarabdrücken.

Zum Hauptschauplatz wurde mir damals das Gelände des städtischen Busbahnhofs, eine Seitenstraße an der Zuglinie, mit der Schalterbaracke und den die Länge der Straße einnehmenden hölzernen Unterständen, wo es in die verschiedenen Richtungen des Landes und an bestimmten Tagen sogar nach Jugoslawien und Italien ging. Hier fühlte ich mich im Zentrum des Geschehens. Was geschah, war freilich nur der Geruch des von schwarzem Öl glänzenden Bretterbodens in der Baracke, das Sausen in dem Eisenofen dort, das Knallen der Türflügel, das Schwappen der Plakate draußen an den Ständen, das Schüttern eines startenden, das Knistern und Knacksen eines abgestellten Busses, das Wehen von Staub, Blättern, Schnee und Zeitungen durch die windige Straße. Und was an dem Ort mit diesen Dingen geschah, oder daß sie einfach da waren, als schwachgelbe Lampen hoch in den Bäumen, als rissige Stützbalken für die Unterstände, als rostende Blechschilder mit den Zielaufschriften, das genügte mir als Handlung, mehr sollte da gar nicht passieren, es war schon die Fülle. Daß ein Gesicht aus der Dunkelheit trat und so kenntlich, persönlich wurde, war bereits zuviel. Es störte nicht bloß, es entzauberte. In den Geschichten, die ich mir unwillkürlich doch dazu ausdachte, war der Held dann auch gleich einer, der sich für Gott ausgab, oder ein Idiot, der, beim Einstieg von allen begrinst, auf der nächtlichen Fahrt als der Rächer den Omnibus in den Abgrund lenkte. Selbst die Freundin verstellte mir, wenn sie sich auf der anderen Straßenseite in ihrem abfahrenden Bus zu mir herüberwandte, den Blick in den freien Raum. Ich konnte ihren Gruß erst erwidern, wenn sie aus dem Bild, der Platz wieder leer war. Dann freilich schien das ganze Land von ihr besiedelt, ich fuhr ihre Strecke mit ihr, wie sie die meine mit mir.

Ja, meine Strecke, mit den Zügen oder Bussen, den Bahnhöfen und Haltestellen, das war in der Fahrschülerzeit mein Zuhause. Mit dem Heimweh der Internatsjahre war es vorbei; an den schulfreien Tagen zog es mich weg zu der Straße mit den Warteständen, die, im Gegensatz zu dem Dorf, den Namen »Ort« verdiente. Es drängte mich, ewig unterwegs zu sein, unseßhaft, ohne Bleibe. Das einstige Heimweh, von allen bis dahin erlebten Schmerzen der grausamste, eine Plage, anders als Plagen sonst einen allein befallend, aus dem heiteren Himmel, während um einen herum alles heil blieb, und auch, anders als sonstige Plagen, durch nichts zu bekämpfen, war einem Leichtsinn gewichen, den ich, solange er kein Ziel hatte, als Langeweile empfand, sowie er jedoch eine Richtung bekam, als Fernweh: statt Plage Lust.

Eine Erkenntnis meiner Fahrzeit war es, daß auch die Eltern in dem Dorf Fremde waren. Nicht von den Mitdörflern wurden sie so gesehen, sondern von sich selbst. Außer Haus wurden sie geachtet: Dem Vater übertrug man wechselnde Ämter (es gab in Rinkenberg fast nur kirchliche), die Mutter galt als Sachverständige für den Umgang mit Behörden, Obrigkeit, überhaupt allem Auswärtigen, und setzte, eine Art Dorfschreiberin, der Nachbarschaft die Briefe und Ansuchen auf; doch im Haus, sowie sie unter sich waren, herrschte, gerade wenn niemand bei einer Arbeit war, einerseits eine Ruhelosigkeit, andrerseits ein regloses Brüten, so als seien sie beide unfreiwillig da, Gefangene oder Verbannte.

Das Bild des Vaters, wie er, auf und ab gehend, unversehens zu dem kleinen Radio läuft und mit finsterer Miene den Senderknopf dreht, erinnert mich an einen, der, schon lange verloren auf einem Außenposten, wieder einmal ohne Hoffnung das Signal zur Rückkehr sucht. Anfangs glaubte ich, das sei eine Auswirkung des mit den Jahren leergewordenen Stalls und der tauben Stille in der Scheune, wo die Geräte nur noch als Schaustücke oder Gerümpel standen, und sah dann, daß doch auch das fortgesetzte Sich-Betätigen des Vaters in seiner ehemaligen Werkstätte hinter dem Haus, wo er, nun ohne Bestellung, die durchwegs geradwinkligen, schnörkellosen Tische und Stühle eines Zimmermanns erzeugte, der Ausdruck einer unheilbaren Wut und Empörung über ein Unrecht war. Ich beobachtete ihn manchmal von außen durch die Scheiben, wie er arbeitete ohne einen Blick für sein Werkstück: Entweder starrte er über es hinweg, oder er hob ruckhaft den Kopf, in den Augen eine kurze Herausforderung, gefolgt von einer langen Ohnmacht. Sein Jähzorn, über den in der Gegend Sagen erzählt wurden, wandelte sich bei der Arbeit um in einen gleichmäßigen Dauerzorn, der sich auslebte im Ziehen möglichst dicker Striche, im Nägeleinschlagen, im Zuschärfen von Kanten. Später dann dachte ich, das komme daher, daß unser Haus, zwanzig Jahre nach dem Verschwinden meines Bruders, immer noch ein Trauerhaus war; daß der Verschollene, anders als ein mit Sicherheit Toter, den Angehörigen keine Ruhe ließ, sondern ihnen, ohne daß sie das Kleinste tun konnten, mit jedem Tag neuerlich wegstarb.

Aber auch das war es nicht, zumindest nicht allein. Jenes sämtliche Ecken des Anwesens gleichsam verzerrende Bewußtsein, da nicht heimisch zu sein, ja sogar, mit dem Ort bestraft zu sein, war noch viel älter, es war eine – die einzige – Familientradition, überliefert auf den Vater von dessen Vater, undsofort, und am klarsten vielleicht ausgeprägt in dem von einem dem andern weitergegebenen Spruch: »Nein, ich trete nicht ein, denn wenn ich eintrete, ist da niemand.«

Solches Erbe leitete sich ab von einer historischen Begebenheit, aus der unsere Hauslegende geworden war: Angeblich entstammten wir tatsächlich jenem

Gregor Kobal, dem Anführer des Tolminer Bauernaufstands. Dessen Nachkommen seien nach seiner
Hinrichtung aus dem Isonzotal vertrieben worden,
und einen von ihnen habe es über die Karawanken
nach Kärnten verschlagen. Jeder Erstgeborene werde
deswegen auf den Vornamen Gregor getauft. Was
von dieser Geschichte für meinen Vater zählte, das
war freilich nicht das Aufrührer- oder Anführertum,
sondern die Hinrichtung und die Vertreibung. Wir
waren seitdem eine Sippe von Knechten geworden,
von Wanderarbeitern, die nirgends ihren Wohnsitz
hatten, und waren verurteilt, es zu bleiben. Das einzige uns zustehende Recht, in dem wir kurz eine Ruhe
finden konnten, war das Spiel. Und im Spielen wurde
er jeweils, noch als alter Mann, zum Dorfersten. Ein
Teil des Verbannungsurteils war es für ihn auch, daß
er das Slowenische, welches doch die Sprache seiner
Vorfahren gewesen war, bei sich im Haus nicht bloß
hintanzustellen, sondern geradezu abzuschaffen hatte. Er redete es zwar, wie sich an seinen regelmäßi-
gen, oft sehr lauten Werkstattselbstgesprächen offenbarte, immerfort in seinem Innersten, aber es durfte nicht mehr heraus, und es sollte auch seinen
Kindern nicht weitervermittelt werden – weshalb ja
nur Recht geschehen war, als er eine aus dem feindli-
chen Volk, eine Deutschsprachige, zur Frau genom-
men hatte. Er verhielt sich so, als sei es von einem
obersten Willen, mächtiger als dem des Kaisers, der

einst unsern Stammherrn Gregor Kobal hatte hinrichten lassen, über unser Geschlecht verhängt, daß er, nach dem Verschwinden seines ältesten Sohns, des letzten dieses Namens, im Haus auch die letzten slowenischen Laute zum Schweigen bringen müsse. Vor den andern entfuhr ihm demnach seine Sprache nur noch, in den Flüchen, oder sie entschlüpfte ihm, in der Rührung. Frei heraus redete er sie einzig im Spiel, beim Ziehen einer Karte, beim Werfen einer Kegelkugel, beim beschwörenden Einreden auf einen dem Ziel zuschlitternden Eisstock: Da durfte er das Slowenische noch einmal, und noch einmal, gebrauchen, und da wurde er, der sonst nirgendwo mitsang, den andern zum Vorsänger. Sonst aber sprach er, wenn er nicht überhaupt stumm blieb, nur deutsch, ein Deutsch ohne den geringsten Dialektanklang, das sich auf die ganze Familie übertrug, und für das ich später, wo immer im Land, zur Rede gestellt wurde, als handle es sich um eine verbotene Fremdsprache. (Mir freilich ist dieses fremdelnde, ernste, mühsam ein jedes Wort bedenkende und in ein Bild verwandelnde Deutsch-Sprechen des Vaters im Ohr als die klarste, reinste, am wenigsten verballhornte und am meisten menschenähnliche Stimme, die ich zeitlebens in Österreich gehört habe.)
Dabei war es keineswegs so, daß mein Vater die Verdammung der Kobals, Exil, Knechtschaft, Sprachverbot, nur ergeben hinnahm; er betrachtete sie als em-

pörend. Doch die Erlösung suchte er nicht zu erwirken durch Widerstand oder auch bloß Widersetzlichkeit, sondern durch seine Art vielleicht geradeso heftiger, höhnischer, verächtlicher Übererfüllung des Unrechtsgebots, das derart der zuständigen Instanz vorgeführt werden sollte, damit diese endlich einschreite. Der Vater war mit allen Kräften, besonders mit der Kraft seiner Zähigkeit, auf Erlösung für sich und die Seinen aus, wollte sie sogar, wie die Jähzornausbrüche und Grausamkeiten gegen Tiere zeigten, ungeduldig erzwingen, war dabei aber, so als sei das Teil einer solchen Sehnsucht, ohne Hoffnung, ohne Traum, ohne Vorstellung, auch ohne Vorschlag an uns, wie die Erlösung der Familie hier auf Erden denn aussehen konnte. Dafür machte er die beiden Weltkriege verantwortlich, deren ersten er fast ausschließlich an unserem legendären Heimatfluß, dem Isonzo, durchstanden, und deren zweiten er als Vater eines Fahnenflüchtigen im Verbannungsort Rinkenberg durchwartet hatte.

Meine Mutter dagegen, die Angeheiratete, Zugezogene, begriff und wendete die Stammestradition ganz anders. Für sie bedeutete diese keine traurige Weise von erfolglosem Kampf und Aussiedlung, sondern sozusagen die Ur-Kunde von Ziel und Anspruch: eine Verheißung. Und anders als der erlösungsuchende Vater erwartete sie das Heil nicht von einem Dritten: Sie forderte es für uns von uns selber. Während sich der Vater, immer wieder vergeblich, in Gläubigkeit und Schicksalsergebenheit übte, zeigte sie sich entschieden gottlos und gab sich, wo es nur ging, ihr eigenes Recht (was auch sie aus der Erfahrung der beiden Weltkriege ableitete). Und das Recht besagte: Ihre Familie – womit sie ihre Kinder meinte – hatte jenseits der Karawanken seit Jahrhunderten ihr Zuhause, besaß einen Anspruch darauf und mußte ihn endlich von sich aus durchsetzen. Auf, hin, nach Südwesten, zur Landnahme, wie die auch aussähe! Solche Landnahme schlösse ein, daß die Schmach ungeschehen gemacht würde, die einst mit der Ermordung des Urahns von der Obrigkeit »uns« angetan worden war. (Die Mutter, der Findling, die Zugereiste, gebrauchte für ihre Asylgebersippe das herrischste aller »wir«.) Die Rache, die wir am Kaiser, an den Grafen, an den Oberen, überhaupt an den »Österreichern« – ihr, der Österreicherin, höchster Ausdruck von Menschen-Verachtung – so nähmen, pflegte sie zu versinnbildlichen in einem Wortspiel mit dem Namen des Ortes im Isonzotal, wo unser Ursprung sein sollte: Das im Deutschen »Karfreit« genannte Dorf, welches richtig, also slowenisch, »Kobarid« heiße, werde nach unserer Heimkehr und Auferstehung aus der tausendjährigen Leibeigenschaft umgetauft werden in »Kobalid«, worauf der Vater ihr höhnisch erwiderte, das könne man auch übersetzen mit »sich rittlings entfernen«, und sie möge es doch gefälligst, wie es unsereinem zustehe, bei Karfreit lassen, oder wenigstens bei Kobarid, worin zum Beispiel zusammengewachsene Kristalle enthalten seien, oder auch ein Büschel von Haselnüssen; worauf wiederum die Mutter zurückzugeben pflegte, ob er, der nun endgültig zum Untertanen Entartete, denn vergessen habe, daß die letzte Nachricht von seinem Sohn, dem Widerstandskämpfer, aus der berühmten »Republik Kobarid« stamme, wo ein einzelnes Dorf sich mitten im Krieg als Republik gegen den Faschismus ausgerufen habe und es eine Zeitlang auch geblieben sei; worauf der Vater nur noch sagte, er wisse weder etwas von einer Nachricht noch von einem Widerstand.

Beide trafen sich dann freilich immer wieder vor dem einzigen Bild bei uns (abgesehen von der vergrößerten Photographie meines Bruders drinnen im Herrgotts- und Radiowinkel): Es hing im Vorhaus und war eine Landkarte Sloweniens. Aber auch hier standen die Eltern einander in der Regel im Wortstreit gegenüber. Die Mutter, so gottlos, ja gotteslästerlich sie sonst war, hob vor der Karte, beim Ablesen der Bezeichnungen, die Stimme und psalmodierte, Silbe um Silbe auf einer gleichbleibenden, schwebenden, zitternden Höhe, während der Vater sie entweder unwirsch, kurzangebunden, verbesserte oder über ihre Aussprache der fremden Wörter überhaupt nur den Kopf schüttelte. Obwohl sie dabei Hasenzähne und Zungenstarre bekam, ließ sie sich aus ihrer slawischen Litanei nicht herausbringen, intonierte »Ljubljana« statt Laibach, »Ptuj« statt Pettau, »Kranj« statt Krainburg, »Gorica« statt Görz, »Bistrica« statt Feistritz, »Postojna« statt Adelsberg, »Ajdovščina« (auf dieses Klangbild wartete ich besonders) statt Heidenschaft. Seltsam, daß mir das Ortsnamenleiern der Mutter, im Gegensatz zu ihrem sonstigen Gesang, so falsch sie auch betonte, schön erschien. Es war, als sei jeder der Namen eine Anrufung und als verbänden sie sich alle zusammen zu einem einzigen, hochstimmigen, zarten Flehen, dem der Vater, so die Erinnerung, gar nicht widersprach, sondern in der Rolle des Volks – sehr kleines Volk – respondierte; und als würde davon das enge Vorhaus, mit Bretterboden, geländerumlaufener Holztreppe hinab zum Keller, Ausgang hinaus zur hölzernen Galerie, zum Schiff, mächtiger als je das Dorfkirchenschiff.

Dabei war die Mutter nie über die Grenze gekommen. Die jugoslawischen Orte kannte sie vor allem aus den Erzählungen ihres Mannes, und für diesen verkörperten die Namen, immer noch, einzig den Krieg. Er hatte auch weniger von Orten zu erzählen als von immer derselben felsigen Anhöhe, die erstürmt wurde, verlorenging, zurückerobert wurde, undsoweiter, über die Jahre. Der Weltkrieg hatte sich, nach ihm, auf solch einem kahlen, kalkweißen Bergrücken zugetragen, mit einer von Schlacht zu Schlacht gleichsam einen Stein-

wurf nach vorn oder nach hinten verschobenen Front-
linie, und wenn man den anderen Veteranen im Dorf
zuhörte, war das ihrer aller Wirklichkeit gewesen.
Schlottrig, wie der Vater war, schien er noch mehr zu
schlottern, sooft er die tiefen Felstrichter in dem Berg
erwähnte, auf deren Grund auch im Sommer der
Schnee lag. Er hatte viel Angst gehabt, doch seine
Hauptangst war es gewesen, und war es auch jetzt
noch, er könnte einen Menschen getötet haben. Seine
zahlreichen Wunden, am Schienbein, am Schenkel, an
der Schulter, zeigte er voll Gleichmut – nur wenn die
Rede, immer wieder, auf jenen Italiener kam, auf den
er einmal, auf Geheiß, angelegt hatte, verlor er die
Fassung. »Ich habe über ihn hinweggezielt«, sagte der
Vater, »aber auf meinen Schuß hin ist er in die Höhe
gesprungen, so, mit ausgestreckten Armen, und dann
habe ich ihn nicht mehr gesehen.« Diesen einen Moment erzählte er mit geweiteten Augen wieder und
wieder; denn der andre sprang auch nach dreißig,
vierzig, fünfzig Jahren immerzu in die Luft, und es
würde nie sicher sein können, ob er sich danach in
seinen Graben fallen ließ oder kopfüber hinein-
stürzte. »Schweinerei!« sagte er und wiederholte den
Fluch auf slowenisch, »Svinjerija!«, so als sei diese
Sprache doch der bessere Ausdruck seiner Wut auf die
Geschichte, die Welt und das Erdendasein. Ortschaf-
ten hatte er im Krieg jedenfalls kaum zu Gesicht
bekommen; höchstens war er einmal »in die Nähe

von . . .« oder »auf die Straße nach . . .« geraten. Einzig Görz bedeutete dem Vater etwas über ein Kampfgelände hinaus: »Das ist eine Stadt«, sagte er, »unser Klagenfurt ist gar nichts dagegen!« Doch wenn man nachfragte, kam nichts als ein: »In den Gärten wachsen die Palmen, und in einer Klostergruft ist ein König begraben.«

Was in der Nacherzählung des Vaters der bloße, Jammer und Zorn erregende, Name eines Kriegsschauplatzes war, das machte die zuhörende Mutter erst erfinderisch; was bei ihm Verwünschung war – »verdammter Ternowaner Wald!« –, das verwandelte sich bei ihr in eine Stätte der Erwartung. Und aus den Orten insgesamt entwarf sie wiederum vor mir (die Schwester kam dafür nicht in Frage) ein Land, das nichts gemein hatte mit dem tatsächlichen Gebiet von Slowenien, sondern gebildet wurde rein aus den Namen, den vom Vater, ob schaudernd oder auch nur beiläufig, erwähnten Schlacht- und Leidensstationen. Dieses Land, wo es einzig Hauptorte gab, mit märchenhaften Bezeichnungen wie Lipica, Temnica, Vipava, Doberdob, Tomaj, Tabor, Kopriva, wurde in ihrem Mund das Land eines Friedens, wo wir, die Kobal-Familie, endlich und dauerhaft die sein konnten, die wir waren. Solche Verklärung bewirkten vielleicht mehr noch als der Klang der Wörter oder die Familiensage die paar Briefe meines Bruders aus dessen jugoslawischen Jahren, aus der Zwischenkriegszeit, wo der Sohn den gleichen Örtlichkeiten, an denen der Vater die Welt als ganze verfluchte, oft ein Preiswort voransetzt: »Der heilige (Berg) Nanos«, »der heilige (Fluß) Timavo«. Bei mir, dem zweiten, dem spätgeborenen Sohn wirkten dann die Phantasien der Mutter, so erfahrungsfern sie waren, von Anfang an stärker nach als die väterlichen Kriegsberichte. Wenn ich dazu das Bild der beiden bedenke, sehe ich einen weinenden und einen lachenden Erzähler vor mir: der eine beiseitestehend, der andre in der Mitte das Recht behauptend.

Die Gegenwart freilich, der Alltag im Haus, wurde bestimmt von dem Gefangenen-Gebaren des Vaters. Gerade seine Ortsfremdheit machte ihn zum Haustyrannen. Indem er da nirgends seinen Platz fand, drangsalierte er die andern; vertrieb sie von ihren Plätzen, oder verleidete sie ihnen zumindest. Trat der Vater in die Stube, wurde es darin ungemütlich. Auch wenn er nur am Fenster stand, befiel uns übrige eine Fahrigkeit, die uns in allem ruckhaft werden ließ. Nicht einmal die sitzende Schwester konnte dann ihre Macht behaupten; anstelle der Seelenruhe atemlose Starre. Und seine Unstetigkeit war ansteckend: In der großen Stube ein im Kreis gehender kleiner Mann, um den herum, je länger er so ging, immer mehr einzelne Augen, Köpfe und Gliedmaßen zu zucken anfingen. Oft führte zu solch einem Gerucke allein schon, daß er die

Tür aufstieß, seinen Blick wunder Hoffnungslosigkeit gegen die Angehörigen abschoß und wieder verschwand, oder daß wir spürten, wie er reglos im Vorhaus stand, so als warte er dort gleichermaßen seinen Erlöser ab wie den Erdrutsch, der ihn samt dem Anwesen endlich verschütten sollte. Wir atmeten auf, sobald er in seiner Werkstätte war, aber auch von dort schollen seine Wutschreie herüber, unter denen wir, obwohl wir sie durch die Jahrzehnte gewohnt waren, noch immer zusammenfuhren; sogar der Arbeitsplatz, an dem er sich doch unabhängig und befreit hätte fühlen können, galt dem Vater nicht als Zuhause.

Selbst an den Sonntagen trat die entsprechende Ruhe, abgesehen von dem nachmittäglichen Kartenspiel, eigentlich nur bei der Rückkehr von der Messe ein, mit dem Aufschlagen der wöchentlich erscheinenden slowenischen Kirchenzeitung, dem einzigen, was der Vater je las. Er hatte dabei die Brille auf und bewegte über jedem Wort lautlos die Lippen, als läse er die Zeilen nicht bloß, sondern studiere sie, und von seiner Langsamkeit ging mit der Zeit eine Stille aus, die ihn umgab und das Haus erfüllte. Während dieser Lesestunden hatte der Vater endlich einmal seinen Platz, bei Sonne draußen auf der Hofbank, sonst auf dem lehnenlosen Hocker am Ostfenster, wo er mit einer kindlichen Forschermiene Buchstaben um Buchstaben erforschte – bei welchem Bild mir ist, als säße ich jetzt noch mit ihm zusammen.

In Wirklichkeit fanden wir damals nicht einmal zu den Mahlzeiten zueinander: Dem Vater wurde das Essen, als arbeite er noch immer auswärts, bei den Bergbauern oder in den Wildbachgräben, im festverschlossenen Blechgeschirr hinüber in die Werkstatt gebracht, die Mutter verköstigte sich neben dem Kochen, am Herd, die Schwester, wie es sich für eine »Gestörte« ziemte, löffelte aus einem Napf auf der Haustorstufe, und ich aß, wo ich ging oder stand. Wir alle ersehnten dann das Kommen der Kartenspieler, nicht nur, weil der Vater regelmäßig der Gewinner war: Die Ruhe, in der er da thronte und ein großes Spiel nach dem anderen wagte, strahlte eine auch die Verlierer umspannende Fröhlichkeit aus; man lachte willig mit, sooft sich das so seltene, weder schadenfrohe noch bemitleidende, einfach triumphale, freie Herauslachen des mit seiner Waghalsigkeit erfolgreichen Spielers ereignete. Und die Partner waren des Vaters Freunde, Knechte wie er, die als Spieler Ebenbürtige wurden, Dorfherren, Einheimische, Sprecher, Erzähler, mit niemandem über sich. Diese Freundschaft lebte aber nur auf für die Dauer der Partie; mit dem Ende des Spiels rückte ein jeder, ohne Zutun, vom andern ab, und nachhause gingen, wieder vereinzelt, bloße Nachbarn, entfernte Bekannte, einander vor allem an den gegenseitigen Schwächen und Absonderlichkeiten erkennende Dörfler: der Weibernarr, der Geizhals, der Mondsüchtige; und der

Vater, mochte er auch weiterhin am Tisch thronen, in der einen Hand den Kartenpacken, mit der andern das Geld zählend, hatte seinen Platz wieder verloren. Das Spiellicht abgeschaltet, war gleichsam ein Flackern im Haus, immer wieder am Ausgehen, ähnlich jenem schwachen, ungleichmäßigen Strom, der unserer Gegend vor der Elektrifizierung des ganzen Landes von einem Kleinstkraftwerk an der Drau, nicht einmal so groß wie eine Wassermühle, geliefert wurde.

Obwohl der Vater das Haus doch eigenhändig gebaut und eingerichtet hatte, Maurer, Zimmermann, Tischler in einer Person, bewohnte er es nicht als dessen Hausherr. Zwangsarbeiter seiner selbst, war er außerstande, auch nur momentlang von seinem Werk zurückzutreten und es zu betrachten, und konnte sich demnach auch nicht als der Urheber fühlen. Während er auf Baulichkeiten jenseits des eigenen Anwesens, an denen er mitgetan hatte, etwa das Dach des Kirchturms, bei Gelegenheit mit einem gewissen Werkstolz zeigte, bedachte er das von ihm an und in seinem Haus Gemachte mit keinem Blick; zog eine Wand auf, so sorgfältig wie nur möglich, und stierte zugleich blind vor sich hin; stellte einen fertiggezimmerten Schemel weg zu den anderen und hatte dabei nichts im Auge als das Holz für den nächsten. Nie habe ich mir vorstellen können, daß er damals als junger Mensch, am Ende des jahrelangen Fast-allein-Schuftens an dem Haus, dem ersten eigenen Haus der Kobal-Familie nach über zwei Jahrhunderten, hinauf zum Waldrand ging, um von dort aus stolz das Dorf Rinkenberg zu überblicken, mit dem Wohnsitz, den er sich und seinen Angehörigen da geschaffen hatte; ja nicht einmal eine Gleichenfeier, mit dem einen Mostkrug hebenden Realitätenbesitzer Gregor Kobal, war mir vorstellbar.

So war es vor allem der des Wohnens nicht fähige Vater, der mir in den letzten Schuljahren das Heimkommen verdarb. War der Rückweg von der Zug- oder Busstation auch gut gegangen und hatte ich, noch erfüllt von der gemeinsamen Fahrt mit den Unbekannten, den wärmespendenden Schatten, sogar das Hindernis Dorf überwunden: An der Grundstücksgrenze befiel mich, ohne daß es dagegen ein Mittel gab, kopfjuckend, armeversteifend, füßeverklumpend, das Unbehagen. Dabei war es nicht so, daß ich mir vorher, unterwegs im Freien, etwas vorgegaukelt hatte, in mich versunken, berauscht gewesen war, mit offenen Augen, wie man sagte, geträumt hatte – ich hatte zwar »mit offenen Augen geträumt«, aber nur das, was zugleich um mich herum war: die Nacht, den fallenden Schnee, das Rascheln im Mais, den Wind in den Augenhöhlen, und das alles, kraft der in Gedanken weitergehenden Fahrt, deutlicher als sonst üblich, bezeichnend, zeichenhaft. Die Kanne auf dem

Milchstand stand da als Letter; die Reihe der Pfützen, eine um die andre aus der Dunkelheit leuchtend, verband sich zur Zeile. Doch vor dem Haus dann verloren die Zeichen ihre Kraft, die Dinge ihre Eigenheit. Oft stand ich lange an der Tür und holte vergebens Luft. Was so klar gewesen war, wurde wirr. Da ich nicht mehr träumen konnte, war auch nichts mehr zu sehen. Der Holunderbusch, auf dem Weg von Zweigbogen zu Zweigbogen sich aufschwingend als Jakobsleiter, verschwand im Garten als Teil einer Hecke, die Sternbilder darüber, eben noch als einzelne lesbar, ein unleserliches Flimmern. Es war möglich, daß ich, mit Hilfe der Schwester, die mir entgegengegangen war, auch noch gut über die Schwelle kam; sie lenkte mich ab wie ein Haustier, und fügte sich, wie ein Haustier, in die traumgleiche Ordnung der Wegzeichen. Doch spätestens im Vorhaus glaubte ich in sämtlichen Räumen das ruhelose Rumoren des Vaters zu hören, als eine allgemeine Verstimmtheit, die auch sofort, mich nicht etwa ernüchternd, sondern mitverstimmend, auf den Heimkehrenden überging, so daß der, nur noch schlechtgelaunt, auf der Stelle in die Bettkammer wollte.

Das Wohnen lernte der Vater erst mit der Krankheit der Mutter, und dadurch wurde auch uns andern in diesen Monaten das Haus zu einem Wohnort. Schon in der Spitalzeit, nach der Operation, zog er sozusagen aus der Werkstätte aus und übersiedelte ins Hauptgebäude. Hier wirkte er nun nicht mehr wortlos und blindwütig für sich allein – jede Geste zugleich ein Ausdruck der Verzweiflung, daß man ihn ohnedies nicht verstand und daß niemand ihm helfen konnte –, sondern hielt einmal inne, sagte, was er wollte, und bat in der Bedrängnis sogar um Hilfe. Auf diese Weise verlor ich die Ungeschicklichkeit, die mich zuvor, wann immer ich dem Ungeduldigen beistehen sollte, sofort befallen hatte, und ich arbeitete mit ihm Hand in Hand, so sicher, als sei ich allein. Und die Schwester, die bisher Übersehene, Abgetane, und auf einmal von ihrem Vater Gleichbehandelte, entpuppte sich als die Vernunft in Person; sie hatte auf das Angesprochenwerden und das Ernstgenommenwerden nur gewartet. Vergleichbar einer aus unerforschlichen Gründen Gelähmten, bei der ein Wort genügt, und sie springt auf und läuft, so wurde jetzt von einem Moment zum andern, mit dem »Tu das!« des Vaters, aus der Verwirrten eine, die vieles wußte. Sie verstand ihn auch ohne ein Wort, war von der lästigen Seherin in eine andere, menschenähnliche verwandelt, die weder durchschaute noch schwarzsah, vielmehr vorhersah, was nottat, und schon im voraus entsprechend gehandelt hatte. Zwar pflegte sie noch immer ihr Sitzen, aber sie saß jetzt am Herd, am Krautkessel, am Brotofen, am Johannisbeerstrauch, und der Vater hockte daneben, oft müßig.

Und auch wenn er arbeitete, wirkte das nicht mehr als Einzelgängerei oder Amoklauf; es geschah bedächtig, wie sonst nur sein Lesen, im Einklang mit etwas, das in meiner Vorstellung das ins Haus fallende Licht war, das Leuchtbraun der Fensterbank, auch die Farbe seiner eigenen Augen, die mir dadurch erst klar wird, ein tiefes, an die Hintergründe der Bildstöcke erinnerndes Blau.

In ihrer fast befremdlichen Gemessenheit haben die Verrichtungen des Vaters, für den doch einzig der Schriftglauben zählte, im nachhinein etwas Abergläubisches angenommen: als gälte es mit jeder einzelnen, die Krankheit der Mutter zu vertreiben. Das Knüpfen eines Knotens sollte sie abschnüren; das Einschlagen von Nägeln sollte sie am Ausbreiten hindern; das Verschließen eines Fasses sollte dort die Schmerzen einsperren; das Abstützen eines Astes sollte der Kranken Kraft geben; das Durchziehen eines Sacks durch die Türöffnung sollte sie aus dem Spital herausholen; das Ausschneiden der faulenden Stelle an einem Apfel sollte . . . undsofort.

Zum ersten Mal herrschte, mit dem heimisch gewordenen Vater, die Selbstverständlichkeit in dem Haus. Ich fand bei jeder Rückkehr übergangslos in die Gemeinschaft der zwei andern, und auch die Schwester, seit Jahrzehnten verschlossen in ihre Liebesgeschichte, deren dem Vater zugeschriebenes Scheitern angeblich ein Grund ihres Verstörtseins war, vergaß das nun und zeigte sich, nicht nur in der Arbeit, gesellschaftsfähig. Sie forderte den Spielmeister zum Spielen heraus, verlor jedesmal und ärgerte sich bei jedem Mal mehr, wie nur ein Gesunder sich ärgern kann. In diesem Ärger – Schluß der Trauerzeit! – erschien sie, lippenbeißend, sogar in Tränen ausbrechend, ganz gegenwärtig, und der heranwachsende Zuschauer sah sich selber, die die Karten vom Tisch fegende Grauhaarige und den triumphlachenden Vater da als Gleichaltrige.

Freilich ging unser häusliches Leben nur an den Rändern vor sich. Wir waren in der Rolle von Einspringern, deren Tun zugleich ein Abwarten war, daß die Richtigen aufträten und das Geschehen in die Hand nähmen. Eine Mitte bekam das Haus erst, als die Mutter aus dem Spital zurückgebracht wurde, und die Richtigen, das waren dann nicht wunderwelch andre, sondern wir selbst; die Ersatzleute gaben sich einen Ruck und wurden, jeder jetzt mit einem Stammplatz, zu »Kräften«. Es war uns zwar mitgeteilt worden, daß die Kranke nicht mehr lange zu leben hätte, aber wie konnten wir das wissen? Sie war ohne Schmerzen und lag oder saß still in ihrem Bett, ganz unauffällig geworden, so anders als die Gesunde, aus der bei manchen Tätigkeiten ein grundloses Gejammer gekommen war. Ich jedenfalls dachte nicht daran, daß sie sterben würde. Und dem Vater und der Schwester erging es anscheinend ebenso: Der eine, der in den letzten Jahren, seit seiner Pensionierung, kaum von dem Anwesen gewichen war, zog jetzt immer größere Kreise um dieses herum, zuerst, was für seinesgleichen schon eine Grenzüberschreitung war, mit Wanderungen zu den Nachbardörfern Rinkolach und Dob, dann sogar nach Norden, über die Drau, »zu den Deutschen«, wo für ihn der innerste Bezirk des Auslands begann; die andre kleidete sich voll Sorgfalt, putzte sich heraus und das Haus, offenbarte sich vor allem als die gelernte Köchin, die bisher bei uns nie gesehene, auch namenlose Speisen zusammenzauberte. Und das schien auch im Sinn der Bettlägerigen in der Mitte: Vom Vater ließ sie sich – es war später Frühling – den Stand der Baumblüte, des Getreides, des Wassers in der Drau, der Schneeschmelze auf der Petzen berichten, und von der Schwester, die endlich zu etwas nutze war, sich bewirten, als habe sie ihr Leben lang darauf gewartet, und verzehrte die Gerichte feierlich aufgerichtet, mit vor Genugtuung leuchtenden Augen (und wir andern vergaßen über dem Geruch des Essens kurz den der Medikamente). Und ich? Ich trat in der Zeremonie – wehe, wenn jemand aus seiner Rolle fiel! – auf als der Erzähler, konnte, endlich unausgefragt, mich an das Bett setzen, an dessen Mitte, da ja, nach dem Aberglauben, an Kopf- und Fußende die Todesengel standen, und diese zum Haus hinauserzählen. Und was erzählte ich der Mutter? Meine Wünsche. Und wenn ihr Blick diese verspottete, trieb mich das nur an, neu anzufangen, weiter auszuholen, mit anderen Worten sie zu umkreisen; und wurden Wort und Wunsch einmal eins, durchfuhr meinen ganzen Körper die Wärme, und in den Augen der ungläubigen Zuhörerin erschien unversehens doch etwas wie Glauben, eine stillere, reinere Farbe – ein Aufschimmern von Nachdenklichkeit.

Die Hauptrolle in unserer Zeremonie aber hatte nun das Haus. Es zeigte sich in jedem einstigen Schmoll- und Ungemütlichkeitswinkel als wohnlich, als die richtige Stätte solch einer Nachdenklichkeit. Das Holz und die Mauern hatten einen Ton, der Abstand vom Bett zum Tisch, vom Fenster zur Tür, von der Feuerstelle zum Wasserhahn weitete sich. Der Vater hatte ein Haus gebaut, in dem, wo man sich bewegte oder stillsaß, es gut sein war, und in dem auch bisher Undenkbares möglich wurde. Er selber bewies das, indem er uns etwa im Radio ein Orchesterkonzert vorspielte und aus der hintersten Ecke des Raumes jedes gerade neueinsetzende Instrument beim Namen nannte, in einer Weise, daß ich die verschiedenen Klänge erlebte wie später in keinem Konzertsaal. Und dann überraschte er uns, indem er da, im Tageslicht, etwas vorführte, das er sonst nur in der Kirche, bei Kerzenschein, tat: Von einem Streifzug zurückkommend, warf er sich auf die Knie, auf beide zugleich, und rührte mit der Stirn lang an jene der Mutter: In einem Bergpaar der Karawanken-Kette, dem spitzen Hochobir und der breiten Koschuta, erschien diese Gruppe aus Mann und Frau mir später immer wieder.

Nur in den Nächten brach die Arche, die uns während dieser Monate barg, auseinander. Vor allem in den Stunden vor dem Morgengrauen schreckte ich auf, geweckt von einem lautlosen Bersten, und lag wach mit den andern, die ich in ihren Betten, als gäbe es keine Wände mehr, genauso wach wußte. Die Kranke hatte nicht gestöhnt. Es war auch kein Spiegel zerschellt – denn in unserm Haus hing kein Spiegel –, und hinten im Wald hatte kein Käuzchen geschrien. Keine Uhr tickte, denn es gab im Haus keine Uhr, und in der Jaunfeld-Ebene rumpelte kein Zug. Auch den eigenen Atem hörte ich nicht, nur ein Raunen, in meiner Vorstellung aus dem tief in die Ebene versenkten Trogtal kommend, wo die Drau floß. Die Schwester lag unten in der ehemaligen Milchkammer, wo es aus dem Ausguß immer noch faulig herausstank, der Vater mit weit offenen Augen und gebißlosem Mund neben der Mutter, welche die einzige Schlafende oder jedenfalls Nichtaufgewachte war, und das kleinste Holzknacken fuhr durch das Haus wie ein Peitschenschlag, dem echogleich, aus unbestimmbaren Richtungen, oft mehrere antworteten, anders als die

Schläge der Kirchenuhr unzählbar. Wenn der Vater dann, noch vor dem ersten Vogellaut, in die Umgebung aufbrach, war mir, als flüchte er vor seiner sterbenden Frau und ließe uns in seinem Alpdruckhaus allein.

In einer solchen Nacht träumte ich, wir gingen alle in der ausgeräumten dunklen Wohnstube des Hauses auf und nieder, wo in der Mitte der Bruder stand, mit Tränen der Dankbarkeit darüber, daß er von den Umhergehenden geliebt wurde. Als ich in den Kreis blickte, sah ich die andern in ähnlicher Weise, und in ähnlicher Weise dann auch in einer Ecke den Vater: weinend darüber, endlich entdeckt worden zu sein, als einer, der seine Angehörigen liebte und nur sie. Und auch nur so, unter Tränen, im leeren Zimmer kreuz und quer irrend, ohne sich einander nähern, ohne einander berühren zu dürfen, mit hängenden Armen, konnten wir Kobals eine Familie sein; und eine Familie konnte man überhaupt nur im Traum sein. Aber was war »nur im Traum«?

Denn am Tag vor meiner Abfahrt nach Jugoslawien habe ich ja mit wachen Augen die Gültigkeit des Traumgesichtes erlebt. Eigentlich hätte ich da schon in den Zug steigen sollen, hatte auch einen mißglückten, geistesabwesenden, gefühllosen Abschied hinter mir, doch nach einer Stunde allein auf dem Bahnhof von Mittlern entschloß ich mich, umzukehren und die eine Nacht noch zuhause zu verbringen. Ich ließ den Seesack bei dem Beamten im Schalterraum und ging zurück nach Osten, zuerst auf den Gleisen, dann durch den lichten Kiefernwald der Dobrawa, den größten Niederwald des Landes. Es war ein Frühsommer-Nachmittag, und ich hatte die Sonne im Rücken. Im Wald, wo mir die Stellen vertraut waren, fand ich die ersten Pilze des Jahres, zuerst kleine, feste, in dem schottrigen Dobrawa-Boden fast weißfarbene Eierschwämme, dann die mir im Gehen, wo ich, der sonst Farbenunsichere, die Farben besser auseinanderhalten konnte, mit der Zeit immer zahlreicher entgegenleuchtenden Steinpilze, jeder für sich ein herzhaftes Gewicht in der Hand, und schließlich am Waldrand, aus dem Gras stehend, der hohe hohle dünne Stiel im Wind wippend, einen einzelnen, weithin sichtbaren Schirmling, auf welchen ich losrannte, als müßte ich der erste bei diesem König sein, und dessen Kappe dann, schildgroß, in der Mitte rundgebeult, über meine beiden Handteller ragend, darauf leichter wog als ein noch so dünn gewalkter Teigfladen.

Die Pilze eingeschlagen in das übergroße Taschentuch meines Bruders, das mir, wie auch dessen Kleidungsstücke, für die Reise aufgedrängt worden war, näherte ich mich Rinkenberg und dem Haus darin, wo die Mutter nur mit dem Gesicht zur Wand liegen, die Schwester nur auf allen vieren ihren Rückfall in die Verwirrung abwarten und der Vater nur als Hiob auf dem Misthaufen sitzen konnte.

So war es dann nicht. Das Haus stand offen und leer, das Bettzeug der Kranken zum Lüften im Fenster. Ich fand die drei in dem Rasenstück hinter dem Haus, »Tratte« genannt, mit einem vierten, einem Nachbarn, welcher dem Vater geholfen hatte, die Mutter auf dem Tragsessel ins Freie zu schaffen. Sie saß da barfuß, in einem langen weißen Hemd, eine alte Pferdedecke auf den Knien, und die andern lagerten auf der Rasenbank, gebildet durch die leichte Versenkung, wo jetzt ihr Platz war, um sie herum. Zuerst kam es mir vor, als ertappte ich meine Leute bei etwas; als seien sie froh, endlich ohne mich, unter sich zu sein, und könnten sich nun geben, wie ihnen zumute war: Denn sie wirkten, ohne laut zu sein, ausgelassen; die Schwester schnitt zum Spaß in die Runde Gesichter, ahmte, zum Erraten auffordernd, die Miene dieses oder jenes nach, worunter ich dann, als die von allen, auch vom Vater, dem der Hut schief auf dem Kopf saß, am meisten belachte, meine eigene erkannte. (Immer wieder hatte ich den Wahn, zu stören, ungelegen zu kommen, ein Spielverderber zu sein, der ich dann oft tatsächlich wurde.) Doch als man mich bemerkte, ging ein Strahlen durch den Grasgarten, welches nach einem Vierteljahrhundert erst recht über die leergewordene Stätte weht. Von der Leidenden kam mir ein Lächeln unendlicher Güte entgegen, wie ich es noch nie erlebt hatte, und das mich vom Erdboden hob.

Ich setzte mich dazu, so daß man nun vollzählig war. Die Schwester hatte rasch die Pilze zubereitet, die sogar mir schmeckten, der ich sonst die Waldfrüchte weit lieber sammelte als aß. Obwohl kein Tisch aufgestellt, kein Tischtuch ausgebreitet wurde, war es ein Tafeln, für das sich auch der Nachbar, den gerade noch die Arbeit »gerufen« hatte, die Zeit nahm. Danach erinnere ich mich an nichts mehr als ein stundenlanges wortloses Dasitzen. Schmale lange Augen, in den Winkeln gekrümmt wie Bootskiele. Von dem ungewohnten Blickpunkt – wir saßen sonst nie auf der Tratte, wo in der Regel das weiße Leinenzeug bleichte – schien das Vaterhaus für sich allein zu stehen, nicht in dem Dorf namens Rinkenberg, sondern in einem unbekannten, auch unbenennbaren Teil der Erde, unter einem ebenso fremden Himmel. In den Zimmern ein Luftzug, zu spüren bis in das sehr weiche Mattengras heraus. Am Spalierbaum kam eine Birne ins Pendeln und fiel ab. An der seit langem entvölkerten Bienenhütte traten die Farben der einzelnen Stirnbrettchen hervor und zeigten zusammen ein Gesicht, das sich wiederholte an dem Weiß der unter dem dunkelgrünen Buchsstrauch halbverborgenen Katze. Die Kalesche im Schuppen, ausgedient wie alle Geräte, unterschied sich von den anderen Wagen und Wagenteilen dort durch ihren unverwitterten, feiertäglichen Lackglanz, der für sich allein noch einmal aus dem Schuppen heraus über das Land fuhr, begleitet von einem dem Gebüsch entschwirrenden und delphingleich den Luftraum durchtauchenden Vogelschwarm. Aber es war nicht Unternehmungslust, was uns gepackt hatte, sondern Scheu, gemeinsam mit einer Zuversicht, umso kräftiger, als sie ohne Sinn war. Einzig die Schwester störte die Ordnung der Dinge, indem sie sich betätigte, kam und ging, sprach, die Mutter kämmte, ihr die Füße wusch. Ihr Stören war freilich eher ein Verstärken der Ordnung; es mußte so sein, damit diese eindrücklich, nachhaltig wurde; und sooft sie die Frau in dem Sessel berührte, anfaßte, herumdrehte, tat sie das gleichsam amtlich: im Amt unsrer Stellvertreterin. In meinem Gedächtnis sitzt da keine Menschengruppe in der Sonne, es liegen nur die üblichen blendweißen Tücher auf der Grasfläche, besprengt aus einer Gießkanne, von der mit dieser Arbeit betrauten Person. Das Geräusch des Wassers ist ein hartes Prasseln; die kleinen Tümpel in den Tüchern verdunsten schnell; und die Grasfläche ist eine schiefe Ebene, von der alles andere, auch ich, verschwunden, weggerutscht, weggekippt ist.

So erzählen sich die damaligen Stunden. Wie aber war es mit dem Ereignis, das erst zu jenen Stunden geführt hatte, dem Entschluß, umzukehren, der Sache eines bloßen Augenblicks? Warum war ich überhaupt, statt nach Bleiburg, zu dem Bahnhof von Mittlern gegangen, wohin es von zuhause um einiges weiter war? Ich hatte den Mittagszug versäumt, und bis zum Nachmittagszug war es noch so lang, daß ich mir mit dem Gehen, zwei Stationen und zehn Kilometer westwärts, die Zeit vertreiben wollte. Doch in meiner Unfähigkeit, zu trödeln, langsam zu sein, einen Umweg zu nehmen, war ich dann immer noch viel zu früh. Der Bahnhof von Mittlern liegt abseits vom Dorf, am Rand des Dobrawa-Walds; für die Jaunfeld-Ebene, wo alles, was aufragt – die Häuser, die Bäume, selbst die Kirchen –, in der Regel, wie die Bewohner dort, eher zierlich und niedrig ist, ein massiges, hoch wirkendes Gebäude, aus unverputztem, felsgrauem Stein. Eine Stunde lang ging ich davor im Leeren auf und ab, kein Geräusch als das Knirschen des schwarzen Schlackenkieses unter den Füßen, und jenseits der in der Sonne blendenden Eingleisschienen ab und zu ein Sausen in den Kiefern, die mir heute mit ihren so schmalen Stämmen und den kleinen dunklen Zapfen als das Wahrzeichen der ganzen Landschaft erscheinen, zusammen mit dem Weiß der vereinzelt den Wald säumenden Birken (weiß selbst die oberirdischen Wurzeln), damals noch nicht in die Rasengärten umgesiedelt als Ziergewächse. Im ersten Stock des Bahnhofs befand sich die Wohnung des Beamten, an den Fenstern durchbrochene Vorhänge und davor in Kästen die auch hier nicht fehlenden rotflimmernden Pelargonien, deren Geruch mir zuhause immer zuwider gewesen war. Hinter den Fenstern kein Lebenszeichen. In Abständen schossen pfeilförmige Blütenblätter herab, die dabei etwas von Insektenflügeln hatten. Ich setzte mich auf eine Bank im Schatten, vor mir die Schmalseite des Gebäudes. Die Bank stand an einem Gebüsch, in welchem seinerzeit, anstelle der jetzigen weißen Papierknäuel, die grünlichen Präservative hingen. Zu meinen Füßen, fast überwachsen vom Gras, ein Steinkreis, ein ehemaliges Fundament? Ich hob den Kopf und erblickte an der Seitenwand des Bahnhofs ein blindes Fenster, in demselben Weißgrau wie die Wand, nur im Viereck zurückversetzt. Das Fenster bekam keine Sonne mehr, empfing aber von irgendwo ein Reflexlicht und schimmerte. Im Dorf gab es nur ein einziges derartiges Fenster, und es befand sich ausgerechnet am kleinsten Gebäude, dem des Wegmachers, das ja an das Pförtnerhäuschen eines nicht vorhandenen Herrensitzes denken ließ. Auch es hatte die Farbe der Wand – dort das Gelb –, war freilich weiß umrandet. Im Vorbeigehen zog es jedesmal meinen Blick an, so als sei da etwas zu sehen; doch wenn ich stehenblieb und eigens hinschaute, hatte es mich wieder einmal genarrt. Trotzdem behielt es seine unbestimmte Bedeutung, und am Haus des Vaters fehlte es mir. Jetzt, angesichts des blinden Fensters von Mittlern, erinnerte ich mich: In einer Nacht des Jahres 1920, vor vierzig Jahren, war der Vater mit meinem Bruder, einem zu der Zeit kaum gehfähigen Kleinkind, in einem Handkarren hierher zum Frühzug gelaufen, um den an einem »Augenfieber« Leidenden zu einem Arzt nach Klagenfurt zu bringen. Das nächtliche Rennen hatte nichts genützt, das Auge ging verloren, auf dem Photo im Radio- und Herrgottswinkel war an seiner Stelle nichts als ein milchiges Weiß. Die Erinnerung war dabei keine Erklärung: Die Bedeutung des blinden Fensters blieb unbestimmbar, aber wurde, einmal, zum Zeichen, und im selben Augenblick war es beschlossen, ich würde umkehren. Und das Umkehren, weitere Kraft des Zeichens, war nichts Endgültiges, sondern galt allein für die Stunden bis zum kommenden Morgen, wo ich dann erst richtig aufbrechen, mich erst richtig auf den Weg machen würde, mit den sich wiederholenden blinden Fenstern, gleichwo, als meinen Forschungsgegenständen, Reisebegleitern, Wegweisern. Und als ich später, am Abend des folgenden Tages, in der Bahnhofsgaststätte von Jesenice, das Schimmern des blinden Fensters bedachte, übermittelte es doch noch eine klare Bedeutung – es bedeutete mir: »Freund, du hast Zeit!«

2. Die leeren Viehsteige

Was ich bisher vom Haus meines Vaters, vom Dorf Rinkenberg, von der Jaunfeld-Ebene erzählt habe, das war mir vor einem Vierteljahrhundert im Bahnhof von Jesenice wohl ganz gegenwärtig, aber ich hätte es niemandem erzählen können. Ich spürte in mir nur Ansätze ohne Laut, Rhythmen ohne Ton, Kürzen und Längen, Hebungen und Senkungen, ohne die entsprechenden Silben, ein mächtiges Schwingen von Perioden, ohne die dazupassenden Wörter, den langsamen, weitausholenden, ergreifenden, stetigen Takt eines Versmaßes, ohne die zugehörigen Verse, ein allgemeines Anheben, das keinen Anfang fand, Rucke im Leeren, ein wirres Epos, ohne Namen, ohne die innerste Stimme, ohne den Zusammenhang einer Schrift. Was der Zwanzigjährige erlebt hatte, war noch keine Erinnerung. Und Erinnerung hieß nicht: Was gewesen war, kehrte wieder; sondern: Was gewesen war, zeigte, indem es wiederkehrte, seinen Platz. Wenn ich mich erinnerte, erfuhr ich: So war das Erlebnis, genau so!, und damit wurde mir dieses erst bewußt, benennbar, stimmhaft und spruchreif, und deshalb ist mir die Erinnerung kein beliebiges Zurückdenken, sondern ein Am-Werk-Sein, und das Werk der Erinnerung schreibt dem Erlebten seinen Platz zu, in der es am Leben haltenden

Folge, der Erzählung, die immer wieder übergehen kann ins offene Erzählen, ins größere Leben, in die Erfindung.

Seltsamkeit, daß die Kellnerin aber schon damals, sooft ich von der Nische zur Theke hinblickte, von dort zurückblickte, als erahne sie allein aus meiner Art, zu schauen, zu sitzen, zu rucken, mit den Fingern zeitweise auf den Tisch zu klopfen, die ganze Geschichte, für die ich jetzt erst die Worte gefunden habe, und als bräuchte ich ihr nichts mehr zu sagen! Stundenlang hatte ich, wortlos mit meiner Erzählung beschäftigt, an der leeren Flasche gedreht, und die Frau an der Theke hatte ihrerseits einen Aschenbecher in dem gleichen Rhythmus mit mir mitgedreht. Dieses Mitdrehen, anders als das Nachäffen meines Feindes, belebte mich. Ich fühlte mich auch deswegen nicht zum Gehen gedrängt, weil in der Nebennische noch Männer beim Würfelspiel saßen; solange sie spielten, konnte ich bleiben. Ich genoß es, daß die von den Unsichtbaren gesprochene Sprache mir unverständlich blieb; daß ich, der Ausländer, ihnen, den in Jesenice wohl auch nicht Heimischen, den Serben, Kroaten, Mazedoniern (würden sie sonst nicht längst in ihren Wohnungen sein?), ab und zu den zu Boden gefallenen Würfel hinüberreichen konnte, mit der Vorstellung, einer aus dem Nachbarort zeige einem Häuflein wirklich Fremder, vom anderen Ende der

Welt daher Verirrter, den Weg; und ich genoß es vor allem, daß ich an der Kellnerin noch eine Zeitlang die gesundgewordene, springlebendige, unversehrte Mutter sah. Natürlich muß ich müde gewesen sein, aber der Anblick hielt mich wach, und so kann ich mich an keine Müdigkeit erinnern. Erst als die Spieler gegangen waren, kam die Mutter-Darstellerin hinter der Theke hervor, nur noch den Zauber brechende Kellnerin, und ihre Bewegungen, jetzt zu den meinen gegenläufig, forderten mich auf, zu gehen: »Es ist bald Mitternacht.«

Die Müdigkeit hat mich dann erst im Freien befallen, auf der Straße. Es war nicht der andere Ort, sondern der Übergang. Ohne zu stocken, so als sei da nichts, hatte ich ihn passiert, und schon nach wenigen Schritten war die Umgebung der letzten Stunden verschwunden, hatte ich keinen Ort mehr, war, was nun stockte, der Atem.

Zurück in den Bahnhof konnte ich nicht, wohinsonst wußte ich nicht. Ich blieb stehen. Es war kein beschauliches Dastehen mehr, wie bei der Ankunft, sondern ein blindes Herumstehen, und es hatte auch nichts mit dem ersten Tag im andern Land zu tun: Wie oft bin ich früher und später im Leben so herumgestanden! Wo ging es weiter? Wo war der Übergang? Es gab einen, und er mußte gefunden werden. Fahrig wandte ich mich hierhin und dorthin, zog in alle Himmelsrichtungen ein Muster der Ziellosigkeit. Wie oft bin ich im Leben so herumgeirrt, auch im eigenen Haus, im eigenen Zimmer, mit den Augen in einem Kleiderschrank, mit der Hand in einem Werkzeugfach.

Es fuhren keine Busse mehr, nur noch die Lastwagen der jugoslawischen Armee, einer nach dem andern, alle Richtung Grenze. Die Planen waren offen, und auf den beiden Längsbänken in der Mitte der so gebildeten Höhlungen sah ich, Rücken an Rücken, die Soldatenreihen sitzen. Die zwei im Vordergrund, am Rand der Plattform, hatten, voneinander abgekehrt, jeweils einen Arm auf den Quergurt gelegt, der den Ausgang der Höhlen absicherte. Bis in diese Einzelheit hinein wiederholte so ein Wagen seinen Vorgänger. Die Gurte waren schmal und hingen durch, und trotzdem lagen die Soldatenarme jedesmal so ruhig, so unbeweglich darauf, als seien sie da festgebunden, nicht von Bändern oder Stricken, sondern von der eigenen Müdigkeit. Ich folgte der Kolonne, stadtauswärts, nach Norden, in die Richtung, aus der ich gerade erst gekommen war. Das kleinere Fahrzeug der Militärstreife rollte langsam an mir vorbei, aber ohne zu halten: Eingedenk meiner Humtschacher Horde beantwortete ich das Beäugen, indem ich zum Gruß kurz die Hand hob, und wurde sogar zurückgegrüßt; ein Heeresflüchtling sah anders aus. Wieder die Planwagen, mit den Rückenpyramiden, den starren Doppelköpfen, den von den Gurten geschienten Armen, den überhängenden Händen; diese Karawane konnte kein Ende haben. Dann gab es doch, fast enttäuschend, einen letzten, sein Laderaum ebenfalls hinten offen, wenn auch leer, ohne Mannschaft, und diese Höhlung, in der Form eines Halbkreises, erinnerte jetzt an einen Tunnel, an einen bestimmten, den durch die Karawanken, dessen Ausgang ich, im Schlußabteil des Zugs mich noch einmal zurückwendend, vor ein paar Stunden – durch die Nacht von Jesenice schon einer nichtssagenden Vorzeit angehörender Augenblick – sich in dem gleichen Maße entfernen gesehen hatte wie den schwarzen Halbkreis gerade. Keine Militärautos mehr; die Straße blieb frei. Doch umso stärker schien nun, durch die ganze Breite des Tals, eine Bahn der Müdigkeit und der Erschöpfung zu ziehen, eine einzige große Schwade, ungleich stickiger als jene der Eisenwerke im Süden und noch den letzten Himmel verdeckend, die, wie das sagenhafte Luftheer, mich auch augenblicks von oben her überfallen hatte, indem sie mir Schläfenschrauben und Stirnriemen anlegte, und mich an den Randhäusern der Stadt vorbei ins Niemandsland stieß.

Diese erste Nacht im Ausland erzählt sich vielleicht kurz, aber in der Erinnerung ist sie mir die längste meines Lebens, eine jahrzehntelange, geworden. Nicht nur, weil ich sparen wollte: Ein Gasthaus kam für den Zwanzigjährigen als Schlafstätte erst einmal nicht in Frage. Trotzdem dachte ich nur noch ans Schlafen. So erschien mir die Idee des Tunnels nicht verrückt, sondern ich folgte ihr. Wo eben noch der Ausgang gewesen war, sollte mein Eingang sein; wovon mich der Zug entfernt hatte, dem näherte ich mich; nur hinein in eine Nische!

Blind fand ich den Weg neben den Gleisen, und ebenso das Loch im Sperrzaun, als könnte das nicht anders sein. Schon war ich im Tunnel, wie in einem Haus, und da war auch, wie vorgesehen, nach ein paar Schritten die Nische, zurückversetzt in den Fels und von den Schienen abgeschirmt durch eine Betonbrüstung: »Mein Stall!« dachte ich. Mit der Stablampe, die ich dabei hatte, um damit weiter südlich, in einer Karsthöhle (so jedenfalls mein jugendliches Gedankenspiel) eine Spur des Bruders zu entdecken, leuchtete ich den Lehmboden ab, der etwas von einem glimmerglänzenden Bachuferstreifen hatte. An der Betonwand nichts als ein dort anklebendes winziges Haar, eine Wimper, bei deren Anblick mir der Geschichtelehrer in Villach, am österreichischen Ausgang, in den Sinn kam: Er hatte mir noch am Nachmittag erzählt, der Nachbar-Tunnel, ein Straßentunnel, sei von Gefangenen des letzten Weltkriegs gebaut worden, und sehr viele seien, auch durch Mord, dabei umgekommen; er hatte mir sogar, nur im Spaß?, geraten, sollte ich woanders keinen Platz finden, da zu übernachten: Der Schlaf eines, so der Lehrer, »noch Unschuldigen« würde dazu beitragen, »die Unrechts-stätte zu entsühnen«, »die bösen Geister zu vertrei-ben«, und »das Grauen wegzublasen«; er schreibe gerade an dem entsprechenden Märchen. Jeder Tun-nel, selbst der unschuldige Schacht von Jesenice, aus der Kaiserzeit, habe seit dem letzten Krieg für ihn einen »Anruch«.

Erst einmal aber verzehrte ich im Dunkeln ein Stück Brot mit einem Apfel, dessen Geruch die Mulmigkeit des Anfangs bannte, so als käme ein anderer, frische-rer Luftschwall aus der Frucht. Dann lag ich zusam-mengerollt und konnte nicht einschlafen, und wenn, dann einzig für gleichermaßen sekundenlange wie endlose Schreckensträume. Das Haus des Vaters stand leer, als Ruine. Die Drau trat aus ihrem tiefen Trogtal und überschwemmte die ganze Ebene. Auf das Heidekraut der Dobrawa schien die Sonne, und es war der Krieg erklärt. Aber auch daß ich von meinem Schuhpaar einen verloren hatte, daß ich auf einmal den Scheitel statt rechts links hatte, daß bei uns zu-hause die Erde in allen Blumentöpfen rissig wurde und die Pflanzen vertrockneten, ließ mich, dunstend vor Angstschweiß, unverzüglich erwachen. Einmal war es kein Traum, durch den ich auffuhr, sondern ein Nachtzug, welcher mit ungeheurem Getöse, kaum eine Schrittlänge jenseits der Brüstung, an mir vorbeischoß. Es konnte nur ein Fernzug sein, nach Belgrad, Istanbul oder Athen, und ich dachte an meine Mitschüler, die, auf ihrem Weg nach Griechenland, wohl schon ziemlich weit südlich gemeinsam in ihren Zelten oder in Schlafsäcken unter freiem Himmel lagen. Ich stellte mir vor, wie sie sich, belebt von ihrem Abendstreifzug durch eine fremdländische Stadt, von der warmen Nacht, aber auch von der so neuartigen Anwesenheit des andern, des ehemaligen Banknachbarn, der ehemaligen Banknachbarin, aufgeregt unterhielten, und daß, wer schon schlief, in dem Kreis ruhig schlummerte, ohne Alptraum, und verwünschte mich, weil ich nicht mit ihnen war.

Doch nicht der Ort, an den es mich verschlagen hatte, der finstere, angeblich fluchbeladene Stollen, setzte mir zu, vielmehr ein Schuldgefühl, und ich fühlte mich auch nicht schuldig, weil ich meine Angehörigen verlassen hatte, sondern weil ich allein war. In dieser Nacht erfuhr ich, wieder einmal, daß, auch ohne besondere Untat, mutwillig allein zu sein, ein Frevel war. Ich hatte es schon früher gewußt, und würde es auch in der Zukunft wieder erfahren müssen. Ein Frevel wogegen? Gegen mich selber. Sogar die Gesellschaft der Feinde wäre jetzt das geringere Übel gewesen. Und hatte nicht die Freundin, der, im Gegensatz zu mir, die andere Sprache geläufig war, dem Filip Kobal mehrmals angeboten, ihn durch seine Sagenheimat zu begleiten? War denn im Augen-

blick etwas Besseres denkbar als unsere einander ent-
gegenatmenden Körper? Nachtlang so neben ihr liegen, am Morgen beim Erwachen die Hand auf ihrem
Leib!

Die wahren Schreckensträume standen freilich erst
bevor. Im Schlaf ging die mit dem Verlassen der
Bahnhofsgaststätte unterbrochene Erzählung in mir
weiter, jedoch, anders als im Wachen, unsanft,
sprunghaft, zusammenhanglos. Sie schwang sich
nicht mehr aus mir heraus, mit einem »Und«, einem
»Dann«, einem »Als«, sondern verfolgte mich, hetzte
mich, preßte mich, hockte mir auf der Brust, würgte
mich, bis ich nur noch Wörter einzig aus Mitlauten
hervorbrachte. Das schlimmste war, daß kein Satz zu
seinem Ende kam, daß alle Sätze mittendrin abgebro-
chen, verworfen, verstümmelt, verballhornt, für un-
gültig erklärt wurden, und daß zugleich das Erzählen
nicht aufhören durfte, daß ich, ohne Atempause, immer wieder neu anfangen, einen neuen Anlauf nehmen, einen neuen Ansatz finden mußte, daß ich zu
diesem so wortreichen wie sinnlosen, keinen Sinn
ergebenden, auch den am Tage bereits gefundenen
Sinn im Rücklauf vernichtenden, entwertenden
Rhythmus lebenslänglich verdammt schien. Der Erzähler in mir, eben noch wahrgenommen als der
heimliche König, schuftete, ins Traumlicht gezerrt,
dort als stammelnder Zwangsarbeiter, aus dem kein

brauchbarer Satz herauskam, in der nur mit dem Tod zu beendenden Umklammerung der zum Ungeheuer aufgewachsenen Erzählung, mit wachen Sinnen doch empfunden als die Sanftheit selbst. Der Geist der Erzählung – wie böse konnte er werden!

Dann, nach sehr langen Anstürmen, gelangen mir auf einmal zwei klare, sich selbstverständlich auseinander ergebende Sätze, und im gleichen Moment ließ der Druck von mir ab, ich hatte wieder ein Gegenüber. In dem Traum stand dieses Gegenüber da in Person eines Kinds, welches das von mir Erzählte zwar verbesserte, richtigstellte, aber den Erzähler derart auch guthieß. Darauf folgte, daß ein Baum, Zweig an Zweig, statt der Früchte, vollbeladen mit Steinen, der ohne das Kind die Bedeutung »Unheil« gehabt hätte, sich als Wunderbaum sehen ließ, in dem reißenden Hochwasser sich auf einmal viele ruhige Schwimmer, darunter auch ich, tummelten, und die Wange des Schlafenden den Boden unter sich als ein Buch spürte.

So ergab sich in meiner längsten Nacht auch eine kurzweilige Stunde des Halbschlafs, wo ich mich ausstrecken konnte, es zum Vergnügen gehörte, die Hände im Nacken verschränkt, auf dem Rücken zu liegen, das Tropfen von der Tunneldecke im Ohr, und wo ich, anders als sonst, nicht auf der Seite des Herzens liegen mußte, um mich bei mir selber zu fühlen. Zuerst hatte ich mich in den Stollen verkrochen, und jetzt nahm ich da meinen Platz ein, wie eine wärmende Decke auf mir der Überrock des Bruders, und von einem weit lichteren Dunkel umgeben als wohl seinerzeit er in dem Erdkeller. Vom nahen Ausgang, grau in grau, kamen immer wieder die Glühwürmchen geflogen, und mit einem von ihnen im Handteller leuchtete ich einmal rund um mich einen zum Staunen großen Umkreis aus. Als solche Geborgenheit stelle ich mir immer jene Flocke des Schlafs vor, worin im Epos der erschöpfte Odysseus ruht.

Nach der einen Stunde freilich fiel auch dieser Schlaf jäh von mir ab, und nun erst kam das endgültige Alleinsein. Der Halbschlaf war sozusagen mein letzter Begleiter in die Menschenleere gewesen, mein Geleitschutz, der sich von einem Moment zum andern als Trugbild erwies. War es im Traum von der wortverdrehten Erzählung beim Gespensterwirbel geblieben, so wirkte solches Erwachen als die da schon angedrohte Bestrafung. Und diese bestand nicht in einem Ausgesetztsein an einem vielleicht unwirtlichen Ort, sondern in einem allgemeinen Verstummen: So außerhalb der menschlichen Gesellschaft hatten auch die Dinge keine Sprache mehr und wurden zu Widersachern, ja Vollstreckern. Wohlgemerkt: Das Vernichtende war nicht etwa, daß die aus der Stollenwand ragende, einwärts verdrehte Eisenstange an Folter oder Hinrichtung erinnerte – vernichtend, bei lebendigem Leib, war, daß ich, ohne Gesellschaft und auch mir selber nun keine Gesellschaft mehr, vor ihr, so wie sie vor mir, stumm blieb. Zwar sah ich die Stange gebogen in der Form des Buchstabens S, der Zahl 8, eines Notenschlüssels, aber das war einmal; das Märchen von der »S, der Acht und dem Notenschlüssel« hatte seine Zeichenkraft verloren.

Keineswegs also flüchtete ich dann von jenem Ort im Grauen vor dessen Geschichte, oder der Stille dort, der Stickluft, einem Deckeneinbruch, einem Streckengeher – von einem solchen hätte ich mich sogar dankbar am Kragen packen und in den Sprachen des Erdkreises beschimpfen lassen –, sondern in einem einzigen Aufwallen des Entsetzens über die dort auf mich einstürmende, gleichsam außerweltliche Sprachlosigkeit, welche Vernichtung der Seele, noch über den leiblichen Tod hinaus, hieß und jetzt nachträglich, da ich davon zu erzählen versuche, sich stärker, gewaltsamer, gefährlicher wiederholt: Konnte ich damals mit ein paar Schritten hinaus ins Freie laufen, so muß ich heute in dem Tunnel, wo sich mir keine Ausweichstelle, keine Nische, keine Brüstung mehr zeigt, sitzen bleiben, und mein einziger Weg zu einer Menschheit ist es, den Dingen des stummen Planeten, dessen Häftling ich, Erzähler sein wollend – selber schuld! –, bin, die Augen eines mich begnadigenden Worts einzusetzen. Sehe ich deshalb jetzt den kleinen Knäuel der im Gras vor dem Tunnel hockenden Leuchtkäfer zu einem feuerspeienden Drachen aufgeblasen, der den Zutritt in eine Unterwelt bewacht – ich weiß nicht, um von einem Schatz dort abzuhalten oder zu meinem Schutz?

Was aber die Oberwelt, oder einfach die Welt, sein kann, das erfuhr ich dann auf dem Rückweg. Obwohl der Morgen noch fern war und kein Mond schien, zeigte sich das Tal in klaren Umrissen. Der zugehörige Fluß, die Sava Dolinka (oder, wie der Vater deutsch gesagt hätte, »die Wurzener Save«), bewegte sich als ein matter Glanz zwischen den schütteren Uferbüschen. An dem Wiesenabhang, der zu dem Wasser hinunterführte, stand neben einem Baum ein Pferd; obwohl noch keine Fliegen da sein konnten, mit dem Schweif schlagend. Das Geräusch, mit dem es Gras rupfte, war das Hauptgeräusch in der Landschaft, begleitet vom kleinen Rauschen des Flusses und dem Gerumpel der Verschiebevorgänge weit weg auf dem Bahnhofsgelände. An die Wiese schloß sich, zwischen den Gleisen und dem Talgrund, eine Kolonie kleiner Gärten an, die in meinem Gedächtnis »die hängenden Gärten von Jesenice« geblieben sind. Sie bildeten ein Muster aus Gemüsebeeten und Obstbäumen, umgeben von niedrigen Zäunen, in der Mitte jeweils eine hölzerne Hütte mit einer Bank davor. Dieses Muster, teils in Schräglage, teils in Terrassen, zog sich hinab bis zum Fluß, und es war, als würden die Gärten von ihm bewässert. Die schon sichtbare Farbe war das Gelbweiß: in den Bäumen die Frühäpfel und in den Beeten die Bohnen. Der Saumpfad neben den Schienen, auf dem ich ging, war weich, so tief lag da der Staub – so dicht und nachgiebig war er, daß nicht einmal die Abdrücke meiner Schuhe darin blieben; und die Tautropfen näßten ihn nicht, sondern rollten sich zu Kügelchen zusammen und lagen obenauf. War mit dem ersten Schritt zum Stollen hinaus das Steingewicht von den Schultern und das Metallgefühl aus den Zähnen verschwunden, so wurden mir jetzt die Augen gewaschen, nicht von der Flüssigkeit, vielmehr deren so eigentümlichem Anblick. In mich aufgenommen hatte ich die Einzelheiten des Tals auch zuvor, nun aber erschienen sie mir in ihrer Buchstäblichkeit, eine im nachhinein, mit dem grasrupfenden Pferd als dem Anfangsbuchstaben, sich aneinanderfügende Letternreihe, als Zusammenhang, Schrift. Und diese Landschaft vor mir, diese Horizontale, mit ihren, ob sie lagen, standen oder lehnten, daraus aufragenden Gegenständen, diese beschreibliche Erde, die begriff ich jetzt als »die Welt«; und diese Landschaft, ohne daß ich damit das Tal der Save oder Jugoslawien meinte, konnte ich anreden als »Mein Land!«; und solches Erscheinen der Welt war zugleich die einzige Vorstellung von einem Gott, welche mir über die Jahre geglückt ist.

Das Weitergehen in der Vormorgenstunde wurde so ein Entziffern, ein Weiterlesen, ein Merken, ein stilles

Mitschreiben (aber hatte ich nicht schon in der Kindheit, von der Familie belächelt, ständig etwas in die Luft geschrieben?). Und zweierlei Träger der Welt unterschied ich da: den Erdboden, welcher das Pferd trug, die hängenden Gärten, die hölzernen Hütten; und den Entzifferer, der diese Dinge geschultert hatte, in der Form ihrer Merkmale und Zeichen. Ich spürte auch leibhaftig die Schultern, wie sie sich in dem überweiten Rock des Bruders verbreiterten und – denn das Empfangen und Verbinden der Zeichen wirkte als der Gegenzug zu der Ding-Last – aufrichteten, so als werde die Erdenschwere, durch die Entzifferung, aufgehoben in eine Luftschrift, oder in ein frei dahinfliegendes einziges Wort aus lauter Selbstlauten, wie es sich zum Beispiel findet in dem lateinischen Ausdruck *Eoae*, übersetzbar mit »Zur Zeit der Eos«, »Zur Zeit der Morgenröte«, oder einfach: »Des Morgens!«

Lange vor Sonnenaufgang wurde das Tal vor meinen Augen in eine andere Sonne, die Buchstabensonne, getaucht, welche rückwirkte in den nächtlichen Schacht hinein und dort doch eine Art von Entsühnung schuf, indem sie die Risse im Lehm meiner Schlafstelle – ein bronzener Schein darüber – zu einer gleichmäßigen Schrift von Vielecken verknüpfte, der dem Ort entsprechenden Gedenktafel. Sooft ich später noch durch den Karawankentunnel fuhr, stellte ich mich ans Fenster und wartete in der Finsternis auf den ersten Tagesschimmer von der jugoslawischen Seite. Wie schnell der Zug dann auch draußen ist: Ich habe im Moment vor der Ausfahrt doch die lehmige Nische erblickt, in der Regel überstreut mit hereingewehten Blättern, und darin den zusammengerollten Zwanzigjährigen samt seinem zylindrischen Seesack, eine noch immer dort liegende Luftskulptur, und die Stätte bedeutet weniger einen Tatort des Krieges für mich oder die Spelunke der Stummheit von damals, als mein Obdach. »Eoae!«, das ist, wo ich bin, am Morgen, beim ersten Blick aus gleich welchem Fenster, ein lauter oder auch nur gedachter Weckruf geworden, wodurch sich die aus mir hinausschwingenden Vokale rückübersetzen sollen in den Umkreis der Dinge draußen, den Baum hier, das Nachbarhaus dort, den Straßenzug dazwischen, den Flugplatz dahinter, die Horizontlinie; mir die Sinne öffnen sollen für den neuen Welttag, das Buchstäbliche, das Beschreibliche.

E-O-A-E: In der Dunkelheit formten die Bahngleise und der Fluß, zwischen denen ich ging, nun eine Allee. Ohne daß ich einen Menschen sah, erschien das Land belebt und bevölkert, weil das die Sinne Ausrichtende Menschenwerk war, sozusagen betriebsbereit. Vor dem Bahnhof waren ein paar Schuppen und Werkhallen tatsächlich schon in Betrieb. Eine Schalttafel war beleuchtet, während der übrige Raum noch im Dunkel lag; die Zeiger an den Meßgeräten zitterten, schlugen aus; ein gleichmäßiges Stampfen in allen Winkeln. Ein großes Stahlrad kam in Gang und drehte sich immer schneller, bis die Speichen unsichtbar wurden, das ganze Rad ein umrißloser Schemen hinten an der Wand. In gleicher Weise stand auf dem Tisch eines finsteren Büros eine Lampe und beleuchtete ein Telefon, einen Rechenschieber, eine Weckeruhr. Das Tor zu einer Laderampe stand halb geöffnet, und die Rampe wies hinaus auf das sich nach beiden Seiten buchtende Gleisfeld, wo die Weichensignale ihre Farben wechselten. Diese Folge von nächtlichen Bildern einer, wie mir da vorkam, unentwegten Tätigkeit, wo die zugehörigen Leute sich nicht sehen, wohl aber überall ahnen ließen, wurde nur einmal abgelöst von einem Stofflampenschirm, einer gelben Halbkugel hinter einem einzelnen Vorhangschleier, ebenfalls ohne einen Menschen dabei, und setzte sich sogleich fort in einem klappernd sich drehenden Lagerhausventilator, einem auf seiner glatten Unterlage im Schnellauf hin und her rutschenden Zugriemen, und den Schatten der Schlotschwaden auf der Straße, wohin ich, weil woanders kein Weiterkommen mehr war, inzwischen gewechselt war.

Ähnliches hatte ich doch auch schon daheim, jenseits der Grenze, gesehen, vor allem an den Rändern der paar Städte, die ich kannte, und so fragte ich mich

jetzt, warum ich mich dort immer als ein Ausgesperr-
ter erlebt hatte, und warum hier das Vibrieren aus den
Innenräumen sich so selbstverständlich auf den Au-
ßenstehenden übertrug, warum das eine Zimmer mit
dem Stofflampenschirm, so anders als zuhause, sich
als ein Inbild der Wohnlichkeit, als die herausleuch-
tende Mitte der Reihe, geradezu als ein Tempel der
Geborgenheit und der Wärme gezeigt hatte, und erinnerte mich dazu an den Vortag, an das Gespräch einer
Arbeitergruppe, die auf einer Bank vor meinem österreichischen Grenzbahnhof Rosenbach ihren Trans-
portbus erwartet hatte, ungefähr folgendermaßen:
»Wieder ein Tag.« – »Schon Donnerstag.« – »Aber
dann fängt es wieder an.« – »Bald wird es Herbst.« –
»Und dann wird auch schon der Winter da sein.« –
»Wenigstens ist nicht Montag.« – »Wenn ich aufstehe,
ist es dunkel, wenn ich heimkomme, ist es wieder
dunkel, ich habe in diesem Jahr mein Haus noch nicht
gesehen.«
Warum gab mir das vormorgendliche, auf den ersten
Blick so unwirtliche Industriegelände hier in Jugoslawien, von unsichtbaren Händen wie für alle Zukunft
in Gang gehalten, einen ganz anderen Eindruck von
Arbeitern, ja überhaupt von den Menschen, als ich
ihn vom eigenen Land bisher gewohnt war? Nein, es
lag nicht an der, wie uns beigebracht worden war,
grundverschiedenen »Wirtschafts- und Gesellschafts-
ordnung« (obwohl es mir zugesagt hätte, gesichtslos

zu sein, statt meines Namens eine Nummer zu tragen, meine Selbständigkeit und sogar meine angebliche Freiheit aufzugeben); und es war auch nicht nur das Ausland (obwohl ich schon am ersten Tag viele der üblichen Anblicke da als Belebung und Neuigkeiten empfunden hatte): Es war mehr als bloß eine Vorstellung oder Empfindung – es war die Gewißheit, endlich, nach fast zwanzig Lebensjahren in einem ortlosen Staat, einem frostigen, unfreundschaftlichen, menschenfresserischen Gebilde, auf der Schwelle zu einem Land zu stehen, welches, anders als das sogenannte Geburtsland, mich nicht beanspruchte als einen Schulpflichtigen, als Wehr-, Ersatz- oder überhaupt »Präsenz«-Diener, sondern, im Gegenteil, sich von mir beanspruchen ließ, indem es das Land meiner Vorfahren, und so, mit all seiner Fremde, auch mein eigenes Land war, endlich! Endlich war ich staatenlos, endlich konnte ich, statt dauerpräsent sein zu müssen, sorgenlos abwesend sein, endlich fühlte ich mich, obwohl niemand sich blicken ließ, unter meinesgleichen. Hatte nicht schon in der heimischen Umgebung, auf dem Bahnsteig in Rosenbach, ein Kind auf mich gezeigt und aus voller Kehle gerufen: »Schau, einer von unten!«? (»Unten« hieß Jugoslawien, während etwa Deutschland oder Wien »hinaus« waren.) Die freie Welt, das war, so die Übereinkunft, die, aus der ich gerade kam – für mich dagegen im Augenblick die, die ich so buchstäblich vor mir hatte.

Daß es eine Täuschung war, das wußte ich schon damals. Aber solche Art Wissen wollte ich nicht, oder richtiger: Ich wollte es loswerden; und solchen Willen erkannte ich als mein Lebensgefühl; der Antrieb, den ich so aus der Täuschung erhielt, ist jedenfalls bis heute nicht vergangen.

Wenn ich jene Stunde bedenke, so waren es nicht erst die bereitstehenden Geräte und die laufenden Maschinen, die mir vorgaukelten, da seien, im verborgenen, gelassen, unermüdlich die Meinigen am Werk, sondern vor allem die Lichter, das Schirmlampenlicht in der einen Wohnstatt, das Bürolampenlicht auf dem Schreibtisch, und, am meisten, das weiße, staubige, mehlige Neonröhrenlicht, sich von einer Halle zur nächsten fortsetzend wie durch die Raumfluchten einer Getreidemühle. Einspannen, eine Walze drehen, mittun! Sehr überraschend war dieser Tätigkeitsdrang bei einem, der sonst, so der Vater, »für kaum eine Arbeit zu gebrauchen« war. Und er kam nicht daher, daß sich keine Leute zeigten, die mir beim Arbeiten hätten zuschauen können (was mir in der Regel, immer noch laut dem Vater, »zwei linke Hände« machte); hier, ich war mir sicher, konnte mir auf die Finger blicken, wer wollte, und ich würde mich, anders als zuhause, von niemand beobachtet fühlen, auf jeden meiner Handgriffe träfe das Wort zu: »Sitzt!«

Aber zog das Lichtbild, leer wie es war, mich wirklich hinein in die Hallen, zu den unsichtbar da Tätigen, und verlangte es mich nicht eher nach einem ganz anderen Mittun, welches sich vielleicht am deutlichsten ausdrückte in meinem von draußen, von der Straße, vom Rand, das Bild durchwandernden Schattenriß, im Vorbeigehn flüchtig da eingepaust? Nein, das Lederband des Vaters, sein Reiseamulett, umspannte mein Handgelenk nicht, damit ich besser zupacken könnte, sondern höchstens als Pulswärmer; die Übereinstimmung mit den Arbeitenden kam weniger von der Lust, mit anzufassen, als vom lustvollen, unbeschwerten Vorbeigehen.

Ich erfuhr so den Unterschied zwischen Gleichschritt, Gleichklang und Gleichmaß. Im Gleichschritt mit anderen, auch bloß einem einzigen, zu sein, war mir seit jeher unerträglich gewesen; ich mußte dann sofort stehenbleiben, oder schnellerwerden, oder zur Seite treten; sogar wenn ich mich im Rhythmus der Freundin bewegte, sah ich uns als zwei seelenlose Gegen-die-Welt-Marschierer. Und etwas wie Gleichklang war mir unmöglich: Wurde mir vom andern, nicht nur beim Singen, der Ton angegeben, so war ich außerstande, diesen zu übernehmen, zu verdoppeln, weiterzuführen; auch wenn, umgekehrt, der andere in meinen Tonfall überging, geriet ich auf der Stelle ins Stocken; nur der Mißklang des Streits, zu dem es mich in der Regel dann reizte, bewahrte mich vor dem

Verstummen (Ursache eines solchen Streits war es oft schon, daß die Freundin uns beide »wir« nannte, ein Wort, das mir nicht über die Lippen wollte).

Das Gleichmaß aber war ein gewaltiges Erlebnis, und ich erlebte es zum Beispiel, als ich einmal am Morgen den Fenstergriff drehte und zugleich in der Ferne das Zufallen einer Autotür, zusammen mit einer scharrenden Schneeschaufel und einem bis zum Horizont tönenden Zugsignal, hörte; oder als ein andermal in einer Küche eine Schüssel auf den Herd gestellt wurde und ich zugleich einen Brief öffnete; oder indem ich jetzt gerade von dem Schreibpapier aufblicke zu dem alten, eingedunkelten Landschaftsbild an der Gegenwand, wo ein Sonnenfleck, wie so oft in dieser Stunde des Tages, wie ein Punktstrahler jeden Baum, jeden Wasserglanz, jede Weggabelung, jeden Wolkenrand einzeln aus der düsteren Fläche heraushebend, langsam von links nach rechts wandert – und es ließ sich erleben damals wie heute, als ich vor dem Tagesanbruch mit meinem Seesack, die zwei Bruderbücher darin eine schöne Last, an den stampfenden, sirrenden oder auch bloß still leuchtenden Werkhallen von Jesenice vorbeiging. Ich trat sogar fester auf, wie um das Gleichmaß in Schwung zu bringen – kein kleiner oder großer Feind sollte mir von hinten die Kniekehlen knicken –, und gewahrte dann, in ähnlicher Weise wie die leeren Hallen, den ersten Menschen jenes Tages, den Umriß des Chauffeurs in einem dunklen, sonst unbesetzten Bus, sehr rasch unterwegs, so als werde er schon an allen Haltestellen im Tal erwartet, und in der Folge gleich das erste Paar, hinter einem Hochhausfenster, Mann und Frau, sie stehend, im Morgenrock, er sitzend, im Unterhemd, und über die Jahre ist mir vor allem der Dunst an der Scheibe im Gedächtnis geblieben, bei dem ich mir einbildete, der Mann dort oben sei nicht im Aufbruch zu seiner Arbeit, sondern soeben von ihr heimgekommen, schwitzend, schwer atmend von einer nachtlangen Mühe, die auf mich übergriff, als sei sie meine eigene gewesen.

Vor einem Gasthaus, dem Bahnhof schräg gegenüber, stand ein einzelner, ungedeckter Tisch mit einem linoleumbespannten Küchenstuhl. Da bin ich dann gesessen und habe es Tag werden lassen. Mein Platz befand sich um einiges unterhalb des Gleiskörpers wie auch der Straße mit dem Gehsteig, von dem ein paar Stufen zu der kleinen und zugleich vieleckigen Betonfläche herabführten; diese wurde nämlich zur anderen Hand gesäumt von einem Häuserhalbrund, wo je eine Wand mit der nächsten einen verschiedenen Winkel bildete, und hatte so etwas von einer nach allen Seiten abgeschirmten Bucht, einem geschützten Aussichtsort, an dem man, anders als üblich, von unten nach oben schaute und anstelle eines Panoramas einen nahen und umso einprägsameren Umkreis sah, ähnlich wie vom Boden einer Senke. Die Häuser waren niedrig und alt, aber jedes stammte aus einer anderen Epoche. Gleich dahinter stieg schon der Talhang an, in dessen finsterer Baummasse allmählich die Zacken der Fichten deutlich wurden.

In meiner Senke war es noch lange Nacht. Ob der winzige Vogel am Rand oben auf dem Gehsteig, regloser Umriß, geträumt war? Noch nie hatte ich nachts einen Tagesvogel gesehen. Die Straße erschien als Mauer, auf der nun dieser Zaunkönig hockte. Sehr früh wurde das Wirtshaus aufgesperrt, und als die ersten Gäste kamen die Eisenbahner, die ihren Kaffee oder Schnaps – ich sah es über die Schulter – in einem Zug getrunken hatten und schon wieder weg waren. Der Himmel, im Anfangslicht scheinbar regnerisch, erstrahlte wolkenlos. Ich bekam von einer greisenhaften Kellnerin mit zerfurchtem Männergesicht einen Topf Milchkaffee ins Freie gestellt, daneben einen Teller mit einem Stapel dicker Weißbrotscheiben. Die Haut auf dem Kaffee erinnerte mich an den Bruder, von dem erzählt wurde, er habe diese weichen Fetzen immer verabscheut, und als bei seinem ersten Fronturlaub ihm die Mutter, in der Meinung, durch den Krieg seien ihm all seine Heikligkeiten ausgetrieben, den Kaffee wie üblich servierte, habe er die Tasse von sich weggeschoben mit der Bemerkung: »Kommen Sie gestern!« Ich sah die Milch sich wellen und eine Haut bilden, die zu Inseln auf einem dunklen, sich

dann aufhellenden Gewässer zerriß. Der Weißbrot-
turm ragte daneben nur kurze Zeit auf – dann hatte
ich ihn, frisch, wie er war, und nach dem Druck beim
Schneiden wieder luftholend und sich dem Hungri-
gen entgegenwölbend, auf einen Sitz gefressen, ver-
tilgt und eingeebnet. Dieses Weißbrot bedeutet für
mich seitdem »Jugoslawien«.

Als ich vom Essen aufblickte, gingen oben auf dem
Gehsteig schon die Menschenscharen, die Straße war
zum Damm geworden. Die Ferien konnten noch
nicht begonnen haben, denn unter den Passanten bewegten sich viele Schulkinder, vornübergebeugt wie
gegen den Wind. Es war auch windig, und das lange
Fahlgras am Rand des Damms rauschte wie Strand-
hafer. Obwohl ich noch nie an einem Meer gewesen
war, ergriff mich die Vorstellung, hinter den Gleisen
stiegen gleich die Dünen des Atlantik an.

Ein alter Mann trat aus der Gaststube, mit einem
zweiten Küchenstuhl, und gesellte sich, im Abstand,
zu mir; er hatte nicht einmal eine Tischfläche nötig
zum Schauen. Ohne daß wir ein Wort wechselten,
verfolgten wir gemeinsam das Geschehen; beide hatten wir dasselbe im Auge, betrachteten es gleichlang,
ließen zugleich das nächste erscheinen. Nie mehr habe
ich solch einigen Blick erlebt wie damals nach meiner
längsten Nacht; nie mehr solch einen Raum und solch
einen Horizont vor mir gehabt wie in jenem Sehen,
das ich eins wußte mit dem meines Nebenmanns. Wir

versenkten uns in den Schimmer am Hals einer Taube, die unten in der Betonbucht kreuzte, und wendeten den Kopf wieder zum Damm empor, wo die Schwaden vom Eisenwerk talauf zogen, auf den Tunnel zu, als gelte es, diesen auf seiner ganzen Länge auszuräuchern.

Hatte ich, vor dieser Reise, zuhause bei klarem Wetter südwärts geblickt, so konnten unter dem blauenden Himmel jenseits des Grenzkamms nur die farbenprächtigsten Städte liegen, von keinem Hügelzug behindert sich ausbreitend in einer weiten Ebene und ineinander übergehend bis hinunter ans Ufer des Meers. Die Industriestadt Jesenice jetzt, grau-grau, wie sie war, in eine Talenge gezwängt, eingesperrt zwischen beschattenden Bergen, bewahrheitete doch vollkommen das Vorausbild. Oben auf dem Damm ging ein Mann vorbei, in jeder Hand eine rotleuchtende Säge, in seinem Gefolge zwei eisessende Kinder und eine Hochschwangere in einem luftigen Kleid und Holzpantoffeln. Bei dem sich wiederholenden Gepolter der Fernlaster auf dem einen, nicht zuasphaltierten, Kopfsteinstreifen der Fahrbahn kam mir von neuem der Bruder in den Sinn, der in seinen Vorkriegsbriefen eine ähnliche Stelle auf der Straße Marburg–Triest erwähnt. Bei jedem seiner Ausflüge an die Adria sei das Auto (des Schuldirektors) da »kurz durcheinandergerüttelt« worden und danach habe er sich schon »ganz in der Salzluft« gefühlt.

Wie in Jugoslawien ein anderes Raummaß zu gelten schien als jenseits der nördlichen Berge, daheim im Binnenland, so auch ein anderes Zeitmaß. Die Gebäude vor meinen Augen wiesen, oft ein jedes für sich, vergleichbar einem Ablagerungsgestein, auf die Schichten der Bauvergangenheit, von den Sockeln des österreichischen Kaisertums über die Erkervorsprünge des südslawischen Königreichs bis hinauf in die glatten, unverzierten Obergeschosse der gegenwärtigen »Volksrepublik Slowenien«, samt den Mündungslöchern für die Fahnenstangen unten am Dachfenster. In der Betrachtung einer dieser Fassaden wollte ich auf einmal, mit meiner ganzen Kraft, der verschollene Bruder würde die halbverfallene, mit undurchsichtigem, geriffeltem Glas verkleidete Erkertür aufstoßen und sich zeigen. Ich dachte sogar wörtlich: »Vorfahr, zeig dich!«, und sah auch den Kopf des alten Mannes neben mir zu dem Erker gerichtet. Und als hätte allein der Anruf schon die Erfüllung bedeutet: Für einen Zeitsprung war ich, im Anrufenkönnen, meines Bruders innegeworden, lebensgroß (wie ich ihn nie gekannt hatte), breitschultrig, braunhäutig, mit dem dichten, dunklen, gelockten, nach hinten gekämmten Haar und der mächtigen Stirn; die Augen so tief in den Höhlen, daß das Blinde, Weiße im verborgenen blieb. Ein Schauer überlief mich, so als sähe ich da meinen König vor mir, Schauder der Ehrfurcht, aber noch mehr der

Beängstigung, welcher mich antrieb, den Platz in der Senke auf der Stelle zu verlassen und mich oben auf der Straße in den Passantenstrom einzufädeln.

Dieser nahm mich auch sofort auf, und es war, so anders als der Eindruck von außen, gar kein Strom, vielmehr ein zum Staunen gemächliches Dahin, wo statt meiner Aufregung über die geglückte Ahnenbeschwörung nur noch unsere langsame Gegenwart herrschte.

In einem solchen Zug von Menschen zu gehen, war für den Zwanzigjährigen etwas Neues. Das Dorf kannte dergleichen nicht, höchstens das gehemmte Schritt-für-Schritt oder Auf-der-Stelle-Treten der Feiertags- und Begräbnisprozessionen; im Internat bewegte man sich, wenn nicht allein, dann immer in einer Pflichtgemeinschaft (auch die Sonntagsspaziergänge durften nur in der Gruppe stattfinden, abgehalten in Zweierreihen, wo die Hinter- den Vordermännern die Schuhe von den Fersen traten, und, wer sich absondern wollte, schon bei dem bloßen Gedanken durchschaut und zurückgepfiffen wurde); und in den einheimischen Kleinstädten – ich kannte ja nur solche, die Staatshauptstadt Wien war mir auf einer Schulfahrt von den Schultern der andern und den Zeigefingern der Lehrer verstellt worden – trottete ich bestenfalls, den Blick zu Boden gesenkt, am Rande mit: Ich wurde dort auf der Straße sofort kopfscheu (was vielleicht ein anschaulicheres Wort ist als das gebräuchliche »fremdeln«); das heißt, ich wußte nicht, wo hinschauen, oder schaute überallhin, bloß nicht geradeaus. Anders als im Dorf Rinkenberg wurde mein Blick in den österreichischen Kleinstädten entweder auf Schritt und Tritt abgelenkt von den Schaufenstern, den Reklameplakaten und, vor allem, den Zeitungsschlagzeilen, oder ging, sowie ich ihn einmal vor mich hin auf den Fluchtpunkt der Straße richtete, schnurstracks in die Blickfalle, so bildete ich es mir zumindest ein, eines, der da entgegenkam. Diese Falle traf mich nicht als ein Blick, sondern als Starren, oder überhaupt als Augen- und Gesichtslosigkeit, aus welcher zum Beispiel, als das einzige Organ, ein monströser Mundrüssel sich vorstülpte und mit einem Wort, immer einsilbig, immer unhörbar, immer, auch in einer typischen Dialektform, ablesbar, über mir zuschnappte. Ja, in den einheimischen Städten konnte man sich, wenn man auf die Straße trat, in keinen Zug einreihen, sondern wurde, wie mir vorkam, unverzüglich eingesackt und eingeloch von den schon seit Ewigkeiten, samt ihren Hunden, auf der Lauer böse im Kreis Gehenden, die sich, unbeirrbar, wie es die Art solch zum Kreisgang Verdammter war, bei dem allem am Platz und im Recht fühlten. Ist es bloße Einbildung, daß ich, auch heute noch, manches mir im Heimatstaat entgegenschallende »Grüß Gott!« statt als Gruß als eine Drohung empfange

(»Her mit dem Losungswort, oder – !«); und daß ich, vor allem wenn Kinder es brüllen, oft unwillkürlich die beiden Arme hochhebe? Von der österreichischen Menge, von der österreichischen Mehrzahl sah ich mich, ob am Rand gehend oder in der Mitte, immer wieder eingeschätzt, beurteilt, schuldiggesprochen, und nahm solchen Schuldspruch immer wieder auch an, ohne freilich zu erkennen, was meine Schuld war. Welche Erleichterung, als ich so einmal auf einem Gehsteig, im Bewußtsein, es mustere mich da von der Seite gerade der nächste aus dem Blickfängertrupp, aufschaute und nichts als die leeren Augen einer Schaufensterpuppe vor mir hatte!

Auf der jugoslawischen Straße jedoch gab es jetzt keine Mehrzahl, und so auch niemanden in der Minderheit – nur ein vielfältiges und zugleich einhelliges Treiben, wie ich es später, nach dem kleinen Ort Jesenice, nur in den Weltstädten erlebte. Und ich bewegte mich darin zunächst als der Ausländer, dem ich hinter den Bergen, in den Kärntner Straßen, jedesmal für sein Erscheinen dankbar gewesen war, weil er die Aufmerksamkeit von mir ablenkte, der aber hier seinen Platz in der Menge hatte, im Straßenvolk. Wo ich sonst dauernd schrittwechselte, falsch auswich, zusammenstieß, ging ich nun mit, und ein jeder meiner Schritte, so ungewohnt das Gedränge auch war, hatte auf dem Asphalt seinen Spielraum. Endlich einmal trottete und schlurfte ich nicht (so wie alle in den

Fluren des Internats), sondern bekam meinen Gang, schaukelte dahin auf den vorn von den Zehen über die Ballen bis hinten zu den Fersen spürbar sich abrollenden Fußsohlen, kickte nebenbei kleine Dinge zur Seite, mit einem Gefühl stiller Frechheit, die, so erfuhr ich erst in der Wiederholung, einst meine Kindheit gekennzeichnet hatte. Und das wahrhaft Wohltätige an dieser Menge war zunächst, was in ihr, verglichen mit der mir bekannten, nicht vorkam, was fehlte: die Gamsbärte, die Hirschhornknöpfe, die Lodenanzüge, die Lederhosen, überhaupt jede Tracht. Nicht nur ohne Tracht war das Straßenvolk, sondern auch ohne Abzeichen, ohne Kastenmerkmale; selbst die Uniformen der Polizisten stachen nicht hervor, hatten eher, wie es sich auch gehörte, etwas von der Kleidung öffentlich Bediensteter. Eine mächtige Wohltat war es, von der »Kopfscheu« erlöst zu sein, erhobenen Hauptes geradeaus blicken zu können, auf Augen, die, statt einen abzuschätzen, allein ihre Farben, und in diesen Farben, das Schwarz mit dem Braun mit dem Grau, »die Welt« offenbarten. Zu dem neuartigen Stolz trug auch bei – und hier war es vorbei mit dem Ausländertum –, daß ich meine Ähnlichkeit mit den andern im Zug erkannte, die äußerliche und die innerliche, wie kein Spiegel sonst sie mir hätte zeigen können: Meine Gestalt war hager wie die ihre, knochig, grobgesichtig, ungelenkig, mit eleganzlos schlenkernden Armen; mein Wesen wie das ihre fügsam, willig, bedürfnislos, das Wesen von Leuten, die durch die Jahrhunderte Königlose, Staatenlose, Handlanger, Knechte gewesen waren (kein Adeliger darunter, kein Meister) – und zugleich strahlten wir Finsterlinge gemeinsam vor Schönheit, vor Selbstbewußtsein, vor Verwegenheit, vor Aufsässigkeit, vor Unabhängigkeitsdrang, jeder in dem Volk der Held des andern.

Zu den Selbstlauten, die mir die Dinge aufweckten, gesellten sich nun die Gehenden gleichsam als die Mitlaute, ohne daß sich daraus aber Wörter bildeten, es ergriff mich nur ein zweiter, von der eigenen Lunge ganz unabhängiger Atem, ein begeisternder Hauch, mit dem ich plötzlich die Überschrift einer an mir vorbeigetragenen Zeitung lesen konnte, im Slowenischen keine Schlagzeile, wie in meinem Deutschen, sondern, erfrischend wie die fehlende Trachtenbuntheit, reine Nachricht. Auch vieles, was in der Menge geredet wurde, verstand ich auf einmal. Weil hier auf der Straße niemand mich ansprach? War ich seit der Volksschulzeit, wo ich aus Pflicht mich mit dem Lehrer in der Fremdsprache hatte unterhalten müssen, demnach nicht vergeßlich gewesen – nur verstockt? *Jutro* war wie immer der Morgen, *danes* war heute, *delo* die Arbeit, *cesta* die Straße, *predor* der Tunnel. Auch die Namen an den Geschäften konnte ich übersetzen, sie waren ja alle einfach: An dem Milchladen stand so im Gegensatz zu der Marktschreierei im Norden oder

Westen nichts als das Wort für die Milch, an dem Brotladen das bloße Wort für das Brot; und die Übersetzung der Wörter *mleko* und *kruh* war keine ins Anderssprachige, sie war eine zurück in die Bilder, in die Kindheit der Wörter, ins erste Bild von Milch und Brot. Die Bank, *banka*, die dem folgte, war schon wieder das übliche, doch auch sie erschien dann als etwas Ursprüngliches, indem ihre Fenster keine Schaufenster, keine Auslagen darstellten; indem da die Stelle, wo mich in meinem Geburtsland zum Beispiel eine Pyramide aus bunten Sparbüchsen ansprach, leer blieb. Es war eine Leere, die mir offenstand, und an die ich mich wenden konnte, ebenso wie an die leeren Gesichter der Passanten. Unter diesen brauchte ich, anders als daheim, nicht den einen Angehörigen oder Mitdörfler zu suchen, der mich, mit seinem erkennenden Lächeln, aus der Maskenkette erlöste. Daß die Gesichter hier leer waren, hieß, daß sie ohne Masken waren – wobei ich das Bild jener jungen Leute vor mir habe, die, zusammengedrängt auf dem Anhänger eines Traktors, bis zum Hals in Fellkostümen steckend, auf dem Weg in eine Alpenstadt sind, um in den dortigen Gassen brauchtumsgemäß ihre wilde Jagd zu veranstalten: Die dazu nötigen Ruten und Ketten haben sie, vor dem Stadtrand, noch nicht in den Fäusten, und die riesigen Schreckenslarven, die sie sich gleich über die Köpfe stülpen werden, stehen noch zu ihren Füßen; wie wirken die Gesichter der Burschen darüber mitsamt ihren Fellkrausen, so bäuerisch ein jeder auch sein mag, schmal, weich und ansprechbar! Und ähnlich konnte ich auch in die Gesichterfolge von Jesenice hineinblicken, als sei es ein einziges, und als gäbe das mir die Würde, die ich im Inland keinmal erfahren hatte, weder an mir noch an sonst jemandem – oder doch, ja, an dem Vater, in der Osternacht, in der Rinkenberger Kirche, wenn er, bekleidet mit einem bodenlangen, purpurnen Umhang, zusammen mit ein paar anderen Männern des Dorfs vor der Höhlung kniete, welche des leere Grab des Auferstandenen bedeuten sollte, sich dann, in einem Ruck, flach davor ausstreckte und, von dem wachsfleckigen Rot bedeckt, nicht wiederzuerkennen still auf dem Bauch lag. Und wie der Vater in dem Radiokonzert die Instrumente benannte, so hörte ich jetzt aus dem Verkehrs- und Fabriksgetöse, deutlich voneinander abgesetzt, die Einzelgeräusche heraus, das Aufeinanderknallen der Puffer im Bahnhof gleichzeitig mit dem Rasseln der Einkaufswagen im Supermarkt, das Zischen des Dampfs aus einer Schlotmündung zugleich mit dem Kratzen eines Stöckelschuhs, den Schlag eines Hammers zugleich mit dem Ein- und Ausgehen des eigenen Atems. Und solch unvermutetes Hörenkönnen, so bedachte ich, rührte ebenfalls, seltsam genug, von etwas, was hier nicht vorhanden war, was fehlte, was ausblieb, in der slowenischen

Industriestadt abwesend war. Dadurch, daß die üblichen Kirchenuhren nicht schlugen, bekam ich erst das
Feingehör für das Umliegende, und es war also kein
beliebiges Land, sondern dieses bestimmte, dieses
Mangelland, das sich mit der Fülle meines Gewohn-
heitslands vergleichen und so erst unterscheiden und
als »Welt« entziffern ließ.

Das Reich der Welt jedoch, das ich so wahrnahm, ging
über das jetzige Jugoslawien und auch all die einstigen
König- und Kaiserreiche hinaus, indem seine Zeichen
zusehends unbestimmt wurden: Klar waren noch die
kyrillischen Buchstaben mancher Passantenzeitun-
gen, lesbar der Rest einer altösterreichischen Inschrift
an einem Amtsgebäude, ebenso wie das altgriechische
Chaire, Sei gegrüßt! im Giebelfeld einer Villa – aber
vieldeutig erschien dann schon das PETROL-Schild
einer Tankstelle, welches, durch das Geäst eines Bau-
mes gesehen, an ein, nur im Traum erlebtes, China erinnerte, und eine gleichermaßen fremdartige Sinaiwü-
ste öffnete sich hinter den Hochhausblöcken mit dem
Anblick eines staubigen Fernbusses, von dessen
Frontseite, wo die Walze mit den Zielangaben ver-
rutscht war und genau in der Mitte zwischen zwei un-
leserlichen Ortsnamen stand, im Vorbeifahren das
Fragment einer hebräischen Schriftrolle mir in die Augen sprang – ja, »in die Augen sprang«; denn das Sich-
Öffnen der Landschaft rund um das Schriftbild war
begleitet von einem Erschrecken.

Gebündelt wurde die Unbestimmbarkeit von einem blinden Fenster, zu dem es meinen Blick nun hinzog wie zu der Mitte des Weltreichs. Es zeigte sich ziemlich hoch oben am Talhang und war eingelassen in die Sonnenseite eines großen Gebäudes, bei dem ich glaubte, den zu dem Pförtnerhäuschen jenseits der Grenze gehörenden Herrensitz vor mir zu haben. Dieser lag frei, nur eine einzelne Fichte davor, deren glänzendes Fellbraun das Gelb der Fassade umso massiger machte. Zum Eingangstor führte, durch ein Wiesenstück, eine steile Felstreppe hinauf, wo, mit dem Rücken zu mir, ein Kind stand, das eine Bein eine Stufe unter dem andern, wie zögernd; die Stufen sehr groß für ein Kind. Der Wiesenhang war gleichsam schraffiert von eigentümlichen Querrillen, grasüberwachsenen Kleinterrassen, deren feines Schattenmuster sich an den Querrillen der Fassade wiederholte. Das Haus erinnerte so, hinter der Fichte, mehr an einen naturgelben Felsen als an ein Bauwerk. Es wirkte unbewohnt; das Kind stand auf den Stufen nicht auf einem Zugang, sondern auf einem Spielplatz.

Das blinde Fenster war weit und breit das einzige seiner Art. Und auch seine Wirkung kam aus dem fehlenden Üblichen, dem Abwesenden: dem Undurchlässigen. Kraft der in ihm gebündelten Unbestimmbarkeit strahlte es meinen Blick zurück, und in mir hörte alles Sprachengewirr und Durcheinanderreden auf: Mein ganzes Wesen verstummte und las.

Nie hätte ich geglaubt, dieses blinde Fenster wieder verlieren zu können; ich empfand sein Zeichen als unverrückbar. Und doch genügte dann schon ein Seitenblick, und das Licht, das davon ausging, war erloschen: Das Fenster nebenan – sozusagen das »sehende« – wurde aufgestoßen und wieder geschlossen, und zwar von Händen, die zwei verschiedenen Menschen gehörten, zuerst einer uralten, dann einer jüngeren Frau. Die Greisin, das erkannte ich in dem einen Moment, war mehr als nur alt, sie war eine Sterbende, und sie hatte sich gerade mit einem letzten Aufbäumen aus dem Raum, wo man sie festhielt, vor dem Tod ins Freie flüchten wollen, durch das vergitterte Fenster; ein vom Grauen verzerrtes Gesicht mit eingezogener Unterlippe und aufgerissenen Augen, die sich von selber nie wieder schließen würden.

Das Fenster blieb leer, die Morgensonne spiegelte sich darin, aber das gerade noch geltende Licht war nicht bloß erloschen, es war verschluckt. Auch das Kind war, als sei es eine Sinnestäuschung gewesen, verschwunden, und die Querrillen an Haus und Wiesenhang trafen mich als Schlagschatten. »Filip Kobal hat es mit dem Schein!«, das war, Lob und Tadel gemischt, ein häufiger Ausspruch des Geschichtelehrers gewesen – und dieser Schein war, wieder einmal, entzaubert worden. Schon kam mir die Grimasse einer lauthals Weinenden entgegen, und dann war an der Menge nichts Weibliches, Männliches, Kindliches mehr. Es bewegte sich auf dem Gehsteig nur noch eine ausgewachsene, harte, knochige Masse unansehnlicher Rüpel, einander stoßend, rempelnd, den Weg abschneidend, überwacht von dem aus gleichwelchem Blickwinkel hervorschießenden Auge des Staatsoberhaupts, welcher, ob als junger Partisanenführer in einer Autowerkstatt, als weißgekleideter Admiral in einem Friseurladen, als stattlicher Smokingträger am Arm seiner ebenso stattlichen Frau im Vorraum eines Kinos, als betongegossener Imperatorenkopf im Hof einer Schule, jetzt der Alleinbefehlshaber über uns alle war. Ein letzter suchender Blick empor zu dem blinden Fenster befestigte nur die obrigkeitliche Macht, indem ich, als habe ich mich damit verdächtig gemacht, unverzüglich von einem Polizisten, mit einem langsam sich krümmenden Finger, auf die andere Straßenseite geordert und um meinen Ausweis angegangen wurde. Später fiel mir ein, daß der Uniformierte derselbe junge Mann, gleichaltrig mit mir, war, der schon gestern, bei der Ankunft, meinen Paß geprüft hatte – aber in dieser Stunde der Sonnenfinsternis schien niemand mehr den andern zu kennen; es war, als hätten wir alle das Gedächtnis verloren.

Schrittzählend betrat ich den Bahnhof. Zu den Toiletten führte eine feuchte Treppe hinab wie in einen Bunker, mit der entsprechenden Bunkerfrau davor, in deren Gürtel einzig der Schlüsselbund fehlte. Vergebens suchte ich in der riegellosen Kabine nach den üblichen Sprüchen und Zeichnungen; sie hätten mir jetzt weitergeholfen. Über dem Waschbecken kein Wasserhahn, nur ein Loch in der Wand. Der Warteraum oben war dunkel und stank. Zuerst gewahrte ich an den andern, die gedrängt da saßen, nur das Weiß von auffällig vielen verbundenen oder gegipsten Gliedern. Das Licht kam nicht vom Bahnsteig, sondern von dem düsteren Flur dazwischen. Später unterschied ich noch diese und jene Lederkappe über einem verletzten Daumen, und an meinem Nebenmann eine Blutkruste im Haar. (Ich übertreibe nicht, meine Sinne wurden von dergleichen angezogen.) Auch an mir selber bemerkte ich allein das Abstoßende: die Lehmkruste an den Schuhen, die ausgebeulte Hose, die schwarzen Nagelränder. Jeder mußte mir ansehen, daß ich in den Kleidern übernachtet hatte und nicht gewaschen war. Die Kopfhaut juckte, ebenso wie, mitten im Sommer, an den Zehen, die Internatsfrostbeulen. Vergeblich versuchte ich auch, auf der Landkarte mein nächstes Ziel zu entziffern; das auf die Karte fallende Licht reichte nur für das Bleich der Niederungen und das Blauweiß der Gletscher.

Ich trat auf den Bahnsteig hinaus, wo ein Arbeiter mit einem Preßluftbohrer die Asphaltdecke aufbrach. Auf dem Gleis gegenüber stand der österreichische

Morgenzug, abfahrbereit Richtung Norden. Die Abteile waren hell, sauber und fast leer (der Zug diente noch nicht, wie in späteren Jahren, vielen Jugoslawen zu Einkaufsausflügen nach Villach). Wieder warteten die blauuniformierten Eisenbahner vor der Lokomotive, zusammen mit den österreichischen Grenzbeamten – nicht als solche zu erkennen, da sie in Zivil waren, in Hemdsärmeln, die Röcke nur um die Schultern gehängt –, gleichsam auf den einen noch fehlenden Passagier. Auf einmal, obwohl ich mich nicht vom Fleck rührte, hatte ich es eilig. Entscheide dich! Fast unwiderstehlich war das Bedürfnis, zurückzukehren, nicht nur über die Grenze, sondern nachhause ins Dorf, in die Kammer, in das Bett, und mich dort auszuschlafen. Die nächstliegende Zuflucht aber war die Sprache, mein vertrautes, angestammtes Deutsch, an der Lokflanke zu lesen ebenso in dem »Heimatbahnhof« wie – denn nicht die Bedeutung zählte, nur das Wortbild – dem Pfeil mit der Legende »Arbeitsrichtung«.

Unschlüssig wie ich war, hatte ich die Vorstellung, auf dem falschen Bein zu stehen. Wo der Bohrerkopf auftraf, schossen in der Asphaltdecke, wie beim Gehen auf einer vereisten Lache, sternförmig die Risse auseinander. Einer fuhr mir dann bis unter die Schuhsohlen. Ich blickte, von dem Wummern durchrüttelt, zu Boden und fand da in dem Grau des Asphalts das blinde Fenster wieder, und wieder als das so freundliche Zeichen des Zeithabens. Hatte ich mit meinem »Weltreich« nicht zu viel gewollt? Wer war ich denn? Angesichts des Asphalts erkannte ich, ein für alle Male, wer ich war: ein Auswärtiger, ein Ausländer, einer, der hier vielleicht einiges zu suchen, aber nichts zu sagen hatte. Ich hatte keinen Anspruch auf eine sogenannte Menschenwürdigkeit, wie zuhause, im Inland. Und mit dieser Erkenntnis kam über mich, was mehr war als bloße Beruhigung – der Zustand der Gelassenheit.

Der österreichische Zug fuhr ab. Hatte der Schaffner nicht fragend zu mir hergeschaut? Der Bahnhof wurde licht und weit. Die Spatzen, die jäh auf dem Asphaltstück zu meinen Füßen landeten und schon wieder weg waren, hatten vor einem Augenblick noch in einem Rinkenberger Gebüsch gehockt, und auch das eine ovale Wegerichblatt im Gleisschotter kam von dort, ein sogenannter Gartenflüchtling. Mit großen Schritten, als sei ich der Entschluß in Person, ging ich in die Schalterhalle und kaufte eine Fahrkarte; mit großen Schritten, wie einer, der endlich weiß, daß er etwas nicht mehr für sich allein tut, lief ich durch die Unterführung zum hintersten Bahnsteig; und mit einem Sprung, so als beendete ich damit den Ausflug über die Grenze und begänne nun die richtige Reise, war ich, nachdem ich mich noch rasch an dem Brunnen gewaschen hatte, in dem Südwest-Zug, wo ich, kaum auf meinem Platz am Fenster,

gleich einschlief; – und wenn ich jetzt den Heranwachsenden bedenke, mit dem aufgerissenen Asphalt
unter den Sohlen, ergibt er vielleicht nur deshalb ein
Bild, weil er gerade zu kippen drohte, so wie manche
Gegenstände sich einem erst einprägen, indem sie im
letzten Moment vor dem Fallen bewahrt wurden und
nun in den zitternden Händen frei zur Betrachtung
sind.

Die folgenden Tage verbrachte ich mit dem Studium
der beiden Bücher meines Bruders in der Gegend von
Bohinj (»in der Wochein«). Sooft ich auf der Fahrt
dahin, um den Ausstieg nicht zu versäumen, die Augen öffnete, sah ich in den Wiesen die langen schmalen Holzgestelle stehen, die man »Heuharfen« nennt:
zwei in die Erde gerammte Pflöcke (heute vielleicht
aus Beton), darin eingelassen eine Anzahl paralleler
Stangen, auf denen, unter einem Schindelobdach, die
erste Grasernte des Jahres trocknete. Es war die
Mahd mit den Frühlingsblumen, und die graue Heu-
masse war gepunktet von Farben. Die Stangen ragten
zu den Pflöcken hinaus und hatten etwas von gebündelten Wegweisern, die alle in eine Richtung zeigten;
es war, als fahre der Zug dieser dicht aufeinanderfol-
genden und von Tal zu Tal ihren Winkel stärker
westwärts knickenden Pfeilschar nach, und in meinem Schlaf nahmen die Harfen zu beiden Seiten der

Gleise dann die Gestalt einer großen Tragevorrichtung an, mit deren Hilfe die Reisenden, ohne daß Zeit verging, an ihr Ziel gebracht wurden.

Ich übernachtete nicht mehr im Freien, sondern wohnte in einem Gasthof des Hauptorts der Gegend, Bohinska Bistrica oder Wocheiner Feistritz. Dazu entschloß ich mich, nachdem ich die niedrigen Preise gesehen und mein Geld gezählt hatte. Durch die Gabe des Lehrers, durch Nachhilfestunden, aber auch den Abdruck eines »selbstverfaßten« Textes in einer Zeitung (»Hast du das selbst verfaßt?« fragte kopfschüttelnd ein Banknachbar) hätte ich es mir, so überlegte ich im nachhinein, ohne weiteres leisten können, mit den andern nach Griechenland zu fahren.

Aber gerade die eine Veröffentlichung war es ja, weit mehr als der Geldmangel, was mich von der gemeinsamen Reise abgehalten hatte. Es handelte sich dabei um eine Geschichte, worin ein Bursche im Hof eines Hauses ein Fahrrad reparierte. Dieser Vorgang wurde in seinen Einzelheiten beschrieben, samt Licht, Wind, Baumrauschen, beginnendem Regen, bis am Schluß der Held, auf einen Schrei hin, ins Haus stürzte, wo er auf dem Boden eines leeren Zimmers, ich weiß nicht mehr, ob den Vater oder die Mutter, mit brechenden, kurz noch die Außenwelt spiegelnden Augen fand. Auf solchen Inhalt kam es freilich gar nicht an; allein die Tatsache, daß ich »dichtete«, ließ die Mitschüler von mir abrücken. Zwar spielten einige von ihnen in einer Theatergruppe, doch daß einer schrieb und dazu noch mit dem Geschriebenen »an die Öffentlichkeit trat«, das wirkte zumindest befremdend. Auch von der Freundin traf mich, noch vor dem Lesen, kaum daß sie die Seite mit dem Titel und dem Namen gesehen hatte, ein seltsamer Blick der Mißbilligung, der nach der Lektüre in ein vieldeutiges Geschau aus Verständnislosigkeit, Mitleid, Befremdung und vor allem Scheu überging; und immer wieder habe ich mich später daran erinnern müssen, wie damals ihr Nacken, als ich sie an mich ziehen wollte, steif wurde.

Und war es nicht auch ich selber gewesen, der dieses allgemeine Zurückweichen hervorrief? Hatte ich nicht am Erscheinungstag der Zeitung jeden, der diese aufschlug, als einen beäugt, der gleich meine ganze Schuld erfahren und zu meiner Schande weiter-erzählen würde? So sehr mir die Veröffentlichung, von meinem märchenschreibenden Geschichtelehrer angestiftet, von einem lokalglossenverfassenden Re-dakteur befördert, im voraus auch recht gewesen war (man sollte endlich wissen, wer ich war!), so sehr erschien sie mir dann als ein Sündenfall, und die einzige Stätte, wohin dieser mich nicht verfolgte, war zum Glück das Dorf, in welchem, anders als heute – inzwischen steht das Schild »Rinkenberg liest . . .« schon am Ortseingang –, mir nicht einmal im Pfarr-haus eine Tageszeitung auffiel. Dort freilich, wo ich bisher noch am ehesten heimisch gewesen war, als Pendler in den Bussen und Zügen, hatte ich mich nun in meinen Augen für immer unmöglich gemacht. Wo es mir gelungen war, auch vor mir selber unauffällig, ein Niemand, zu sein, da zeigte ich mich jetzt als »ein gewisser«. Aus der Verborgenheit getreten, hatte ich damit mein Element verloren; das zeitweise Wohlgefühl im Gedränge, vor allem beim Stehen im Zugkorridor oder im Mittelgang des Busses, war dem Unbehagen gewichen, kenntlich geworden, einem mich vereinzelnden Schlaglicht ausgesetzt zu sein und derart – was mich am stärksten beschämte – meine Mitpassagiere in ihrem Fürsichsein zu behelligen. War ich deshalb in den letzten Wochen oft mit dem Rad zur Schule gefahren, wozu ich hin und zurück fast einen halben Tag brauchte? Viele Gründe gab es, die mich jetzt zu der Alleinreise bewegt hatten; doch einer davon war gewiß, mein In-die-Öffentlichkeit-Treten, ob eingebildet oder nicht, mein Mich-verraten-Haben, vergessen zu machen. Und spürte ich nun nicht mit jeder Stunde, in der ich wieder ein Unbekannter sein durfte, dieses Vergessen sich tatkräftig um mich herum ausbreiten, einen mit der Zeit und Entfernung immer heilsameren Gnadenakt? Zog es mich nicht gleich bei meiner Ankunft in der Wochein zu einem Weiler, der in der Karte eingezeichnet war als *Pozabljeno*, was etwa »das Vergessene« oder »die Vergessenheit« hieß? Und hat man mich nicht wirklich in den folgenden Tagen, an was für sonderbaren Plätzen ich auch ging, stand, saß, lag oder lief, sein lassen, so als sei das selbstverständlich?

Einzig der Lehrer in Villach geisterte noch durch diese Niemandslandschaft, indem er ständig wiederholte, was er damals bei seinem ersten Blick auf mein Druckwerk, mit einer Geste, als gäbe er einem Musiker den Einsatz, ausgerufen hatte: »Filip Kobal!« – nur meinen Namen, den ich da erstmals in dieser Form hörte, den Tauf- vor dem Familiennamen, wo ich doch bisher ausschließlich »Kobal Filip« gerufen worden war, zum Beispiel gerade noch bei der Tauglichkeitsprüfung zum Militär. »Ruhe bitte!« erwiderte ich ihm im stillen darauf: Ja, ich war entschlossen, nie mehr in der Zeitung zu stehen; mich, meine Angehörigen und meine Mitdörfler nie mehr einer solchen Schande preiszugeben. Mit dem Traum vom Ruhm war es für alle Zukunft vorbei. Hatte ich denn nicht schon seit je gewußt, gerade unter den andern im Bus oder Zug, auch wenn ich selber begeistert ein Buch las, von einer neuen Erfindung hörte, eine Melodie bewunderte, daß aus mir nie im Leben etwas werden würde, daß ich, ob früher oder später, nur versagen konnte, daß ich, wie auf einem Kirchtag einmal ein Wahrsager meiner Mutter, sicher im Glauben, damit der Landfrau und ihrem zu keiner Arbeit zu gebrauchenden Sohn zu schmeicheln, gekündet hatte, im Höchstfall zum »Buchhalter«, zum kleinen Angestellten, zu einem Beruf bestimmt war, wo es um nichts als um Zahlen ging? Und das Geldzählen nun im slowenischen Gasthofzimmer, war es demnach nicht ein Teil meiner Bestimmung?

Die Wochein ist eine weite Talschaft, an allen Seiten von Bergzügen umschlossen; der einstige Untergrund eines Gletschers, der am Westrand den großen, stillen, in meinem Gedächtnis fast immer menschenleeren Wocheiner See übriggelassen hat. Von seinem Nordufer steigt steil das Massiv der Julischen Alpen auf, gipfelnd in dem noch vergletscherten Triglav, dem »Dreikopf«, dessen unten am Seeufer nachgebautes Modell den Urlauberkindern als Spielplatz dient. Die Bergkette im Süden ist das letzte größere Hindernis vor dem Meer; dahinter geht es schon zum Isonzo (der slowenischen *Soča*) hinunter, und die Hänge, zwischen denen der Fluß dann weiterfließt, zeigen keine Baumgrenzen mehr. Schwer zugänglich, war das Wocheiner Becken durch die Jahrhunderte fern von der Welt; nur Saumpfade verbanden es mit dem Isonzotal und der friulanischen Ebene, während der Ostweg, auf dem ich gekommen war, sich überhaupt erst recht öffnete mit dem Bau der Eisenbahn.

Daß Österreich ein Land der Alpen sein sollte, und ein Beiname des Staates »die Alpenrepublik« war, hatte mich, aufgewachsen auf dem großen flachen

Jaunfeld, die Berge in einigem Abstand, immer be-
fremdet (es gab in dem Dorf kaum jemanden mit
Schiern, und der einzige Schlittenweg ging vom Waldrand zur Straße hinab, wo man, kaum ein bißchen in
Fahrt, schon wieder stehenblieb). In der Wochein aber
fand ich mich nun wirklich von den Alpen umgeben
und fühlte mich in einem Alpenland, was freilich nicht
Gräben, Schluchten, Sonn- und Schattenseite, wenig
Himmel hieß, vielmehr, trotz des Kessels, Hochland,
und damit Weitsicht. Wenn ich jetzt die Augen
schließe, öffnet sich vor mir ein weltenferner, von dem
leeren fjordblauen See bestimmter, von den Gebirgen
geschützter, von den Moränenwellen am Boden vielfach abgeteilter Fluchtraum, für den kein Wort so tref-
fend ist wie das eingangs gebrauchte »Talschaft«.
Dabei ist die Wochein, jedenfalls von dem leicht er-
höhten Bahnhof aus gesehen, eine betriebsame Gegend. Als ich damals aus dem Zug stieg, sah und roch
ich zunächst fast nur Holz, sah, gleich auf den Güter-
gleisen hinten, die Stapel ganzer Baumstämme, Bal-
ken, Bretter und Latten, und hörte zwischen den
Häusern die Motorsägen. All die Tage über, die ich da
blieb, begegnete ich keinem müßigen Menschen; wer
auf den ersten Blick so wirkte, erwies sich als einer,
der wartete, ob auf den Bus an einer der oft unbe-
zeichneten Haltestellen (einem Bretterzaun, einer
Brückenwaage), auf den Kippunkt einer angesägten
Fichte, auf das schöne Wetter zum Heuwenden, oder

auch nur, wie die alte Köchin am Herd des Gasthofs, auf das Aufkochen der Milch und das Garwerden der Speisen. Der Soldat, der einmal allein ruhig am Wegrand saß, hatte beim Näherkommen ein Funkgerät am Ohr; und die Kinder, selbst wenn sie, scheinbar trödelnd, von einem Gebüsch ein Blatt abrissen, hatten dabei etwas von Pfadfindern, die gerade die Spurensuche lernen; sogar am Sonntag warteten sie langaufgereiht vor dem Beichtstuhl in der Kirche, die kathedralengroß in einer Wiese stand, und wer, seiner Sünden ledig, ins Freie trat, nahm sich gerade die Zeit, in sich hineinzugrinsen, und marschierte schon weiter zur Kniebank, um dort unverzüglich seine Bußgebete zu verrichten. Nicht die Geruhsamkeit Alteingesessener ging von den Bewohnern der Talschaft aus, sondern die Unbändigkeit, das Auf-dem-Sprung-Sein, das ständige Geistesgegenwärtig-sein-Müssen von Neusiedlern, wodurch ich die Wochein, auch in Anbetracht ihrer natürlichen Lage, tagsüber oft als ein eigenes europäisches Land sah. Fast fehlte mir darin der eine Idiot oder Betrunkene, der die Betriebsamkeit hin und wieder durchkreuzt hätte, indem er wie sinnlos umhertorkelte und die Vollbeschäftigten für einen Augenblick von ihrem Ernst und Fleiß ablenkte, bis ich merkte, daß ich, auf der Suche nach Orten zum Studieren der zwei Bücher stockend, umkehrend, vom Weg abbiegend, diese und jene Grasstelle abtastend, ob sie zum Sitzen geeignet wäre, zurückgelehnt an einem Baum mich gleich wieder vom Harz dort losreißend und weiterstolpernd, einen täuschend ähnlichen Doppelgänger abgab.

Der Gasthof, wo ich wohnte, hieß, ins Deutsche übersetzt, »Schwarze Erde«, nach einem Gipfel des Gebirgszuges im Süden; ein großes Haus aus der Zeit vor den Weltkriegen, an dem ich gleich nach dem blinden Fenster suchte. Außer mir gab es nur ab und zu ein paar Bergsteiger als Gäste, und so hatte ich ein Zimmer mit vier Betten, bereitet wie für eine ganze Familie, für mich allein. Es lag im ersten Stock, über dem Eingang; aus dem einen Fenster ging der Blick auf eine Fichtenreihe, die, wie der Rest eines Waldes, mitten durch den Ort lief, aus dem andern auf den unmittelbar an dem Haus vorbeischießenden Wildbach, ein weißes Brausen, von dem alle Lastwagen und Motorsägen übertönt wurden. Was durchdrang, war höchstens das Pfeifen eines Zugs oder der jähe Schall eines Militärflugzeugs. Die Fichten ließen sich, anders als das Wasser, auch im Sitzen sehen, und so stellte ich den kleinen Holztisch an das entsprechende Fenster und probierte die verschiedenen Stühle aus. Da ich mich für keinen entscheiden konnte, reihte ich sie alle am Tisch auf und wechselte von Zeit zu Zeit den Platz.

Am ersten Tag packte ich die zwei Bücher nur aus, ohne sie aufzuschlagen. Die Tür zum Flur ließ ich offen, denn bei dem Getöse des Bachs wäre ich mir in dem geschlossenen Zimmer wie aus der Welt vorgekommen; so erreichten mich aus Gastsaal und Küche unten wenigstens manchmal ein Klirren oder ein anderes schrilles Geräusch. An der Flurwand, der Tür genau gegenüber, hing ein schwarz-brauner ausgestopfter Auerhahn, in der Haltung des Balzens – gereckter, im Schreien verdickter Hals, geschlossene Augen –, wie er ja auch abgeschossen worden war. Das Schlüsselbrett daneben, mit den verschiedenförmigsten Schlüsseln, hinter einer Glasscheibe, hatte etwas von einer fast vollständigen Schmetterlingssammlung. Mir war gleich im ersten Moment, als hätte ich das alles schon einmal gesehen, oder mehr: als kehrte ich hierher zurück, nicht in ein früheres Leben, sondern in ein geahntes, wie es mir zugleich wirklicher, oder handgreiflicher, nicht denkbar war. Kam das von Tisch, Stühlen und Bettgestellen, die mich an den Vater als Zimmermann, vom Sprühdunst vor den Fenstern, der mich an den Vater als Wildbacharbeiter erinnerte? Oder von jenem Briefausdruck des Bruders, der da die Wochein mit dem eigentümlichen Wort »Stammsitzgegend« bezeichnet? Denn nicht allein Zimmer und Haus glaubte ich ja so handgreiflich wiederzufinden, auch die Ortschaft Bistrica, die »Durchsichtige«, die »Klare«, das »Bachdorf« samt der ganzen Talschaft: Ein Kind bestaunt sie, ein Zwanzigjähriger beschaut sie, ein Fünfundvierzigjähriger überblickt sie, und alle drei sind sie in diesem Augenblick eins und alterslos. Dabei hatte Bistrica nichts von einem üblichen Dorf, eher von dem Vor-Ort zu einer Stadt, die aus den vielen freien Zwischenräumen noch emporwachsen würde; die paar Hochhäuser am Rand, mit dem Supermarkt, und die Kathedrale in der Wiese wirkten schon als die Vorzeichen.

So ungehörig schien es damals dem Häuslersohn, an einem Gastsaaltisch zu sitzen und sich beim Kellner ein Gericht zu bestellen, daß er sich die erste Zeit nur von Waffeln und Keksen aus dem Supermarkt ernährte, und vor allem von dem Brot und den Äpfeln, die ihm die Schwester in den Seesack getan hatte. Es waren die letzten Äpfel des Vorjahrs, schon so alt, daß, wenn ich sie nur in die Hand nahm, darin die Kerne klapperten. Nicht aus Not aß ich beides, sondern weil es, auch viel später noch, mir die liebste Speise war; auf nichts paßte so sehr das Wort »munden« wie auf das Süßsauer der Baumfrucht zusammen mit dem kümmelgewürzten, doch kaum gesalzten Roggen und Weizen. Auf dem Fenstertisch lagen in einer Reihe das Brot, die Äpfel, das Klappmesser, und angesichts des mehligen Laibs mit den tiefen Schrunden stellte ich mir die Rückseite des Mondes vor, freilich an einem Tag schneller abnehmend als der Himmelskörper in einer Woche und bald auch ohne die Nebenmonde; die letzte Schnitte so dünn, daß sie, gegen das Licht gehalten, an ein Netz durchsichtiger Schneekristalle erinnerte, das dann auch schon geschmolzen war.

Das richtige Märchen fing aber erst an, als ich beim Aufschlagen der beiden Bücher, darin eingelegt wie ein Vorsatzblatt, je einen Geldschein fand, wobei mir die Bemerkung der Schwester einfiel, ich müsse auf der Reise einmal am Tag eine »warme Mahlzeit« einnehmen, »damit wenigstens der Magen sich nicht im Ausland fühlt«. Wie im Traum vom Geldfinden, den ich damals oft hatte, sah ich nun überall weitere Scheine leuchten, und bedauerte im nachhinein, daß die Schwester nicht auch noch einen ins Brot eingebacken oder ins Gehäuse eines Apfels geschoben hatte. Die paar Banknoten zusammengefaltet hinten in die Hose steckend – niemand in der Familie besaß je eine Brieftasche – merkte ich, wie ich damit die Geste des Vaters wiederholte, wenn er nach jedem Spiel, mit einem langen Triumph- und Racheblick in die Runde, seinen Gewinn einheimste. So konnte auch ich, was die Tochter ihrem Vater entwendet hatte, als mein Spielgeld betrachten, es umwechseln und noch am selben Abend unten im Gastsaal mit fester Stimme und, wie ich mir einbildete, ohne Akzent meine erste warme Mahlzeit bestellen. Im Gesicht des Kellners eine Aufmerksamkeit, die mir jetzt als ein Lächeln erscheint.

Das erste der beiden Bücher war eigentlich ein Schreibheft zwischen festen Deckeln, das Werkheft meines Bruders aus seiner Zeit an der Landwirtschaftsschule in Maribor. Doch weil das Heft dick war und samt den Deckeln auch entsprechend roch, hatte ich in ihm immer ein Buch gesehen. Zusammen mit dem anderen, dem großen slowenisch-deutschen Wörterbuch aus dem neunzehnten Jahrhundert, einem Briefpacken, einer Uniformmütze (Sohn) aus dem zweiten, sowie einem Bajonettdolch und einer Gasmaske (Vater) aus dem ersten Weltkrieg, lag es sonst in einer Truhe auf der hölzernen Galerie, unter dem Dachvorsprung des Elternhauses. Es gab dort, bis ich zu lesen anfing, nur dieses Bücherpaar, und ihr Ort war immer nur in der blauen Truhe, halb draußen im Freien. Auch ich, wenn ich sie anschaute, ging damit nie in die Stube, setzte mich vielmehr auf die Kiste, und es war, als gehörte es zu solchem Lesen, dabei auch jeweils das Wetter mitaufzunehmen: etwas vom Wind auf den Seiten zu spüren, das Licht darauf wechseln zu sehen, einmal auch von einem Regen besprüht zu werden, der bis unter das Vordach wehte. Wo der Platz dieser Bücher war, da war auch mein Leseplatz; denn der Vater, so eingebürgert auch sein sonntägliches Zeitungsstudium an der Fensterbank

war, wollte keine Bücher im Haus; zorniges Murmeln, sooft er mich dort mit einem antraf, wodurch
dem Leser auf der Stelle weißliche Rinnen ein erstarr-
tes Schriftbild durchkreuzten.

Wie habe ich im Lauf der Jahre einen Platz zum Lesen
der Bücher gesucht! Hinter dem Milchstand am Wegdreieck bin ich gesessen, auf der Bank am Bildstock
weit weg in den Feldern, auf einem abgeschiedenen
Uferstück unten im Trogtal der Drau, zu meinen
Füßen das gestaute Wasser so glatt, daß Unten, der
Fluß, wie Oben, der Himmel, war . . . Einmal stieg
ich den Rinkenberg hinauf, bis ich, kurz vor dem
Kamm, in einer farnbewachsenen, weltfernen Lichtung mit einer einzelnen Kiefer, die Stelle vor mir sah,
die der Traum jedes Lesers sein mußte: rund um den
Baum ein Fleck des weichsten Grases, welches im
Volksmund »Frauenhaar« hieß, ein Lager bereitet aus
natürlichen Sitzpolstern, kein Pfuhl der Sünde, sondern ein Thron des Geistes, der mich gleich aus dem
Buch mit Namen »Furcht und Zittern« anwehen
würde. Ich bin dort aber über die erste Seite, ja über
den ersten Satz, nicht hinausgekommen. Erst an einem Nachmittag im Schulkorridor, neben anderen
Fahrschülern, die ihre Aufgaben machten, gingen mir
für die Sätze und Folgesätze die Augen auf, und ich
sah zugleich mit den Worten die Einzelheiten im
Umkreis, die Bankmaserung, den Scheitel des Vor-
dermanns und die Lampe am Ende des Flurs; hörte da

erst den Wind in der Kiefer, der zuvor, in der Lichtung, mit dem Öffnen des Buches jäh abgeflaut war. Jener Ort, all die Orte, so lieblich, so einladend zur Lektüre sie waren, verschwanden, sowie ich dort meinen Platz einnehmen wollte; analphabetisiert wie von dem väterlichen Gemurr schlich ich mich weg. Der einzige Stammsitz des Lesers ist, bis heute, die längst zu Brennholz gehackte Truhe auf der Galerie des Vaterhauses geblieben. Was ich im Verlauf der Platzsuche erfuhr, war allein, daß ich mich, gerade mit einem Buch, nicht in die Menschenleere zurückziehen konnte.

So blieb ich auch mit dem Werkbuch des Bruders, nach dem üblichen Hin und Her – ich versuchte es im fast immer leeren, kastanienumstandenen Warteraum des Bahnhofs, auf dem Friedhof vor einem Grabstein, in den ein stürzendes Flugzeug eingeritzt war, auf der steinernen Brücke am Ausfluß des Sees –, schließlich im Gasthofzimmer, in dem einen Augenwinkel dunkel der Auerhahn, in dem andern hell der Waschtisch mit Schüssel und Krug, vor mir die Fichtenzacken, den Blick weiterleitend zu einem Nachbarhaus, wo die Firstziegel oben, den Zeilen im Heft entsprechend, von links nach rechts liefen.
Zwar hatte ich das Buch bisher immer wieder angeschaut, es aber nicht recht entziffern können; denn die Unterrichtssprache an der Landwirtschaftsschule war

das Slowenische gewesen. Betrachtet hatte ich es wegen der Zeichnungen, und vor allem wegen der Schrift. Sie war deutlich und vollkommen regelmäßig, die Buchstaben lang, schmal, leicht nach rechts geneigt, was beim Blättern von Seite zu Seite den Eindruck von einem da aufgefangenen, ewig im Fallen begriffenen, gleichbleibenden Regen gab. Sie zeigte weder Schnörkel noch Schlenker, weder Kürzel noch Nachlässigkeit, weswegen sie auch nie zur Blockschrift werden mußte; keine Letter, die im Wort getrennt von der andern stand, unverbunden; und unterschied sich zugleich von der malerischen Schönschreiberei eines Dokuments des vergangenen Jahrhunderts durch ihre Zügigkeit, die eins war mit dem Strich der zugehörigen Zeichnungen. Es kam mir in der Betrachtung so vor, als hielte sie nicht bloß etwas fest, sondern ginge mit ihrem Gegenstand, jeder Buchstabe in der Reihe dessen Bildträger, weiter, unbeirrbar auf ein Ziel zu, und in der Wochein, dem Neuland, sah ich in der Schrift des Bruders dann eine, die gut in die Gegend paßte: die eines Siedlers, eines, der im Aufbruch ist, und bei dem auch das Schreiben Teil dieses Aufbrechens ist; statt des bloßen Beurkundens einer Handlung fortgesetztes Tun.

In einem Brief bemerkt er, ein Schriftkundiger würde feststellen, »daß all unsere Kratzereien (die der Familie) verwandt sind«, und ich habe da immer Eigenwillen und Stolz herausgelesen. Nie hatte er eine sogenannte Kinderschrift gehabt; schon im ältesten Schulheft schrieb er wie einer, der damit in ein Geschehen eingreift, wie ein Verantwortlicher, wie das Oberhaupt, wie ein Entdecker.

In der Tat war die ganze Familie, über das Dorf hinaus, geradezu berühmt für ihre, Wort des Wegmachers und Schriftenmalers, »meisterliche« Handschrift (»die Kobal-Familie schreibt nicht mit der Hand allein!« sagte er und streckte mit einer großen Gebärde den Arm von sich), was uns, weil zudem in der Gegend auf keinem einzigen Haus das Wort »Meister« stand, den Ruf einbrachte, ein selbstbewußtes und edles Geschlecht zu sein; indem wir so schrieben – eben nicht »wie gemalt« oder »wie gedruckt«, sondern mit der nicht zu verwechselnden »Kobal-Gebärde« –, erhoben wir unseren Anspruch. Die Mutter, vielbeschäftigte Briefstellerin, galt, wie erwähnt, als Amtsperson. Fragte ich gleichwelchen Nachbarn nach dem Bruder, kam, waren die paar Anekdoten erzählt, in aller Regel die Rede auf Gregor Kobal und seinen Obstgarten, »so sorgfältig, großzügig und erfinderisch angelegt wie seine Schrift« (der Wegmacher). Sogar die Schwester erwachte aus ihrer Verdrehtheit und richtete sich herrisch auf, wenn sie mit »Ursula Kobal« ihre Frührente quittierte.

Die einzigen Ausnahmen unter diesen mit ihren Schriften Glänzenden waren der Älteste und der Jüngste in der Familie, der Vater und ich. Die Hand des einen war zu schwer, die des andern zu sprunghaft. Man merkte es dem Vater an, daß er nie ein richtiges Schulkind gewesen war; so wie sein Lesen hatte auch sein Schreiben eher etwas von einem Buchstabieren. Den langen Briefen, die mir die Mutter ins Internat schickte, setzte er höchstens ein einziges Wort hinzu, das zugleich auch sein Gruß war: »Vater«. Nach seiner Pensionierung, als er eine Zeitlang nicht wußte was tun, glaubte ich, es sei eine Idee, ihm ein Heft zu geben, damit er darin seine Lebensgeschichte aufzeichne; denn wenn er diese mündlich erzählte – fast erschreckend, hob er nach einem langen Schweigen oft an mit seinem tiefstimmigen »Und . . .« –, geriet er dann immer wieder ins Stocken und brach ab mit einem: »Das läßt sich nicht sagen, das muß man aufschreiben!« Doch als ich nach ein paar Monaten in dem Heft nachschaute, fand sich darin, obwohl er den ganzen Winter Zeit gehabt hätte, kein Wort, bloß Zahlen, die Feldpostnummer des Bruders, meine Wäschenummer, die Hausnummer, unser aller Geburtsdaten, in das Papier eingegraben wie eine Keilschrift. (Nur die Striche mit seinem Zimmermannsblei vollführte er leicht, hatte im Nu das Schnittmuster auf das zu bearbeitende Holz gezogen.)

Ich selber wechselte meine Schrift ständig, wurde, oft mitten im Wort, größer, zwang die Buchstaben aus ihrer Vorlage hintüber und wieder nach vorn, war, so sorgfältig jeder Anfangsabsatz auch sein mochte, voll Ungeduld – dem Schriftbild anzusehen – aufs Ende aus. Vor allem erlebte ich meine Handschrift nicht als die meine; noch heute, da sie gleichmäßig geworden ist, erscheint sie mir als künstlich, als eine Nachahmung; im Unterschied zum Bruder habe ich nie eine eigene Schrift gehabt, meine jetzige ist abgeschaut von ihm, gerät im Moment, wo ich nicht bei der Sache bin, aus dem übernommenen Gleichmaß und artet, statt »Kratzerei« zu bleiben, aus in ein formloses, mir selber unleserliches Gekritzel, ein Bild des Gehetztseins und der Ohnmacht anstelle der mächtigen Familien-Gebärde. Richtig zu schreiben, so denke ich, habe ich erst mit Hilfe der Maschine gelernt. Davor war die mir gemäße Schrift einzig die in die Luft gewesen, ohne Werkzeug, der Zeigefinger allein als der Stift; gerade daß ich nicht vor mir sah, was ich schrieb, und daß der Finger genügte, gab mir das Gefühl einer persönlichen Handschrift und des entsprechenden Zugs darin. Beim In-die-Luft-Schreiben konnte ich auch langsam sein, innehalten, absetzen. Sonst aber, die Hand um das ihr fremde Gerät verkrampft, an dem mich schon die Geräusche störten, über das Papier gekrümmt statt aufrecht dasitzend, überstürzte ich Zeile um Zeile, ohne zu wissen, was ich tat, dunstend von einem so säuerlichen wie unfruchtbaren Schweiß, unfähig, den Kopf zu heben, ohne Augen für die nächste Umgebung. Elemente einer Naturschrift nahm ich auf dem Papier nur wahr, wenn ich bei meiner Sache blieb; es war, als entstünde dann das Schriftbild zugleich mit dem Bild der Sache in mir. Und wo konnte ich schreibend bei einer Sache bleiben? Zum Beispiel im Dunkeln: Da wuchsen, Strich um Strich, Stift und Finger zusammen, und ich bekam eine Schreibhand, etwas Schön-Schweres, Bedachtsames; kein Dahinschreiben war das mehr, sondern ein Aufzeichnen. Wenn ich das so Entstandene bei Licht sah, hatte ich vor mir in der Tat meine Sache in Form meiner Schrift, an welcher die feine Erfinderhand des Bruders und die stockende Selbstlernerhand des Vaters vereint schienen.

Das Werkheft des Bruders handelte vor allem vom Obstbau. Mit Hilfe des Wörterbuchs konnte ich es in seinen Grundzügen entziffern. Es stammte von einem noch nicht Zwanzigjährigen, und war doch keine Mitschrift in der Schule, sondern zunächst der eigenständige Forschungsbericht eines jungen Gelehrten, im zweiten Teil dann übergehend in ein Bedenken des Gegenstands, eine Art Abhandlung, zuletzt ein Katalog von Regeln und Vorschlägen; insgesamt Lernheft und Lehrbuch in einem.

Sein Hauptthema war das Anpflanzen und Veredeln von Apfelbäumen, wie es der Bruder ja im heimischen Obstgarten selber erprobt hatte. Er erzählte von dem geeigneten Boden (»locker und fett«, »flach und ein bißchen aufgewölbt«), der Lage (»Ost-West, aber windgeschützt«) und den besten Bearbeitungszeiten (sehr oft bestimmt von der Tag- und Nachtgleiche, oder dem Aufgang gewisser Sternbilder oder ländlichen Festtagen).

Unwillkürlich las ich seine Erfahrungen mit Pfropfreisern und dem Umsetzen junger Bäume zugleich als Erziehungsgeschichten. Die Junggewächse hatte er aus der Baumschule in seinen Garten »zusammen mit ihrer Erde« übertragen, und sie in derselben Richtung angeordnet wie dort, zugleich ihren Abstand vervielfacht: die Zweige des einen Baums sollten die des andern nie berühren. Die einzelnen Wurzelstränge flocht er vor dem Einlassen in die Setzgrube zu einem schützenden Korb. Die an Ort und Stelle, aus einem Kern, gewachsenen Bäume hätten sich als die zähesten, aber auch die unfruchtbarsten erwiesen. Oben in der Krone sei es besser, daß Blätter vorherrschten, damit sich unter ihrem Dach umso mehr Früchte bilden könnten. Zum Boden schauende Äste zeigten sich ertragreicher als zum Himmel ragende. (Die höherhängenden Früchte faulten allerdings weniger leicht.) Was das Pfropfen betraf, so verwendete er dazu nur nach Osten gerichtete Zweige. Sie hatten die Form eines Bleistifts, die Schnittflächen geschrägt, damit das Regenwasser abfloß, und das Schneiden selber geschah, statt mit einem Hieb, mit einem Ziehen (um die Rinde glatt zu erhalten). Er habe dazu ausschließlich Reiser gewählt, die bereits einmal Frucht getragen hätten; »denn sonst werden wir nicht für die Ernte, sondern für den Schatten gearbeitet haben«, und er habe sie auch nie in die Achsel zwischen zwei andere gepfropft, weil das diesen beiden die Nahrung entzöge. Vom Baumschnitt überhaupt schrieb er, je früher er darangegangen sei, desto mehr »Holz« habe er erhalten, je später, desto mehr »Früchte«; und das Holz »schoß« bloß, während die Früchte »sich krümmten«.

Zu Beginn des Hefts erzählte er, auf dem Gelände des späteren Gartens habe zunächst nur ein einzelner Obstbaum gestanden, vollkommen verwildert (sein Wort war »verwaldet«, womit er meinte, daß die Zweige als eine Art Waldgestrüpp wucherten), ohne Frucht: Diesem habe er, an der am wenigsten von Flechten überwachsenen Stelle der Rinde, einen Eisendorn in das Holz gestoßen, worauf aus der schwärenden Wunde alsbald ein Krummtrieb, ein frucht-verheißendes Auge hinter dem andern, gekommen sei. Bei dem Dorn handle es sich eher um einen Bohrer – seine »Erfindung«, indem dabei nämlich nicht das lochverstopfende Mehl entstehe, vielmehr leicht herauszublasende Späne (daneben eine Zeichnung dieses »Kobal-Bohrers«).

Tiefer jedoch als solche beiläufigen Erziehungs-gleichnisse, tiefer als solch mitspielender Hintersinn, ging mir bei der Lektüre, wie seit je, das Sinnenhafte, die bloße Erwähnung von Dingen, die mir bisher als Wirrwarr begegnet waren. Der Bast, womit der Bruder sein Pfropfreis an den Zweig band, die zugehörige Holzschiene, nicht rund, sondern »vierkantig!«, dazu die Kiesel, welche den Wurzelboden darunter temperierten und das Grundwasser abhielten, bekamen einen Schein, und ich konnte mein Augenmerk darauf richten. So lichteten sich in dem Obstgarten, der in der Zwischenzeit, da niemand mehr ihn betreute, als ganzer verwaldet war wie einst der Anfangsbaum, die Räume, und aus der Handschrift schaute mich eine klarumrandete Umfriedung an, worin der Leser, vor dem Schauspiel der Vielheit und Verschiedenheit »meiner Sache« (wie der Bruder sein Fruchtareal nannte), den Kopf um und um wendete, als stünde er in der Mitte, an der Stelle des Urhebers. »Wir werden nicht für den Schatten gearbeitet haben!«, das war nun, am Fenstertisch, in das Bachtosen hinein, der Kampfruf des Lesers, wobei das Schwarz des Auerhahns in dem einen Augenwinkel und das Weiß der Waschschüssel in dem andern ihm durch das Blickfeld schwangen als zwei sich kreuzende Pendel.

Trug zu solcher Kraft der Wörter nicht auch bei, daß ich sie, anders als die deutschen, nicht sofort verstand und in der Regel erst übersetzte, und zwar nicht aus der fremden Sprache in meine eigene, sondern aus einer Ahnung – so unverständlich mir vieles Slowenische war, so vertraut erschien es mir ja – ohne

Umweg ins Bild: in den Obstgarten, eine Aststütze, ein Stück Draht? Für manche Tätigkeiten, von denen der Bruder erzählte, etwa das Entfernen unfruchtbarer Triebe, gebrauchte er den Ausdruck »blinde Arbeit«: Wurde durch ein derartiges Übersetzen aus einem blinden Lesen nicht ein sehendes, aus einem blicklosen Tun nicht ein Wirken? Sogar der Vater, so stellte ich mir vor, wäre er da in das Zimmer getreten, hätte, schon auf der Schwelle, seinen Groll vergessen und angesichts der vor Geistesgegenwart leuchtenden Übersetzeraugen sich einmal mit seinem Sohn einverstanden erklärt: »Ja, das ist jetzt *sein* Spiel!«

Auch wo der Bruder, im zweiten Teil des Hefts, von seinem besonderen Obstgarten abging und allgemein verschiedene Apfelsorten abhandelte, standen doch seine bestimmten Bäume vor mir; wo er nur noch ein Verfahren beschrieb, las ich weiter eine reine Erzählung, von einem Ort und dessen Helden, auf den ich dann auch die an jeden Obstbauern gerichteten Schlußbemerkungen bezog, es könne in einer solchen Sache, die mit der Weisheit gleichsam blutsverwandt sei, weder Doktoren noch Schüler geben, und das wichtigste für die Pflanzung sei »die Anwesenheit des Herrn«.

Das Besondere an dem Obstgarten des Bruders war, daß er weit außerhalb des Dorfs lag, umgeben von Acker- und Weideland, an einer Seite begrenzt von einem kleinen Mischwald, während sonst die Gärten gleich hinter den Häusern anfingen, von der Straße aus unabsehbare Baumfluchten, an deren Ende man sich nur noch die Brachebene vorstellen konnte, mit Rinkenberg als Apfel- und Birneninsel am Rand. Ein anderer Unterschied: Die Bäume des Bruders waren plantagenhaft niedrig, und jeder, bis auf die dorfüblichen Gruppen von Zwetschken und Mostbirnen am Eingang, welche das Wesen des Gartens gleichsam tarnen sollten, trug eine andersschmeckende Frucht; ja es gab sogar Bäume, wo von einer Astetage zur nächsten die Sorte wechselte, und, Gipfel, unter den Mostbirnen den einen, heimlichen, nur der Familie bekannten Zweig mit Früchten täuschend ähnlich denen am Nebenzweig, welche einem aber, wenn man in sie hineinbiß, nicht – so der geläufige Spruch – »das Arschloch zusammenzogen«, vielmehr die Augen aufgehen ließen.

Der ganze Garten, sowie man, zum Wäldchen hin, in ihn eindrang, zeigte sich mehr und mehr als eine Versuchsanordnung, die zugleich schon allen möglichen Nutzen einbrachte. Er wurde auch, nach dem Anfangsspitz, den eine einzelne, angesichts der Plantage fremdartige, Pappel markierte, zu einem immer breiteren Streifen, bis er hinten am Waldrand in mehreren Reihen dastand. Obwohl, wie die Dorfobstgärten, die so als ein öffentliches Baumland erschienen, nicht umzäunt, war das Gelände hinter der Pappel ein versteckter Bezirk. Das kam einmal davon, daß man, über das freie Feld gehend, mittendrin auf einmal, ohne daß ein Haus sie angezeigt hätte, mit den edelsten Äpfeln beladene Zweige vorfand, und zudem von der Senke, in welcher der Bruder die Pflanzung angelegt hatte. Es ging aus dem Flachen unvermutet zu dem Garten hinunter, und an seinem Ende, zu dem Wäldchen, ebenso wieder hinauf. Die Senke war nicht tief, doch erst an ihrem Rand als zusätzliche Niederung erkenntlich; auch die Kronen der kleinen Obstbäume erschienen dem Ankömmling erst dort, auf gleicher Höhe mit den Schuhspitzen; von weitem, ob vom Dorf oder von der Landstraße, ragte aus baumlosen Äckern nur die seltsame Pappel auf, bei Gewittern manchmal als Blitzfackel.

Geschaffen worden war die Mulde – so hatte es mir der Erdkundelehrer beschrieben – von einem Bach der Vorzeit, einem Strang des Grundwassers, welches in dieser besonderen Ebene nicht stehe, sondern sie durchströme, hin zum Trog der Drau, ein einziges gleichmäßiges Fluten, kaum »spazierstocktief« unter der Erdoberfläche. An der Stelle des jetzigen Obstgartens sei seinerzeit dieser Strang als ein Bach hervorgesprudelt, habe den Boden mit sich geschwemmt und seinen Quellplatz zu einer Schüssel ausgeleckt, in der Form eines »Kopfbahnhofs«, von dem aus er sich einen schmalen Grabenweg hinunter zum Fluß fraß. Der Bach war danach versickert – der Graben hatte in

der Gegend den Beinamen »der stille« –, und der
Boden des von der Quelle gebildeten Schüsselovals
war trocken; das Wasser kein sichtbarer Einzelstrang
mehr, sondern wieder abgesunken und eingemündet
ins horizontweite Untertagfließen; oder brachte als
»Himmelwasser«, wie in dem Werkheft des Bruders,
wörtlich übersetzt, der Regen hieß, die gute Verwit-
terungserde von den Wänden zum Schüsselboden.
(Die Schüssel hatte freilich, wo der Grabenhals anfing, ihr, von Dickicht verstopftes, Loch.)
Um die Bäume herum wuchs Obstgartengras, schüt-
terer als das der Wiesen, fast ohne Blumen. Der Sandweg, der über die Felder bis an den Rand der Senke
führte, bekam dort an der Pappel einen Grasmittelstreifen, verschmälerte sich dann im Abstieg, mit tief-
eingeschnittenen, von den gebremsten Rädern glänzenden Karrenrinnen, und wurde zwischen den
Baumreihen zum reinen Grasstreifen, dem »grünen
Weg« (so sein Name im Haus), welcher schnurgerade
auf dem leicht aufgewölbten Schüsselboden bis zum
hintersten Baum des Gartens spurte, nicht nur
deutlich heller als sein Umland, sondern geradezu da
herausstrahlend.
In seiner Mulde lag der Garten sozusagen auch unter
dem Wind; einzig die warmen Fallwinde aus dem
Süden strichen bis herab auf den Boden; die Stämme
der Bäume standen vollkommen gerade, während die
Äste, besonders sichtbar als Winterbild, gleichmäßig

in alle Himmelswinkel gebogen waren. Geschützt überdies vor jedem Lärm, sowohl vom Dorf als auch von der Landstraße her, ließ der Ort, außer Kirchenglocken und Sirenen, fast nur seine eigenen Geräusche hören, vor allem ein Summen, weniger von Fliegen als von den Bienen, oben in den Blüten, oder den Wespen, an den abgefallenen Früchten. Er hatte auch seinen besonderen Geruch, etwas Schweres, Mostiges, das mehr von diesem im Gras gärenden Fallobst kam als von den Bäumen; die Äpfel da fingen erst nach der Ernte, im Keller, richtig zu duften an – vorher nur, wenn man sie an die Nase hielt (dann aber wie!). Im Frühjahr ein einziges Blütenweiß, wechselte der Garten im Sommer von einem Baum zum andern seine Farben, aus denen das Bleich der Frühäpfel, erlaubter Mundraub der Vorbeikommenden, am schnellsten wieder verschwunden war.

Es war ein Teil der Kindheit, auf das Reifen der verschiedenen Fruchtsorten zu warten. Besonders nach einem Gewitter zog es mich hinaus in den Garten, wo dann auch immer zumindest ein herrlicher Apfel (oder unter dem veredelten Mostzweig eine entsprechende Birne) unten im Gras lag. Oft kam es sogar zu einem Wettlauf zwischen mir und der Schwester, die doch schon lange kein Kind mehr war: Jeder wußte im voraus, unter welchem Baum diesmal etwas liegen könnte, und wollte als erster dort sein – wobei es dann nicht so sehr ums Haben und Essen ging, als um's Finden und In-der-Hand-Halten. Die herbstliche Obsternte war eine der wenigen körperlichen Arbeiten, bei denen ich nicht blind zugriff (oder danebengriff). Die Bäume waren so klein, daß man zum Pflücken kaum jene Leitern brauchte, die das Bild der ländlichen Obstgärten bestimmten. Es geschah vor allem mit Hilfe einer langen Stange, an welcher oben ein Sack mit steifen, gezackten Rändern befestigt war. Noch jetzt, in diesem Augenblick, spüre ich in den Armen den Ruck, mit dem sich ein Apfel von seinem Zweig löste und in den Sack zu den andern rollte.

Ein Teil der Kindheit waren auch die sich füllenden Kisten zu Füßen der Bäume, das Zitronengelb an diesem, und an dem nächsten das besondere Weinrot, welchem anzusehen war, wie es von der Schale außen seine Adern durchs Fruchtfleisch bis hinein ins Kerngehäuse zog. Geschüttelt werden durften nur die Mostbirnen, von denen dann ein gewaltiges Prasseln durch den ganzen Garten ging; an die Stämme gelehnt dann, statt der Kistenstapel, ein Kreis dicker Säcke.

Später die verhinderte Jugend, die Internatszeit, zu der es gehörte, daß ich auch die Obsternten versäumte; keine gestapelten Kisten mehr, höchstens vor der Abfahrt ein paar Äpfel in den Koffer, und im Lauf des Jahres noch ein paar mehr, schrumpliger von Paket zu Paket.

Danach die Krankheit der Mutter, die sich versteifenden Gelenke des Vaters, mein Verlernthaben (ja, das ist das Wort) fast jeder Körperarbeit, die doch die Kindheitsräume, nicht anders als das Lesen auf der Galerie, mitgeschaffen hatte, das Holzhacken und Dachdecken ebenso wie der Viehtrieb und das Garbenstapeln (nie ist daraus, für mich jedenfalls, ein Schuften oder Rackern geworden, und wenn, so über die Dauer von Stunden nicht hinaus).

Folgten die Jahrzehnte der Abwesenheit, mit der endgültigen Verwahrlosung des Gartens; allein die Schwester, die, eine Zeitlang noch, mit einem kleinen Handkorb dorthin aufbrach und sich versorgte, von den mit den bloßen Händen zu erreichenden Ästen; und dann auch sie nicht mehr. Nur noch ein Traum vom Fruchtland des Bruders: Im Schnee lagen da obenauf die weißgelben Frühäpfel, und die Familie saß daneben an einer langen Tafel in der Sonne.

Doch in den Jahren nach meiner Rückkehr habe ich den Garten wieder dann und wann aufgesucht. Immer noch steht kein Haus in seiner Nähe, und auch der einstige Sandweg zu ihm hin ist, wie der grüne Streifen unten in der Senke, zum Grasweg geworden. Die Bäume sind besetzt von Schwämmen.

Als ich zuletzt dort war, hatte der Regen auch die paar Reste des Damms vor dem Grabenloch weggeschwemmt, vom Bruder errichtet aus Ruten, Steinen und Lehm. Es war ein winterlicher Tag, und das Gelände wurde bestimmt von dem Grau der Flechten, die jeden Baum, bis in die Zweigspitzen hinauf, vollständig überzogen und zum Teil auch entrindet hatten. Die Bäume erschienen von den Flechten geradezu beschwert, und wirklich lagen unten im Gras abgebrochene Äste, in der Form von Geweihen. Das Gras kein Gras, sondern Moos; die paar Halme, die es vortäuschten, fahl und hart wie Bast; durchzogen von Brombeerranken, hervorgekrochen aus Wald und Graben. Das augenfälligste jene aus dem Wald gedrungene Esche, welche sich eines Apfelbaums buchstäblich bemächtigt hatte: Ihr Same mußte zu dessen Fuß Wurzeln geschlagen haben, und die junge Esche hatte den alten Apfel im Aufwuchs halb eingeschlossen und mit ihrem Stamm den seinen gleichsam ummantelt, so daß nun in einem Schlitz des lebenden Baums sich ein entrindeter toter zeigte. Die Pfropfreiser, früher erkennbar an der glatteren, glänzenden Rinde, waren unter dem allgegenwärtigen Schuppengeflecht längst nicht mehr herauszufinden; nur an einer Stelle deutete noch eine vierkantige Holzschiene darauf hin, die, mit einem veredelten Ast verbunden, diesem oben auflag: Seltsame Umkehrung, die sich im Lauf der Zeit ergeben hatte, indem der Ast, zuerst das dünnere von beiden, sich verdickt hatte, und die mit verrostetem Draht umwickelte einstige Schiene als unnützes Anhängsel auf seinem Rücken trug.

Die einzige Farbe in der ganz von Grau durchwirkten Senke war, abgesehen von dem Grünen Weg, das so andere, giftige Grün der Mistelbäusche in den vielfach geborstenen Kronen. Die paar verschrumpelten Früchte an den Zweigen stammten aus vergangenen Jahren; die unten im Moos liegenden platzten, wenn ich darauftrat, wie Boviste.

Nur ein Baum, blattlos, stand voll von heurigen Äpfeln, die niemand geerntet hatte; aber auch deren Gelb wurde immer wieder verdeckt von dem Grau und Schwarz der Stare und Amseln, die jede einzelne Kugel besetzt hielten, und deren unablässiges Picken und Schmatzen den Garten erfüllte. Ich war dankbar für einen Zugpfiff in der Ferne, für einen Hahnenschrei, einen bellenden Hund, ein Mopedknattern. Aus dem Grabenloch, verhängt von den Seilen der Waldreben, glaubte ich, von dessen Mündung tief unten, wie verstärkt durch den Einschnitt, das Rumoren des Flusses heraufzuhören.

Ich dachte daran, aus dem weltverlassenen Kessel zu fliehen, und beschloß, zu bleiben. Der Bretterverschlag hinten am Aufgang zum Wald, einst Obdach bei Regen und Mittagssonne, war verschwunden; die Überreste bildeten, am Rand des Grünen Wegs, zusammen mit den ausgedienten Stützstangen, ein Mittelding zwischen Scheiterhaufen und Heuharfe, für das eine freilich zu licht, und für das andre zu unregelmäßig. Davor stellte ich mich auf und wartete, auf nichts Bestimmtes.

Es begann zu schneien, immer nur einzelne Flocken,

die jäh aus den Wolken fielen, große Kurven in die Luft zeichneten und wieder unsichtbar wurden. Ich erinnerte mich an die Gewohnheit des Vaters, vor jeder sogenannten Entscheidung – einer Geldausgabe ebenso wie dem Verfassen des Testaments – auf dem Grünen Weg auf und ab zu gehen, und wiederholte das jetzt. Einer seiner Haussprüche fiel mir ein, den er in den Winkel mit dem Bild des Verschollenen zu richten pflegte: »Der Wächter eines armseligen Gartens bin ich!«

Am Ende des Wegs umkehrend, hob ich den Kopf und erblickte in dem Haufen aus Brettern und Stangen ein zum Himmel ragendes Klagegerüst, vor dem ich in der Vorstellung auf die Knie fiel. Beim Näherkommen sprang das Gerüstbild um in eine Skulptur, und in gleicher Weise zeigten sich mir dann auch die Baumreihen, wie ich wörtlich dachte, als »Denkmal der edlen Ahnen«.

Je länger ich blieb, auf und ab ging, umkehrte, stand, den Kopf wendete, desto deutlicher prägte sich die Anlage, als Nutzgarten im natürlichen Absterben begriffen, um zu einem Werk, einer die Menschenhand überliefernden und würdigenden Form, mit dem Nutzen, von einer anderen Hand in eine andere Form übertragbar zu sein, zum Beispiel in Schriftzeichenform auf die Muldenflanke dort, die gestuft war von verlassenen Viehsteigen – im Schneefall allmählich hervortretenden, weißen und weißeren Zeilen. Hinter dem Ring aus Flechten und Misteln erneuerten sich so an den Obstbaum-Zweigen deren »Augen«; das Moderlicht an den Wurzeln wurde durchschossen von Feuersteinfunken; und von dem Gestell in der Gartenmitte kam ein Südwind, der sich später auch immer wieder in den geschlossenen Zimmern erheben konnte.

Etwas Zweifaches bedachte ich da: Vor den, in Schirmmützengestalt, den Strünken anhaftenden Baumschwämmen einen Brief des Bruders, wo er solch eine »goba« erwähnt, mit welcher er in der Dämmerung des Karsamstags ums Osterfeuer ging (»das heiligste und lustigste« sei ihm das gewesen, und danach »war das Fest auch schon vorbei, nicht einmal die Würste konnten mich so erfreuen«) – und vor den Stangenspitzen jenen oben gegabelten Haselstock, worauf der zu Tieren oft grausame Vater seinerzeit eine beim Mähen entzweigeschnittene Natter spießte: Sie, die nicht nur den ganzen damaligen Tag, sondern durch die Jahre sich in der Gabelung, an dem in den Boden gerammten Stecken, gewunden hatte, nachhaltiger ein Wahrzeichen des Orts als alle die Sonnenfrüchte, verflüchtigte sich nun, und an meine Vorfahren in der leersten Ecke des Gartens gerichtet und zugleich auf der Suche nach den Augen eines Kinds, von dem Ein-Ton der Totenklage abgebracht und aus dem »ewigen Reich der Trennung« (so der Bruder) herausgeführt, sprach ich, statt mit triumphierender

freilich eher mit versagender Stimme, wörtlich weiter: »Ja, ich werde euch erzählen!«

Von den drei Jahren, die der Bruder auf der Landwirtschaftsschule war, gibt es ebensoviele Klassenphotos.
Auf dem ersten haben die Burschen alle offene Hemd-
kragen, aufgekrempelte Ärmel und tragen knielange
dunkle Schurze; sie stehen und lagern in einer breiten
sonnigen Allee, gesäumt von Obstbäumen, so voll in
Blüte, daß daran nicht ein einziges Blatt sichtbar wird.
Im Hintergrund ein Weinberg mit noch sehr kleinen
Reben, die in senkrechten Zeilen zu der Kapelle oben
auf der Kuppe führen. Das Weiß der blühenden
Bäume wird wiederholt von den Frühlingswolken.
Die Schatten sind kurz, es ist die Mittagspause; der
Bruder hat nicht einmal Zeit gefunden, sich zu käm-
men; eine Strähne hängt ihm in die Stirn; gleich nach
der Aufnahme wird ein jeder wieder an seine Arbeit
gehen. Die Gruppe steht eng zusammen, ein paar
haben den Arm um die Schulter des Nebenmanns
gelegt, der diese Geste aber nirgends erwidert; einer,
der jüngste, stützt sich an seinen beiden Nachbarn ab.
Durch die Sonne sind von keinem der Schüler die
Augen zu sehen. Der Bruder ist der ganz hinten,
etwas größer als die andern, vielleicht auch nur so
erscheinend durch das dichte, hohe Haardach; das
Gesicht, als einziges, abgeschnitten durch den Kopf
davor; als habe er sich erst im letzten Moment dazu-

gestellt. Hinten in der Allee entfernt sich eine luftig gekleidete Frau.

Auf dem nächsten Bild ist viel weniger von der Umgebung erkennbar, dafür mehr von der Klasse. Der Schauplatz ist ein Weg vor einer Fichtenreihe, keinem Wald, sondern ebenfalls Teil einer Allee, mit einem Lichtmast davor und einem Ziegeldach dahinter. Keiner, der ohne Rock ist; manche tragen sogar Krawatten mit Knoten von der Größe eines Kropfes, und von den Westenknöpfen ziehen sich hier und dort hinunter zur Tasche die Uhrketten. Im Vordergrund einer im Schneidersitz, ein kleines Weinfaß im Schoß, in der Hand eine waagrecht gekippte Flasche. Das Photo bekommt etwas Herbstliches auch durch die abgeblühten Blumen am Wegrand und vor allem den einen Burschen, der, an der Stelle der Stecktücher und Füllhalter der andern, eine vogelschwanzlange Getreideähre hat. Der Bruder sitzt in der ersten Reihe und gehört zu der Partei mit dem offenen Hemd; sein Rock, mit einem übergroßen Aufschlag, ist ohne Stecktuchtasche und Knopfloch. Er ist der eine, der, die Hände übereinander auf dem Knie, seitlich zu dem Bild hinausschaut; aufrecht, wie er sitzt, wirkt er zugleich zwanglos: Er nimmt keine Haltung ein; so ist er immer. Alle sind sie keine Jugendlichen mehr, wie noch im Vorjahr, sondern junge Männer; die Lippen haben sich nicht erst für den Photographen geschlossen, und einer hat schon die Hände in die Hüften gestemmt.

Zuletzt stehen sie, wenige geworden, draußen vor dem Schulhaus, von dem man nur die Wand mit dem Anschnitt der Fenster sieht; vor ihnen auf runden Stühlen die Lehrer, die, bis auf den blassen Priester, eher etwas von reichen Bauern, älteren Verwandten oder Firmpaten haben. Jeder der Absolventen trägt eine Krawatte, und kein einziger mehr legt den Arm um die Schultern des andern; sie sind Erwachsene, auch der Bruder, zwanzigjährig, mit den Händen auf dem Rücken. Er wird nun zurückfahren, als der junge gelehrte Bauer, in das Land, das eine andere Sprache spricht als die seine. Sein Blick geht nach Süden, nicht nach Norden, wo er hingehört. Alle die jungen slowenischen Bauern des Jahrgangs 1938 blicken geradeaus, ohne auch nur ein gerecktes Kinn; als verkörperten sie zwar keinen Staat, dafür aber etwas anderes. Der Kopf des Bruders ist im Lauf der Jahre schwerer geworden, das gute Auge schmaler, im Winkel wie eingeritzt; nur das blinde Auge wölbt sich rund und weiß, als sähe es seit jeher mehr.

Es war eine Eigentümlichkeit unseres Hauses, daß es Kindergeschichten fast nur vom Vater gab. Immer wieder erzählte man sich (obwohl niemand etwas miterlebt hatte, man alles nur vom Hörensagen kannte), wie das Kind, der jetzige Alte dort, als Schlafwandler aufgetreten war – eines Nachts aufstand, mit seinem Bettzeug zum Tisch ging, wo die andern noch wachsaßen, die Decke da ablegte und, zurück im Bett, laut zu jammern anfing, daß ihm so kalt sei; oder wie das Kind oft tagelang ohne Gedächtnis umherirrte, dann endlich heimfand, sich aber nicht ins Haus traute, sondern, zum Zeichen seiner Rückkehr, im Morgengrauen draußen, Vorsonntagsbrauch, den Hof kehrte; oder wie er schon als ein Kleiner so jähzornig gewesen sei, daß er eines Tages, von jemand geärgert, aus dem Zimmer lief und mit einem halben Baumstamm, den er kaum durch die Tür gebracht habe, auf denjenigen losging; noch furchterregender dann freilich die Gebärde, mit der er dem andern den Stamm vor die Füße warf! Eigentümlich auch, wie gern der Vater sich solche Überlieferungen, von sich selber als Kind, erzählen ließ (die Erzählerin spielte in der Regel seine Tochter): Er bekam ein Schmunzelgesicht dabei, oder nasse Augen, oder ballte, als dauere der einstige Zorn an, wieder die Fäuste; und blickte am Schluß in die Runde wie der Gewinner.

Von der Kindheit des Bruders dagegen habe ich nur eine Anekdote behalten: Er sei einmal neben der Schwester durch das ganze lange Dorf Rinkenberg gelaufen und habe ihr vom Anfang bis zum Ende, ohne abzusetzen, etwas vorgefurzt. Sonst gab es von ihm nur eine Leidensgeschichte: die vom Verlust seines Auges. Als Handelnder tritt er erst auf mit siebzehn; mit seiner Abreise in die Landwirtschaftsschule jenseits der Grenze. Schon in den ersten Ferien dann sei er der Familie entgegengetreten wie ein Entdecker, nicht allein neuer Anbaumethoden für die Felder und Wiesen, sondern vor allem einer Sache: der slowenischen Sprache. Diese war bis dahin, durchsetzt von Deutsch, nur seine Mundart – die Mundart der ganzen Gegend – gewesen; jetzt aber wurde sie ihm zur Schriftsprache, die er, über seine Werkhefte hinaus, auch in den Briefen und Merkpapieren übte; was er dazu immer bei sich trug, das war, neben Taschenmesser und Bindfaden, ein kleines Wörterbuch mit Zettel und Bleistift, ihm zur Seite dann noch von einer Kriegsstelle zur nächsten. Und die andern Hausbewohner sollten sich ihm anschließen und, ob in der Stadt, vor den Behörden, oder in der Eisenbahn, endlich zu ihrer Herkunft stehen. Der Vater allerdings wollte nicht; dessen Frau konnte nicht; die Schwester war damals stumm, geistesabwesend vor Liebeskummer; und ich selber noch nicht geboren. Obwohl gerade die leibliche Mutter das Slowenische am wenigsten beherrschte, heißt dieses bei ihm, gleich in den ersten Marburger Briefen, »Muttersprache«; und er setzt dem Wort auch ein »unser« voran (»unsere Muttersprache«) und fügt hinzu: »Was wir sind, das sind wir, und niemand kann uns vorschreiben, Deutsche zu sein.« Er, der, fast schon erwachsen, von zuhause wegging, und zudem, anders als ich, aus freien Stücken, hatte im Ausland ganz und gar keine Fremde, sondern »unser eigenstes« (Brief), seine Sprache, vorgefunden; nach siebzehn Jahren des Schweigens und Furzens trat er als selbstbewußter Sprecher, ja, wie in manchen seiner losen Zettel, als ein lässiger Wortspieler auf (wozu das eine Photo paßt, wo er, mitten im Dorf, den Hut schräg auf dem Kopf, auf einem Bein steht, das andre weit von sich gestreckt). So war er auch der erste in der Familie, der, jedenfalls während seiner Lehrzeit im Süden, nicht am Heimweh litt; die Schule, mit der »großen Stadt Maribor« gleich daneben, wurde sein anderes Zuhause. Und er war es auch, der von einer seiner Reisen durch Slowenien mit der Geschichte des aufständischen und dann hingerichteten Bauern Gregor Kobal zurückkam: »Kobal«, auf dem Friedhof von Kobarid einer der häufigsten Schreibnamen, wurde von ihm in den alten Taufbüchern des dortigen Pfarrhofs sogleich nachgeschlagen, immer weiter zurück, bis an das Ende des siebzehnten Jahrhunderts, wo die Geburt dessen verzeichnet stand, den er dann zu unserem Ahnherrn bestimmte.

Der Bruder hat es freilich nie zum Empörer gebracht, stand, auch später im Krieg, immer nur kurz davor. Er galt vielmehr als der Sanftmütige von uns, und war sogar, wie aus seinen Briefen hervorgeht, etwas, was mir leibhaftig nur an ein paar Kindern begegnet ist: ein Frommer. Das Wort »heilig«, das er so oft verwendet, bedeutet bei ihm nicht die Kirche, den Himmel oder sonst einen entrückten Ort, sondern immer das Alltägliche und ist in der Regel jedesmal verbunden mit dem Aufstehen am Morgen, dem Zur-Arbeit-Gehen, den Mahlzeiten, den sich wiederholenden Verrichtungen. »Zuhause, wo alles so lebendig und heilig verrichtet wird«, heißt es in einem Brief aus Rußland, entsprechend jenem Gang nach dem Oster-feuer, welcher »das heiligste und lustigste« war – und Pfingsten ist ihm jenes Fest, »wo es herrlich ist, in aller Herrgottsfrühe mit der Sense hinauszugehen zum Garten und zu mähen in der heiligen Zeit«. Ein weißes Tuch, zur Feldmesse auf einen Tisch gebreitet, ist »etwas für die arme Seele«; das Hallelujah, daheim laut, im Chor mit den andern, gesungen, »murmelt« er an der Front, »still für sich«, und noch in seinem letzten Brief schreibt er: »Ich habe den Dreck der Welt kennengelernt und erfahren, es gibt nichts Schöneres als unseren Glauben.« (Der Glaube allerdings wurde, nach ihm, nur in der Muttersprache lebendig; denn als nach dem Ende der ersten Republik auch in der Kir-che nur noch deutsch gebetet und gesungen werden durfte, war das in seinen Ohren »nichts Heiliges« mehr, sondern ein »einziges Jammern, das mir nicht in den Kopf will«.) Zu seiner Frömmigkeit gehört auch die innige Ironie, mit der er aus der Ferne Haus und Anwesen beschwört: Die wenigen Hektar nennt er eine »Liegenschaft«, oder: die »Kobal-Realität«; die

Zimmer des Hauses sind, Küche, Stall und Scheune dazugezählt, »die Gemächer«; und zum »Studieren« seiner Briefe können sich alle nur »am Tisch versammeln«, als die »hochwürdige Familie«.

Solche Ironie hielt ihn während des Kriegs auch davon ab, sich tätlich aufzulehnen; nur in den Briefworten äußert er die Empörung und hat, auf die Nachricht von der Umsiedlung einer Nachbarsfamilie ins deutsche Ausland, »den einzigen Wunsch, den . . . in tausend Fetzen zu zerreißen, den Drang, mich vergreifen zu müssen; aber der Gedanke an die Eltern und Geschwister hält die Wut zurück«. So war es denn eher eine Legende, wenn die Mutter wollte, daß ihr Sohn, nach einem sogenannten »Anbauurlaub«, sich den Partisanen angeschlossen habe und zum Kämpfer geworden sei. In meiner Vorstellung ist er bloß so verschwunden, und niemand kann wissen wohin. Undenkbar, er habe jemals aus der vollen Kehle die martialischen Partisanenlieder mitgebrüllt – umso denkbarer dafür, wie er sich, mit ein paar andern, durchgeschlagen hat in eine verborgene Lichtung, zu einer geheimen Anbaufläche, und von dort aus, über die Schulter blickend, den Kriegsherrn die folgende Anrede widmet: »Ich sage euch jetzt das Wort, welches zuhause auf der Kegelbahn oft fällt, wenn die Kugel, statt den Kegel, das Loch trifft!« – was in einem seiner Frontbriefe die Umschreibung des Wortes »Scheiße« ist. Ein Sänger war er wohl, aber kein starrnackiger, in Reih und Glied, sondern einer mit schiefem, schwerem Kopf, rund um den Tisch mit zwei oder drei seinesgleichen; und auch ein Tänzer war er, aber kein aufstampfender, sondern eher der Fidele am Rand der Tanzfläche, auf einem Bein.

Nach seinem Verschwinden hielt man ihn im Dorf für tot, und wie alle Dorftoten, ausgenommen dieser und jener Pfarrer, wurde er bald vergessen; die paar Altersgenossen, die über ihn hätten sprechen können, kehrten fast alle aus dem Krieg nicht zurück, und das eine Mädchen, das als seine Braut gegolten hatte, heiratete jemand andern und schwieg. Zu früh war er auch von zuhause weggegangen, als daß man sich etwa an einen Maibaumbesteiger oder eine Solostimme in der Kirche erinnerte, und aus dem jungen Bauern mit dem Schurz wurde schon kurz nach der Rückkehr der »Soldat Gregor Kobal«, gemäß seinem Wortspiel »ein Feldgrauer statt ein Blauer auf den Feldern«.

Im Haus jedoch hielt man ihn hoch. In meiner Kindheit war so viel von ihm die Rede, daß mir jetzt ist, er sei die ganze Zeit dabeigewesen, und als hörte ich sogar eine zusätzliche Stimme in jedem Gespräch; als wendeten sich immer wieder die Köpfe nach der Gestalt des Abwesenden im leeren Winkel. Die Mutter war es vor allem, die ihn herbeiredete, während der Vater der Wächter über seine Sachen war, nicht nur den Obstgarten, sondern auch die Kleider und das Bücherpaar. Ist es bloß meine nachträgliche Einbildung, daß jenes Stirn-an-Stirn der Eltern im Krankenzimmer weniger die eheliche Liebe war als ein Zusammenfinden in der Klage um den herzallerliebsten Sohn, und daß die beiden Stirnen eine Brücke schaffen sollten für dessen immer noch erhoffte Heimkunft? Gewiß ist, daß Mann und Frau, ein jeder auf seine Weise, den Verschollenen begeistert verehrten, als, wie ausgerechnet die gottlose Mutter sagte, »das Beispiel eines Menschensohns«, und daß ihm die eine, auf die Nachricht von seinem Nahen, sofort »das Gemach« bereitet, die Schwelle gewaschen und die Haustür umkränzt hätte, während der andre mit der blankgeputzten Kalesche, einen vom Nachbarn geborgten Schimmel davorgespannt, einen Freudentränentropfen an der Nase, ihm in den offenen Himmel entgegengejagt wäre.

Nur die Schwester widersprach immer wieder solcher Verklärung (wie die Eltern meinten: weil sie ihm die Schuld am Scheitern ihrer Liebe gab). Sie wandte ein, er habe sehr wohl sein eines Auge auf die Weiber geworfen, wegen seiner Entstellung bloß kein Glück bei ihnen gehabt; habe auf die Bauernarbeit, vor allem in der Hitze, an den steileren Hängen, viel geschimpft (»ein saures Geschäft!«); habe, von der Ackerbauschule als Politiker für die slowenische Sprache heimgekommen, im Haus und Dorf den Unfrieden gestiftet; und habe insbesondere die Sünde wider seinen geliebten Heiligen Geist begangen, indem er, schon lange vor Kriegsausbruch, an allem verzagte und etwa die Hochzeit, zu welcher das Mädchen ihn buchstäblich bitten mußte, abschlug mit der Begründung, er werde ohnehin früh sterben.

Und wirklich geht aus den Briefen und dem Zettelwerk des Bruders auch eine im Lauf der Jahre mehr und mehr einbekannte Verzweiflung hervor. Zunächst sind es die Maschinen, die, »wie es aussieht, uns ohnedies bald ersetzt haben werden, so daß ich überhaupt nicht mehr nachhause zu kommen brauche«; und dann glaubt er, gleich am Anfang des Krieges, »ein ewiger Soldat« zu bleiben. Immer häufiger werden seine schriftlichen Flüche. Er hört, gerade »in der schönen Zeit«, beim tagelangen Marschieren »keinen Vogel singen«, sieht »nicht die Blumen an den Straßen« und fürchtet, stumm zu werden: »In einem Jahr kann ich nicht mehr sprechen. Wir sind jetzt schon so menschenscheu, wie die Tiere oben auf den Bergen, die, wenn jemand kommt, verschwinden; unser Gemüt braucht Harmonie, anders kann uns nichts gefallen.« Ein jeder Tag gleich, kein Sonntag oder Feiertag zu spüren. Er versagt sich, daran zu denken, wie es einmal war, »und würde am liebsten alles verkehrt machen«. Und schließlich verflucht er nicht nur den Krieg, sondern auch die Welt: »Verflucht sei die Welt!«

Ich, für meine Person, ob als Zuhörer oder als Leser, habe freilich nie an einen hoffnungslosen Bruder glauben können. War es nicht schon immer der Schein (»Filip Kobal hat es mit dem Schein«), der mich stärker bestimmt hat als jede noch so feststehende Tatsache? Und was war dieser Schein? Gehörten zu ihm nicht auch das Innehalten, das Langsamerwerden und die Bedächtigkeit der Schwester, selbst wenn sie gegen den Verschwundenen auftrat? Ihr übliches Gesichterschneiden legte sich, war von ihrem Bruder die Rede, sofort, und das Wimpernzucken, sonst so ständig wie heftig, kam seltener. Es war, als erwachte sie da; so wie sie zum Sprechen, gerade noch schwerzüngig und wirr wie das einer Schlafenden, Luft holte und auf jedes Wort horchte, das sie sagte, den Kopf ruhig zur Seite gelegt.

Solcher Schein ging besonders von dem Geschriebenen Gregors aus, das, selbst wo es von unwiderruflich Vergangenem handelte, mir, zugleich mit der Klage, die Gegenwart eines Bildes gab: Statt etwa geradeaus zu sagen: »Als es mir noch gut ging . . .«, gebrauchte er eine Redensart, welche, wörtlich übersetzt, »Als mir noch die Vögel gesungen haben . . .« lautet; den Frühling zuhause umschrieb er mit »Als die Bienen Hosen (vom Blütenstaub) anhatten«; für unser »Glück im Unglück« stand bei ihm »Häßliche Mutter, gutes Essen«; für seinen Vornamen fand er im Wörterbuch die Nebenbedeutung »Haut auf der Milch«, vor der es ihm ekelte. Und endlich waren es vor allem seine Ausdrücke für die Farben, die für sich allein einen ganzen Kreis von Lebewesen oder Dingen ausmalten: »Wie geht es der Scheckigen?« konnte die Frage nach einer Birne, einer Kuh, einer Ziege, einem Huhn, einer Erbsenart sein.

Doch noch weiter zu wirken als solche Bilder – hinauszuweisen auch über meine Gegenwart –, schienen mir beim Lesen die Sätze in jener eigenartigen, vom Bruder auffällig oft verwendeten Zeitform, der sogenannten »Vorzukunft«, für die er, weil es sie im Slowenischen nicht gab, jeweils ins Deutsche wechseln mußte: »Wir werden auf dem Grünen Weg gegangen sein. Der Grenzstein wird am Rand gestanden haben. Wenn der Buchweizen gesät ist, werde ich gearbeitet, gesungen, getanzt, und bei einer Frau gelegen haben.«

Bewußt bleibt mir dabei, daß den Schein auch ein zweifacher Mangel ausmacht: Die Papiere meines Bruders sind nicht vollständig, und ich habe keine persönliche Erinnerung an ihn. Indem seine Hinterlassenschaft so fragmentarisch ist, ergeht es mir damit ähnlich wie mit den paar Bruchstücken, die jeweils von den frühgriechischen Wahrheitssuchern (als solche stelle ich sie mir jedenfalls vor – händeringend, stotternd und endlich ihren Freudenschrei ausstoßend) überliefert sind: Zwei einzelne, aus dem Zusammenhang geratene Wörter wie »Tänzerin Weinerin« zeigen um sich einen Hof und strahlen die Welt

aus; deren Glanz auch darin besteht, nicht eingeschlossen in einen vollständigen Satz, oder in eine
»Ausführung« zu sein. Und indem bei dem Gedanken
an den Verschollenen zudem keine Vorstellung von
einem lebenden Menschen, kein Geruch, kein Stimm-
fall, kein Schrittgeräusch, überhaupt keine Absonder-
lichkeit dazwischengerät, konnte mir der Bruder zum
Sagenhelden, zur unzerstörbaren Luftgestalt werden.
Wohl hat er mich, in Abwesenheit zu meinem Tauf-
paten ernannt, im Urlaub einmal gesehen; aber ich,
damals ein kaum zweijähriges Kleinkind, weiß davon
nichts Bestimmtes mehr. »Ich werde mich über den
Täufling gebeugt haben«, heißt es dafür in dem folgenden Frontbrief.
In diesem Spruch, so viel greifbarer als meine Erinnerung, fühlte ich den Bruder immer wieder über
mich gebeugt. Oft ist er da die Gegenfigur zu der
Mutter gewesen: Wo sie am liebsten das Haupt ver-
hüllen möchte vor dem, was sie als meine Zukunft
voraussieht, blickt sein gesundes Auge mich mit
freundlicher Aufmerksamkeit an und freut sich mit
mir an der Sonne, und das blinde Auge weiß auch
nicht mehr: ist eben blind. Das Lastende, sich über
mich Stülpende der einen gegen das Luftige und den
Schein des andern: das ist noch heute der Kampf. Und
deswegen auch nenne ich jemanden meinen »Vorfahren«, der dieselben Eltern wie ich hat; ja, ich habe
Gregor Kobal, den friedfertigsten Nachkommen des

Aufrührers, einen Menschen, der, wie sogar die Schwester einräumte, »nie mit der Knallpeitsche daherkam«, zu meinem Ahnherrn bestimmt, obwohl ich doch selber, jedenfalls in der Vorstellung, gegen diesen und jenen Feind ständig eine Peitsche bei mir trage. Und wirklich hat sich, gerade in manchen Lebensaugenblicken, wo viel auf dem Spiel stand, um mich eine Ruhe ausgebreitet, in der ich den Wahl-Ahn nicht nur freundlich über mich gebeugt sah, sondern ihn selber verkörperte. Freilich konnte ich ihn nicht herbeizitieren, um in der Bedrohung die Ruhe zu finden – ich fand, umgekehrt, die Ruhe, und er war, als meine Verstärkung, zur Stelle; unmöglich also, sich an die Vorfahren zu halten (der einzige wirksame Vorfahr, das weiß ich, ist der Satz, welcher dem, an dem ich gerade bin, vorausging).

Doch mag es auch Schein sein: Mit einem Ahnherrn in mir bin ich nicht mehr nur Einzahl; sitze aufrechter, trete anders auf; tue und lasse, sage und verschweige, was in der Gefahr zu tun und zu lassen, zu sagen und zu verschweigen ist. Was sind, gegen diesen Schein, die Tatsachen? »Wenn es mir gelingt«, schreibt der Bruder in seinem letzten Brief, »die Gedanken in die Ferne zu spitzen, erscheint das Bild der Kobal-Sippschaft, wie sie gemeinsam am Tisch sitzt und meine Kratzereien liest.« Der Schein, er lebe, und sei mein Stoff!

In der Wochein, so die Erinnerung, hat es damals oft geregnet, und nicht nur das ständige Sturzbachrauschen vor dem Fenster des Gasthofs kann es sein, was mir das eingibt. Auf einem Forstweg versinken meine Füße im Lehmschlamm. Die Plastiksäcke in den Obstbäumen, dort aufgehängt als Vogelverscheucher, sind gebaucht von Wasser. Ich sitze, neben mir eine Ferienfamilie, unter dem Wetterdach einer Heuharfe und betrachte auf der Landstraße eine Bäurin, ein Pferd am Zügel, das einen Leiterwagen zieht: Die Gewitterflut springt so heftig von dem Asphalt zurück, daß sich die Frau wie ohne Beine, das Tier wie ohne Hufe und das Gefährt wie ohne Räder bewegen. Von den Blitzen leuchten, am hellichten Tag, die Hausmauern. Die Sonne scheint dann wieder, schon lange, und noch immer blinkt es am Ufer des sonst ruhigen Sees von den Tropfen, die dort aus den Gebüschen fallen.

Trotzdem bin ich jeden Nachmittag zum Ort hinaus gegangen, immer mit einem bestimmten Ziel, einer Art Tischebene, die, wie der große Kiefernwald zuhause im Jaunfeld, »Dobrawa« (etwa »Gegend mit Eichen«) heißt, aber fast kahl ist, Kiefern und Eichen nur als Einzelbäume; unbewohnt und kaum bewirtschaftet, mit dem Anschein – so nah am Talboden befremdlich – einer verlassenen Almweide.

Ich war auf dieser Hochfläche ganz für mich, ohne jedoch aus der Welt zu sein; denn an jeder Stelle war die Nähe der Zivilisation zu spüren, sogar stärker als in dem Gasthof mit seinem Wassergetöse: die Forsttraktoren, die Heuwender, das Gebläse der Holztrockenanlagen; überall aufsteigender Feuerrauch und das Heraufblinken von Autoscheiben; ein einzelnes Ruderboot mit großer Besetzung, unten auf dem See; und auch die Vögel oben und die Bienen neben mir deuteten, wie die Lichtmaste, auf die unkenntlich bleibenden Menschen zu Füßen der Moräne hin. Wie ohne mein Zutun war ich da hinaufgeraten, geführt von den Wegen selber, zuerst einer alten, nicht mehr befahrenen Straße, über die schon wieder, auch aus den Ritzen im Teer, das Wiesengras wuchs, dann bergauf von einem ehemaligen, nun schon von dem kurzen weichen Almgras gepolsterten Bachbett. Auch hier mußte ich zuerst meinen Platz finden. Wie im Refrain: Der Hochsitz war mir zu hoch, die Mulde zu muldig, die Sonne zu heiß, der Schatten zu kühl, der windgeschützte Fleck zu windstill, der luftige zu sehr Wetterseite, der Felsblock zu bizarr, das verfallene Bienenhäuschen zu malerisch. Endlich setzte ich mich ins Gras, im Rücken die Planken einer Feldscheune. Es war die Südwand, und nicht nur, wenn einmal die Sonne schien, ging von dem grauverwitterten Holz, wie ich empfand, »genau die richtige Wärme« aus. So war auch der ganze Ort dann genau der richtige. Das Vordach so ausladend, daß ich die Beine ausstrecken konnte, ohne naß zu werden, und die Tropfen, die vielleicht dahersprühten, erinnerten mich an die Galerie des Elternhauses, wo ich, wie hier jetzt, meinen Sitzwinkel an der Grenze zwischen Innen und Außen hatte – mit dem Unterschied, daß es dort auf der Truhe, weil sich am Ende der Galerie der Abtritt befand, mit einem Schacht hinunter zum Misthaufen, andere Gerüche und mehr Fliegen gab als auf der Tischebene.

Und wieder hatte ich ein Buch dabei, das große Wörterbuch des Bruders, einziges Gepäck in dem sonst ausgeräumten Seesack, der keinen Regen durchließ. Das Werkheft von dem Obstgarten hatte als Lektüre gut in das Zimmer, zwischen vier Wände, gepaßt; und das Vokabelalphabet entfaltete sich nun im Freien und schickte da all seine Bedeutungspfeile aus. Irrwitzige Vorstellung, daß ein Zwanzigjähriger Nachmittage lang im fremden Land an einer entlegenen Feldhütte lagert, versunken in ein Wörterbuch, in eine einzelne Seite, ja in ein einzelnes Wort, von diesem dann aufblickend, den Kopf schüttelnd, lachend, mit den Fersen auf die Erde trommelnd, in die Hände klatschend (daß die Heuschrecken aufschwirren und die Schmetterlinge wegzucken), zwischendurch auch auf die Füße springend und draußen im Regen eine Runde laufend. Die Leute im Gasthof und Ort hielten mich, wenn sie mich mit dem Sack auf meinem täglichen Weg sahen, für einen »angehenden Gelehrten« oder einen »jungen Maler« (die Wochein mit dem See und der einsamen Kirche dort war im neunzehnten Jahrhundert ein häufiges Landschaftsthema gewesen): doch der Bursche dann auf seinem Platz mit dem Buch, zusammengekauert, der plötzlich lauthals ein Wort sang, das konnte nur ein Zurückgebliebener, ein Idiot, sein.

Dabei habe ich kaum je mehr einen solchen Scharfsinn – Klarsicht vereint mit Hellhörigkeit – an mir erlebt wie damals beim Lesen der zusammenhanglosen Vokabelspalten. War es überhaupt ein Lesen? War es nicht mehr ein Entdecken, und mein Ausrufen der fremden Ausdrücke, in die Landschaft mit ihnen!, eine dem entsprechende Freude? Aber was war daran zu entdecken?

Fremde Sprachen hatten mich in der Kindheit geradezu angelockt. Die eine Kaffeebüchse im Haus, mit der schwarzgelockten Tänzerin, führte, Jahre später, zu dem Versuch, die Sprache der Schönen, das Spanisch, zu lernen; und aus der ungarischen Grammatik, einem Mitbringsel aus dem Internat, woran mich, noch vor der Rätselhaftigkeit des Schriftbilds, schon der Geruch anzog, schrieb ich zumindest die ersten Lektionen ab. Die slowenische Sprache dagegen, die man im Dorf täglich hörte, hatte mich eher abgestoßen. Das kam weniger von dem slawischen Klang als von den vielen deutschen Wörtern, welche diesen immer wieder durchbrachen; so hörte ich die Mundart der Dörfler nicht als eine Sprache, sondern als ein zum Spott reizendes Kauderwelsch. Der Vater schüchterte die Mitspieler am Kartentisch oft dadurch ein, daß er ihr Reden nachäffte – ein Gemümmel, Gegurgel und Kehllaute-Ausstoßen wie von einem Eingeborenenstamm – und dem dann einen einzigen Satz in seinem reinen, melodischen Slowenisch folgen ließ (womit er sich wieder einmal als der Herr des Umkreises zeigte). Aber auch wo dieses sonst »nach der Schrift« gesprochen wurde, hallte es mir in der Regel bedrohlich im Ohr; vor allem die Orte, wo man es sprach, ließen eher an ein Verlautbaren denken als an ein Mitteilen. Im Radio wurde die kurze tägliche Sendung in der Fremdsprache eingeschaltet wie eine Schreckensnachricht; in der Schule sinnleere Sätze, dem bloßen Einbläuen der Grammatik dienend; und in der Kirche wechselte der predigende Priester oft unwillkürlich ins Deutsche, das für diese Zwecke weit besser geeignet schien – ruhig setzte er fort, was er im Slawischen, Satz für Satz mit dem Klang einer Strafrede, erst hatte aufdonnern müssen.

Nur bei den Litaneien, mehr noch als bei den Gesängen, horchte ich auf. In all den Anrufen des Erlösers der Welt, der sich unser erbarmen sollte, und der Heiligen, die für uns bitten sollten, lebte ich vollkommen mit. In dem dunklen Kirchenschiff, gefüllt von den unkenntlich gewordenen Silhouetten der Dörfler, die sich mit ihren Stimmen an den Altar vorne wendeten, ging von den Silben der anderen Sprache, den wechselnden des Vorbeters und den immergleichen der Gemeinde, eine Inbrunst aus, als lägen wir insgesamt auf dem Erdboden und bestürmten, Aufschrei um Aufschrei, einen verschlossenen Himmel. Diese fremdsprachigen Tonfolgen konnten mir nie lang genug sein; sie sollten immer weitergehen; und war die Litanei zu Ende, empfand ich danach kein Ausklingen, sondern ein Abbrechen.

Diese Wirkung vergaß ich dann aber gerade in dem geistlichen Internat, wo die paar Slowenisch Sprechenden bei den übrigen Unwillen und Argwohn erregten. Sie sprachen es, anders als die Schul-, Radio- und Kirchenorgane, immer leise, flüsterten es fast, in eine entfernte Ecke des Lernsaals geschart, so daß von dort für die verständnislosen Ohren nur ein Gezischel herkam. Auch durch das Geviert der Pulte, in dem sie, mit dem Rücken zur Welt, gleichsam verschanzt standen, hatten sie etwas von einem Verschwörerklüngel, noch bestärkt in seinem Geheimplan durch die von allen Seiten schallenden Störrufe. Und ich? Beneidete ich sie um ihre zusammengesteckten Köpfe? Mißgönnte ich ihnen ihr offenbar gemeinsames Ziel? Es ging tiefer, es war ein Abscheu: In der Unzahl, zu welcher auch ich mich rechnen mußte – allein, gerempelt, zurückrempelnd, gewärmt nur von der blauen Höhle des Lernpults und vom Schlaf –, solch dünkelhaftes Banner Auserwählter von unsereinem abgesondert zu sehen. Diese Slowenenburschen sollten auf der Stelle stillschweigen, unter ihrer Wagenburg hervorkriechen und gefälligst, jeder einzeln, ebenso heimatlos auf den zugewiesenen Stühlen kauern wie ich, einen zufälligen, stinkenden, schnaufenden, sich kratzenden fremden Körper neben sich, und dann ebenso stumm, statt des vertraulichen Getuschels des Mitverschwörers einzig das Geplätscher des Internatsspringbrunnens im Ohr, ihre Hofgänge machen wie der Filip Kobal hier, dem eure gesellige Minderheit noch unappetitlicher ist als die sprachlose, uneinige, richtungslose, mit hängenden Köpfen und geballten Fäusten herumstehende, herumirrende Mehrheit!

Erst viel später bekam ich von einem dieser Anderssprachigen gesagt, sie hätten ihren Zirkel ganz und gar nicht gebildet, um sich gegen uns übrige zu verbünden; das Umeinanderstehen im Winkel sei vielmehr ihre einzige Möglichkeit gewesen, aus dem Mund eines Gegenübers, nach einem Tag des Redenmüssens mit fremder Zunge, endlich die Muttersprache zu vernehmen, welche ja nicht nur bei den deutschen Mitzöglingen, sondern auch den Aufsehern eher verpönt gewesen sei. So leise habe man sich bloß unterhalten, weil man niemanden habe aufreizen wollen; und es seien zwischen ihnen auch nichts als Belanglosigkeiten, über das Wetter, die Schule, die

Wurst- und Speckpakete von zuhause, gewechselt worden, diese allerdings mit einem großen Aufatmen: Einer habe dem andern die vertrauten Laute geradezu dargereicht »wie bei einer Kommunion«; an den paar Augenblicken des Tages, wo sie endlich mit ihrem verfolgten Idiom hätten unter sich sein können, sei ihnen »feierlich ums Herz« gewesen, selbst wenn sie sich bewußt auf das Allergewöhnlichste beschränkten. »Ist es nicht ein Unterschied«, rief mein Gewährsmann, »ob ich *njiva* sagen kann statt Acker, oder statt Apfel *jabolko*?!«

Für den Heranwachsenden aber waren es nur die Litaneien in der dunklen Kirche und die Gestalt des verschollenen Bruders, seines Helden, die ihn davon abhielten, die zweite Sprache im Land – für nicht wenige die erste – als gegen seine Person gerichtete Feindseligkeit aufzufassen, wie es doch immer noch, auch gegen das Ende dieses Jahrhunderts, und oft sogar ohne einen bösen Willen, der deutschsprechenden Mehrheit ergeht.

Erst das alte Wörterbuch hat mir dann aus meiner Beschränktheit geholfen. Es stammte vom Ende des vergangenen Jahrhunderts, aus dem Jahr 1895, dem Geburtsjahr des Vaters, und war, auf Vollständigkeit aus, eine Sammlung der Ausdrücke und Wendungen aus den verschiedenen slowenischen Gegenden. Wie mir jetzt mit Hilfe der Sonne, die gerade wieder,

Strich für Strich, über das eingedunkelte Landschaftsbild gegenüber dem Schreibtisch wandert, darauf die
kleinsten Dinge und Figuren samt ihren Zwischenräumen erscheinen – die abgewinkelte Hand des am
Wasser sitzenden Mädchens, die Krümmung des Bau-
mes am Horizont, der nach dem Mädchen gewendete
Kopf des Burschen am Wegdreieck –, so habe ich
damals, unter der Traufe der Feldscheune, mit Hilfe
der Wortbilder die Einzelheiten erkannt, welche mir
bisher, wenn ich mir eine Kindheit vorstellen wollte,
fast immer gefehlt hatten. Es fing damit an, daß sich
Wort für Wort – der Bruder hatte bestimmte angestrichen, so daß ich vieles überspringen konnte – vor mir
ein Volk zusammensetzte, in dem sich genau die Dörfler zuhause wiederholten, ohne dabei aber, wie in den
umlaufenden Geschichten und Anekdoten, einzu-
schrumpfen zu Typen, Charakteren und Rollenträ-
gern; ich sah von den Menschen und Sachen nur
deren strahlende Umrisse. Die Wörter handelten von
einem ländlichen Volk, in dem auch die Vergleiche
aus dem Landbereich kamen: »Er benützt seine
Zunge wie die Kuh ihren Schwanz«; »Du bist langsam wie der Nebel ohne Wind«; »Bei euch ist es kalt
wie auf einer Brandstätte«. Die Städte schüchterten
dabei nicht ein, sondern warteten, erobert zu werden:
Man würde mit dem Wagen dort »hineinrasseln«,
oder auf dem Schlitten »hineinrutschen«. Es wurde
sehr vielfältig geflucht, und eine Umschreibung für

das Sterben hieß: »Er hat ausgeflucht.« Wenn dieses Volk eine Unmenge von Bezeichnungen für den letzten Atemzug hatte, so noch viel mehr für die weiblichen Geschlechtsteile. Von einer Talschaft zur nächsten wechselten die Namen der Apfel- und Birnensorten und waren ebenso zahlreich wie die (nach bäuerlichen Geräten benannten, oder »Schnitterinnen« und »Mäher«, oder einfach, wie der Plejadenhaufen, »Die Dichtgesäten« heißenden) Sterne am Himmel. Dieses Volk hatte nie eine eigene Regierung gestellt, und so mußten für alles Staatliche, Öffentliche und auch Begriffliche wortwörtliche Übersetzungen aus den Herrschersprachen, dem Deutschen und dem Lateinischen, einspringen, was ähnlich künstlich und verschroben aussah, wie wenn der Leser hier statt eines Worts wie »Substanz« einen »Unterstand« fände; dafür aber gab es dem Greifbaren, den Dingen, und nicht nur den nützlichen, geradezu Kosenamen, wobei alles Häusliche von den Frauen getauft worden schien, und alles Außerhäusliche von den Männern: Ein unter der heißen Asche gebackenes Brot wurde zum Beispiel, übersetzt, »Unterascher« gerufen, und eine Birnenart hieß, entsprechend, »das Fräulein«. Eine bezeichnende Eigenart war es, daß aus den Wörtern für die Großräume, einzig durch das Anfügen einer Silbe, nicht eines zweiten Worts, Verkleinerungsformen werden konnten, welche die Rufnamen der Wesen in dem Raum waren, der wiederum für seine Wesen so eine Art Unterschlupf bildete: In einem »Wald« etwa war die »Wäldlerin« versteckt, was nicht nur eine menschliche Waldbewohnerin bedeutete, sondern auch das Waldgras, eine bestimmte Waldblume, einen wilden Kirschbaum, einen wilden Apfelbaum, eine Sagengestalt und, gleichsam das Herz des Walds, die »Tannenmeise«: Durch einen anderen als den gewohnten Namen bekam der Wörterbuch-Leser erst einen Sinn für die Dinge.

Ein so zärtliches wie grobianisches Volk entstand da vor ihm, in vielen Spielarten die Schnelligkeit im Denken und die Langsamkeit im Handeln verspottend; arbeitsam (»in der Arbeit sind wir weit voran«, war dazu die Briefstelle des Bruders); die Erwachsenensprache durchwirkt von Kinderausdrücken; einsilbig, fast stumm, in der Hoffnungslosigkeit, mehrsilbig, geradezu beschwingt, in der Freude und Sehnsucht; ohne Adel, ohne Marschtritt, ohne Ländereien (das Land nur gepachtet); der einzige König jener Sagenheld, verkleidet, umherschweifend, sich kurz offenbarend und wieder verschwindend. Und dabei war es doch, recht bedacht, gar nicht das besondere slowenische Volk, oder das Volk der Jahrhundertwende, welches ich, kraft der Wörter, wahrnahm, vielmehr ein unbestimmtes, zeitloses, außergeschichtliches – oder, besser, eins, das in einer immerwährenden, nur von den Jahreszeiten geregelten Gegenwart lebte, in einem den Gesetzen von Wetter, Ernte und

Viehkrankheiten gehorchenden Diesseits, und zugleich jenseits oder vor oder nach oder abseits jeder Historie – wobei ich mir bewußt bin, daß zu solch stehendem Bild auch die Ankreuzungen des Bruders beitrugen. Wie nicht sich jenem unbekannten Volk zuzählen wollen, das für Krieg, Obrigkeit und Triumphzüge sozusagen nur Lehnwörter hat, aber einen Namen schafft für das Unscheinbarste, ob, im Haus, den Raum unter der Fensterbank oder, draußen auf dem Feldweg, die vom gebremsten Wagenrad glänzende Stelle am Stein, und das am schöpferischsten ist im Benennen der Zufluchts-, Verborgenheits- und Überlebensstätten, wie sie sich nur die Kinder erträumen können: der Nester im Unterholz, der Höhle hinter der Höhle, der fruchtbaren Ackerlichtung in der Tiefe des Walds – und das sich zugleich nie, gegen »die Völker«, als das eine, das auserwählte, abgrenzen muß (denn es bewohnt und bebaut ja, in jedem Wort sichtbar, sein Land)?

Wie sich das Werkheft des Bruders, ohne den Umweg über die andere Sprache, gleich in sein Werk, den Obstgarten übersetzte, so nun sein Wörterbuch, zum Garten hinaus, in die ganze Kindheitslandschaft. Kindheit? War es meine besondere? Waren es meine persönlichen Orte und Dinge, die ich anhand der Namen entdeckte? Sicher: Die Handlung spielte auf dem Anwesen des Vaters. An dem Wort für den Raum hinter dem Ofen, den Auflagebalken für das Mostfaß im Keller, das Aschenloch im Küchenherd, die stein-eingefaßte Wasserstelle im Stall, die in den Garten vorspringende Weinlaube, die letzte Furche beim Pflügen ersah ich jeweils die entsprechende Sache bei uns daheim; ja, das eine Wort warf erst ein Licht auf das dicke Ende »unserer« Sense, »unseren« sich nicht vom Kern lösenden Pfirsich, den blauen Anhauch auf »unseren« Pflaumen; hob selbst unseren Untergrund – die Schotterschicht unter dem Humus, die Erd-grube für die Rüben – in einen Luft- und Lichtraum. Doch gab es nicht auch viele Wörter, von denen ich Bilder ablas, welche mir nie im Leben begegnet wa-ren, und zugleich nur nachhause, zu uns, gehören konnten? Unser Pferd hatte zwar in Wirklichkeit nie jenen »Aalstreifen auf dem Rücken« gehabt, aber nun, mit dem einen Ausdruck dafür, erblickte ich in der Dorfkoppel das Pferd mit genausolchen Streifen. Nie auch hatte ich zuvor die Stimme der Bienenkönigin gehört, die nun durch das lautmalende Verb aus dem verlassenen väterlichen Bienenhaus ins Innerste des Lesenden scholl, gefolgt von dem Geräusch »wie von siedendem Mus« eines ganzen heimischen Bienen-schwarms. Ja, der »auf einer Pfeife aus Birkenholz schwirrende Laute erzeugte«, das war ich, der Leser des einen Worts für das alles, und in gleicher Weise ist es der Leser, der, vertieft in den »Grashalm, auf dem Erdbeeren gereiht sind«, augenblicks mit diesem in der Hand hinter den sieben Bergen aus dem Gemeindewald tritt.

Hier dachte ich an meinen Lehrer, den Märchendichter, der mir im Lauf der Reise, gerade als Abwesender, zu einer Art Beistand wurde. Die Märchen, die er schrieb, hatten nie eine Geschichte, sondern waren bloße Beschreibungen von Gegenständen, und betrafen jeweils auch nur ein Einzelding, für sich allein, welches freilich aus den Volksmärchen, als Requisit oder Ort der Handlung, vertraut sein mußte. Bei ihm nun erschien nichts als die Hütte im Wald, ohne Hexe, verirrte Kinder und Flammenfeuer (höchstens puffte einmal Rauch aus dem Kamin, in der kalten Luft sofort weggetragen); und hinter den sieben Bergen ist nichts als ein Bach, so klar, daß man sein Bett zunächst mit einem Weg verwechselt und in den dunklen, länglichen Wegsteinen bewegen sich dann Fischflossen, und schließlich wird auch das Wasser hörbar und erzeugt an einem runden, vorstehenden Felsblock, über ihn hinwegschießend, einen Endlosklang. Das einzige seiner Märchen, worin sozusagen etwas geschah, war die Beschreibung eines Dornengestrüpps (selbstverständlich ohne den sich zerreißenden bösen Juden darin): Dieses steht inmitten der undurchdringlichen Wildnis, ist aber von einem breiten Sandkreis umgeben, in dem, mit dem Schlußsatz, unversehens ein Ich-Erzähler auftaucht und eine Faust voll Sand in das dürre Gestrüpp wirft, »und dann noch eine, und noch eine, und immer so fort«. Seine »Ein-Ding-Märchen« sollten, laut Verfasser, »Sonnenmärchen« sein, und ohne das übliche »Mondlicht der unheimlichen Zutaten« auskommen; »Sonne und Sache«, das halte er für märchenhaft genug; es sei der »Sachverhalt«. Die Märchenluft könne auch von einem einzigen Blick hinauf in eine Baumkrone kommen.

Und entsprechend wirkte nun das alte Wörterbuch auf mich als Sammlung von Ein-*Wort*-Märchen, mit der Kraft von Weltbildern, auch wenn der Lesende diese, wie den Grashalm mit den aufgefädelten Erdbeeren, nicht leibhaftig erlebt hatte. Ja, um ein jedes Wort, bei dem ich ins Sinnieren kam, bildete sich die Welt, bei der »leeren Kastanienhülse« ebenso wie dem »in der Pfeife zurückbleibenden feuchten Tabak«, und auch schon bei dem bloßen »Sonnenregen« und dem weißen Wiesel, das zugleich »ein schönes, schnippisches Mädchen« bedeutete. Und wie manche Briefstellen des Bruders einen Hof um sich zeigten vergleichbar den Bruchstücken der griechischen Wahrheitssucher, so zogen nun die Einzelwörter Kreise, die mich an eine Figur der Vorgeschichte, aus den unbestimmbaren Jahrhunderten noch vor jenen Elementarstammlern, an den legendären Orpheus, denken ließen: Auch von dem waren ja nur einige seiner besonderen Ausdrücke gesammelt; als überlieferungswürdig hatte man nicht seine Gedichte oder

Gesänge erachtet, sondern daß er die Ackerfurchen »Webketten«, die Pflüge »gebogene Webstäbe«, die Samenkörner »Fäden«, die Säzeit »Aphrodite« und den Regen »Zeustränen« nannte.

Märchenkraft ging von den Wortkreisen auch auf mich aus, indem darin das Schreckliche, Abstoßende, Böse zwar ausgiebig vorkam, aber eben nur so mitspielte, seinen Platz einnahm in dem Ganzen, und, jedenfalls in dem Wörterbuch, nie siegen konnte. An den Geschichten, die ich damals schrieb, hatte der Lehrer oft getadelt, ich sei anfällig für das Makabre, ja geradezu süchtig nach dem Düsteren und Grausigen; das Gesetz der Schrift dagegen sei es, Buchstaben um Buchstaben, Silbe für Silbe, die Helligkeit der Helligkeiten zu schaffen; selbst ein letzter Atemzug müsse, geformt, zum Lebensatem werden. Und nun, vertieft in den »Blutregen«, den »Rattenkot«, den »Ekelspeichel«, die »Kotwürste des Regenwurms«, die »in einer Ecke verschimmelnden Schuhe«, das Tier namens »Unternstein« (die Viper), den Ort namens »Maulwurfsland« (das Grab), spürte der Leser sich frei von seiner Verfallenheit an den Grusel und auch an das Tragische, und er erkannte, in der Betrachtung der Namen, ein Muster in der Welt, ja einen Plan, welcher das Land-Volk und das Dorf-Haus vom Anfang zum Weltvolk und Weltstadthaus machte. Jeder Wortkreis ein Weltkreis! Entscheidend war dabei, daß der Kreis jeweils von dem einzigen, fremden Wort ausging.

Hörte man denn nicht immer wieder, wenn ein Erlebnis sich nicht mitteilen wollte, die Klage: »Gäbe es doch nur ein Wort dafür!«? Und waren die Augenblicke des Erkennens nicht viel seltener begleitet von einem »Ja, so ist es!« als von dem »Ja, das ist das Wort!«?

Ergriff der Lesende aber nicht Partei für die andere Sprache, gegen seine eigene? Schrieb er nur dem Slowenischen, und nicht auch seinem Deutschen, jene Ein-Wort-Zauberkraft zu? – Nein, es waren doch die beiden Sprachen zusammen, die Einwörter links und die Umschreibungen rechts, welche den Raum, Zeichen um Zeichen, krümmten, winkelten, maßen, umrissen, errichteten. Wie augenöffnend demnach, daß es die verschiedenen Sprachen gab, wie sinnvoll die angeblich so zerstörerische babylonische Sprachenverwirrung. War der Turm, insgeheim, nicht doch erbaut, und reichte er nicht, luftig, doch an einen Himmel?

Tag für Tag abenteuerlustiger öffnete ich das Weisheitsbuch. Gibt es denn einen Ausdruck für die Abenteuer, die ich erlebte? Wie kann man sagen zu dem Erleben von Kindheit und Landschaft in eins? Es gibt den Ausdruck, und er ist deutsch und heißt »Kindschaft«! Erschrecken und zugleich In-die-Hände-Klatschen.

Immer neu hat der Leser an den Nachmittagen auf der Tischebene dem Epos der Wörter den Beifall bezeugt, und auch gelacht: nicht das Lachen, womit man sich lustig macht, sondern womit man erkennt und mitspielt. Ja, es gab das eine Wort für die heitere Stelle am bewölkten Himmel, das Hin- und Herrennen des Rindviehs, wenn es bei großer Hitze von der Bremse gestochen wird, das jäh aus dem Ofen hervorbrechende Feuer, das Wasser der gekochten Birnen, den Stirnfleck eines Stiers, den Mann, der sich auf allen vieren aus dem Schnee arbeitet, die Frau, die sich die Sommerkleider anlegt, das Platschen der Flüssigkeit in einem halbleeren Trageimer, das Geriesel der Samen aus den Fruchtkapseln, das Hüpfen des flachen Steins auf der Teichoberfläche, die Eiszapfen im Winterbaum, die Rohstelle in der gekochten Kartoffel, und die Lache über einem lehmigen Grund. Ja, das war es, das Wort!

Aber galt der Plan überhaupt noch? War das Wort für das wechselseitige Klopfen zweier Dreschflegel nicht hinfällig, weil die entsprechenden Geräte schon seit langem untätig in den Museen standen? War das Überdauernde nicht eher das Wort für den »Schall eines fallenden Körpers«? War der Ausdruck, der im vergangenen Jahrhundert noch rein »die Auswanderung« bezeichnet hatte, nicht um seine Unschuld gekommen, indem die Ereignisse des letzten Weltkriegs ihn umdeuteten zu der erzwungenen »Aussiedlung«? Fehlten in dem alten Buch nicht die Widerstandskämpfer, die Partisanen, für welche die »Partisane«, jene ausgediente Spießwaffe, kein Ersatz war? Ja, gab es nicht schon zur Zeit der Sammlung auffallend viele Bezeichnungen für Stätten, wo einmal etwas gewesen und jetzt nichts mehr war, das Brachland, »wo früher Gerste wuchs«, den Platz, »wo früher eine Scheune stand«, die Steinfläche, »wo früher Gebüsch wurzelte«? Und war nicht schon damals zu einigen besonders entdeckerischen Benennungen angemerkt, sie seien ungebräuchlich geworden? Und hatten die Forscher nicht immer wieder auch Wörter ins Buch aufgenommen, welche selbst deren Quelle, der Ureinwohner im hintersten Tal, nur noch als ein Silbenrätsel gebrauchte? Sollte ich den Vokabeln also statt Märchenkraft nicht eher die Wirkung eines Fragebogens zuschreiben: Wie ist es mit mir? Wie ist es mit uns? Wie ist es jetzt?

Und es waren doch zugleich Märchen; denn als Antwort auf jedes mich befragende Wort, auch wenn ich die Sache nie gesehen hatte, und auch wenn diese längst aus der Welt war, kam von der Sache immer ein Bild, oder, genauer, ein Schein.

An einem Nachmittag auf der Hochfläche stieß ich dann auf das letzte Wort, das mir der Bruder angekreuzt hatte. Es war, wie viele vorangegangene, mit einem Datum versehen, und dem Zusatz: »Im Feld«. Er hatte das Buch noch zu Anfang des Krieges immer dabei gehabt und es erst am Schluß, zusammen mit dem Rock, »als Taufgeschenk«, zuhause gelassen. Der umfangreichere Rest trug keine Bleistiftmale mehr, schien überhaupt immer verschlossen gewesen: keine Vorkriegsgrashalme und Kriegsfliegen mehr zwischen den Seiten.

Ich saß, betrachtete das eine Wort, blätterte zurück zu den anderen: Plan für die Räume der Erde oder bloß deren Gedächtnis, oder gar deren Nachruf? Kam es allein durch die Kriege, daß die menschliche Sprache inzwischen, in der Zeit, wo ich lebte, in *meiner* Zeit, so ausdruckslos blieb, daß wir Redenden immerzu etwas *betonen* mußten? Warum wurde der Zwanzigjährige schon müde allein bei der Vorstellung, irgendein Gegenüber könnte den Mund auftun? Warum verbannte ihn das Sprechen, auch das eigene, so oft in eine schalltote Bürgerstube? (»Taube Fenster« paßte da, als die andere Spielart, für die üblichen blinden.) Warum stellten die Wörter nichts mehr dar? Warum spürte er nur bei dem seltenen richtigen Wort eine Seele in sich?

Auf dem Herweg war ich im Dorf jedesmal an einem Haus vorbeigekommen, dessen eine Wand fugenlos in einen Findlingsfelsen überging. In ähnlicher Weise sah ich jetzt auch, als ich von den alten Wörtern aufschaute, die obere Kante des Buchs unmittelbar an den Luftraum grenzen. Davon wurde der Blick mit dem Buch als Rampe geradewegs weiter bis zum Horizont geführt, an den Fuß der südlichen Bergkette (dessen eine slowenische Version, wörtlich übersetzt, »Unter-Flügel« hieß). Dort zeigte sich ein kahler Steilhang, schon leicht im Fernschleier, wohin es aber, durch die einzeln stehende Fichte am Rand meines kleinen Plateaus, nur ein Sprung schien. Die Schräge, mit Gras überwachsen, war bis hinauf zur Kuppe schattiert von einem dichten Muster ehemaliger Viehsteige. Diese hatten etwas von Treppenstapfen, welche die ganze Breite des Vorbergs einnahmen, einander aber immer wieder auch kreuzten und dergestalt Netze bildeten. Das große waagrechte Muster wurde zerrissen von einem kleineren aus senkrechten Erdrillen, in denen jetzt das Wasser des Nachmittagsregens lehmgelb zu Tal floß, von weitem eine so langsame Bewegung, daß ich an das Sintern hängender Tropfsteine dachte. Überhaupt gab der ganze ausgestorbene Viehsteighang, mit der Vorstellung der Kühe, die da vorzeiten auf- und abgestiegen waren, ein Bild von·Gemächlichkeit, von schwerfälligen, immer wieder stockenden und grasausrupfenden, und jedenfalls keine der Stufen, wie es vielleicht Schafe und Hunde getan hätten, überspringenden Leibern, an denen die Euter unten die Halmspitzen streiften und die Hufe oft im Schlamm steckenblieben. Manche Rinder rutschten von einer Stufe zur anderen und furchten so erst dem Regen die Fließrillen. Ein Tier besprang das vor ihm gehende und wurde auf dessen Rücken ein Stück Weges weitergeschleppt. Eins hob den Schwanz und seichte, so stark, daß ich es tatsächlich zu hören glaubte, ebenso wie das folgende Klatschen der Kotfladen, und dann auch auf den Steigen den Urin rauchen sah. So langsam war der Zug, daß er an die Überquerung eines mächtigen Gebirges, an den Troß einer schon seit dem Beginn der Zeiten geschehenden Völkerwanderung erinnerte, und gerade die Leerform – das leere Netzwerk, das leere Weggeflecht, die leeren Serpentinen –, zusammen mit ihrer leichten Unregelmäßigkeit, verstärkte den Eindruck der Unbeholfenheit und der Kreatürlichkeit. Anders als auf den Terrassen eines Erzberges oder eines Schotterabbaus kurvten da keine Behelmten mit ihren Maschinen zwischen Gipfel und Talgrund, sondern eine ziellose Masse trottete fast auf der Stelle, mit gesenkten Schädeln, auf allen vieren, oder schlitterte auf den Hinterteilen, eine Karawane von Lastträgern und Sklaven, von nirgendwoher unterwegs nirgendwohin, für die der Hang nicht einmal eine Station war, es sei denn, eines Beinbruchs und einer Notschlachtung.

Hier dachte ich wieder an den Lehrer. Als Geschichtskundler zeigte er eine eigentümliche Vorliebe für die von der Erde verschwundenen Völker, und er begann seinen Unterricht geradezu zeremoniell mit einem Beispiel aus seiner Forschungsarbeit über die Maya (wofür er bei den Schülern einen entsprechenden Namen hatte). Er hatte in seiner Studienzeit auch jahrelang Yucatán durchforscht, und sein Spruch dazu ging: »Als Geograph wurde ich braun, und als Historiker blaß – so blaß wie heute noch.« Die Maya, meinte er, hätten es nie zu einem Staat gebracht, weil ihre Halbinsel »ohne staatenbildenden Strom« sei; »man betrachte dagegen Euphrat und Tigris, oder den Nil!« Auch das Rad sei ihnen fremd geblieben, ebenso wie der Flaschenzug und die Seilwinde; die einzige Radform habe man an einem winzigen Kinderspielzeug gefunden. Das Haupthindernis freilich für eine Staatengründung sei gewesen, daß die Maya unfähig zum Bau von Gewölben waren; sie kannten nur »Scheingewölbe«, welche keinerlei Säle oder gar Hallen ertrugen. Der einzige Zusammenhalt des Volks sei die Religion gewesen. Statt des Rads gab es die Walze, womit die Dammstraßen errichtet wurden, einzig für die Prozessionen zu den Heiligtümern drinnen im Dschungel. Aber auch jede Bauernhütte für sich galt als Tempel. Das Leitende waren die Himmelskörper; als göttlich wurden sie betrachtet, weil von ihnen die Handlungsanweisungen für das tägliche Leben ablesbar waren. Auf den Stelen, die man der Sonne errichtete, zeigte diese zugleich die Zeit zum Säen an: Die in den Stein geschlagenen Hieroglyphen wirkten gleichsam als die entsprechende Uhr. An solchen alten Inschriften wurden auch die Ahnen verehrt; zur Volksreligion gehörte es, daß ein jedes

Geschlecht seinen Ursprung kannte; der allen gemeinsame erste Mensch sei aus Mais gewesen.

Der Untergang der Maya begann, als private Andacht die öffentliche Verehrung verdrängte. Die Familien, ohnedies, so der Lehrer, »eher ungesellig, im Abstand zueinander«, verbunden nur durch den geregelten Gottesdienst, gingen dazu über, jede für sich, willkürlich im Abseits, eigene Kapellen aufzustellen – vergessen die Vorstellung, daß ja allein schon das Haus etwas Geweihtes war –, und der Bund zerbrach. Nachzuerleben sei das an dem Abbrechen der Bilderschrift an den Stelen: »Im Jahr 900 nach unserer Rechnung«, sagte er, »wurde in eine Säule unweit der Grasfläche, welche bei den Spaniern dann *Die Savanne der Freiheit* hieß, die letzte Inschrift gemeißelt. Stellt euch dabei die Funken von den Feuersteinen vor, die das Hauptmaterial für die Stelen waren, und das Erlöschen!« Besonders sinnfällig werde das Ende des Volks an einer Pyramidentreppe: Stufe um Stufe noch reich geschmückt mit heiligen Reliefs und Glyphen, dem Zeichen für den Morgenstern, dem Zeichen für den Baum, der allen Dörflern Schatten spendet, den Zeichen für Sonne und Tag, die gemeinsam »die Zeit« bedeuten – doch auf der obersten Stufe nur noch »ein paar wirre, kratzige Meißelspuren!«

Diese Treppe erschien mir an dem leeren Viehsteighang: Er hatte ja tatsächlich, ungleich größer als die Böschung im heimischen Obstgarten, Pyramidenform und wirkte, durch das Hundert der sich nach oben verjüngenden Stapfen, himmelhoch. Ich sah die von dem Bruder angekreuzten Wörter da hinaufsteigen und dann abbrechen. Jede Zeile des Hangs eine umgestürzte Inschriftsäule, die mit dem Gesicht nach unten im Schlamm lag. Die Lehmbäche, aus den Erdnarben quellend, schwemmten zum Grund Silbe um Silbe, bis der ganze Ort rauchte wie eine Ruinenstätte, an der nicht einmal, wie sonst doch, die Kirschbäume wuchsen. Ein Bedürfnis nach Trauer ergriff mich, und ich erhob mich, samt dem Bruderbuch. Nichts mehr bewegte sich auf den leeren Stufen, auch kein Grashalm; selbst das Wasser erstarrt; und war das reine Lebendigsein nicht immer gewesen, mit dem fließenden Wasser mitatmen zu können, dem wehenden Gras, einem sich hebenden Zweig? Betrauern aber wollte ich nicht nur einen einzelnen Tod, sondern etwas, das über diesen hinausging: eine Vernichtung. Vernichtung, das hieß, mit dem besonderen Menschen auch das aus der Welt zu schaffen, was dieser ihren Zusammenhalt gibt. Einen wie den Bruder zu beseitigen, der, im Unterschied zu der Unmasse der Sprecher und Schreiber, begabt war, die Wörter und durch sie die Dinge zu beleben, sich darin auch stetig übte und, so wie mir jetzt, die Beispiele zeigte, hieß die Sprache selber – die gültige Überlieferung, die Überlieferung des Friedens – töten und war das unverzeihliche Verbrechen, der barbarischste der Weltkriege.

Doch die gewünschte Trauer gelang mir nicht. Statt dessen ging mir immer nur jener Ausdruck im Kopf herum, welcher in dem frühesten Aufstand der Bauern deren Parole gewesen war: »Das alte Recht!« Ja, wir hatten seit je einen Anspruch, der nicht verfallen durfte. Und er verfiel, sowie wir es aufgaben, ihn zu erheben. Aber von wem war unser Recht denn zu fordern? Und warum verlangten wir es immer von einem Dritten, der eine von einem Kaiser, der andre von einem Gott? Warum nahmen wir uns unser Recht nicht selber, beschieden wie es war auf die Selbsterhaltung, und niemandem sonst dazwischenkommend? Endlich ein Spiel, bei dem wir uns mit keinem zu messen hätten, ein einsames Spiel, ein wildes Spiel – Vater, das große Spiel!

Zurück von den leeren Viehsteigen, um sich zu besinnen, zum Buch. Ich schritt damit, barfuß wie ich gehockt und gestanden war, vor der Feldhütte auf und ab. Das letzte von dem Bruder angezeichnete Wort hatte eine Doppelbedeutung: Es hieß, übersetzt, sowohl *sich stärken* als auch *die Psalmen singen*. (Sich in diese einzelnen Wörter zu versenken war das ganz Gegensätzliche zu meinem üblichen Versunkensein in die sogenannten »atemberaubenden Geschichten«: Es hob mir stetig den Kopf und den Blick.) Der Leser hielt inne und hob den Kopf. Wie durch eine Furt, markiert von dem Baum, ging es wieder hinein in die bläuliche Höhle des Lernpults, als deren Hinterwand die geriffelte Bergflanke. Eine Sonne schien darauf, sehr schräg, wie kurz vor dem Untergehen, umso heller durch die unbeleuchtete Fichte davor. Die Stufen waren dicke Schattenbalken und führten hinauf zu der Kuppe, auf der ein vollkommen irdischer Schimmer lag. Das Licht umzirkelte die kleinste Form auf dem Hang – ein Grasbüschel, eine verwachsene Hufspur, einen Maulwurfshügel, eine Reihe Vögel an einem Rinnsal, daneben einen leibhaftigen Wildhasen – und verband eine mit der andern durch deutliche Zwischenräume. Ich las weiter, das Auge zugleich in dem Buch und am Berg. Aus dem Starren wurde ein Ausschauhalten, so wie man in einer fremden Menge doch von diesem und jenem vertrauten Gesicht weiß. Die tönende Litanei der Gläubigen einst in der finsteren Kirche setzte sich nun fort in der tonlosen der so vieldeutigen Wörter in der Sonne. Stark atmen war sich sehnen war den stärksten Muskel anspannen. Heftiger Zorn war ein Schluchzen. Die Leuchtkäfer waren der Juni war eine Kirschenart. Der Mäher war ein Wasserläufer war der Gürtelstern des Orion. Die Heuschrecke war ein Saitensteg war die Scheidewand einer Nuß war der oberste Teil einer Peitsche . . . Aus dem Wort für das leichte Wehen wurde durch Austausch einer Letter ein starker Luftzug, aus diesem durch wieder einen anderen Buchstaben ein Sturmwind, der zugleich auch der Name für den Flug- und den Treibsand war . . . Die stillen Anrufe nahmen endlich Menschengestalt an, und ich sah auf den Stufen, von dem Wortlicht umrissen, die Abwesenden hervortreten: die Mutter als die, »die mit dem Magdsein aufhörte«; den Vater als den, »der nicht aufhörte, Knecht zu sein«; die Schwester als »die Wahnsinnige«, aus welcher durch eine kleine Lautverschiebung »die Selige« wurde; die Freundin als »die Ruhige«, den Lehrer als den »Bitterliebhaber«; den Dorfidioten als den »beim Gehen Wind Machenden«; den Feind, in der Form einer »aufgeriebenen Stelle an der Ferse«, und, allen voran, den Bruder als »den Frommen«, was zugleich die Bezeichnung für einen »Gelassenen« war. Und ich? – erkannte mich, Leser und Zuschauer in einem, als jenen Dritten, auf den es ankam, und ohne den es kein Spiel gab, und der so an sich selbst den Hauptzug jedes Spielers miterlebte: die weißen Knechtsfüße des Vaters und den eingerissenen Lidwinkel des Bruders.

Diese Bilderschrift flimmerte von dem Berghang freilich nur für den Augenblick; dann wieder die relieflose Leerform; die Sonne untergegangen. Aber ich wußte, daß ich die Rückkehr bestimmen konnte; daß sie, anders als die Trauer, zu wollen war: auf die Leerformen, der Viehsteige wie der blinden Fenster, war Verlaß; sie waren das Siegel unseres Rechts. »Bruder, du wirst dort im Graublau gegangen sein!«

Ich schloß die Augen. Jetzt erst spürte ich, daß diese naß waren. Doch es war kein Beweinen meiner selbst oder meiner Angehörigen, sondern die Tränen rührten von den Dingen und ihren Wörtern.

Hinter den geschlossenen Augen das Nachbild der Viehsteige: ein felsgraues Muster. Im Abstand eines Vierteljahrhunderts sehe ich dort auf der Tischebene einen Menschen unbestimmbaren Alters. Dieser, barfuß, in einem dunklen, zu weiten Überrock, fängt an, mit dem Arm in die Luft zu fuchteln. Aus dem Gefuchtel wird eine gleichmäßige Bewegung, die, geschähe sie nicht mit der ganzen Hand, ja der Faust, etwas von einem Schreiben hätte. War das »er« oder »ich«? Ich bin es, immer noch. Ich schreibe auch nicht mehr, wie als Kind, in die Luft, sondern schraffiere über ein Papierstück, das den felsgrauen Stufen aufliegt, wie ein Forscher und zugleich Handarbeiter. Es ist die Bewegung, welche ich zu der meiner Erzählung bestimmt habe. Letter um Letter, Wort für Wort, soll auf dem Blatt die Inschrift erscheinen, in den Stein gemeißelt seit altersher, doch erkennbar und weitergegeben erst durch mein leichtes Schraffieren. Ja, meine weiche Bleistiftspur soll sich verbinden mit dem Harten, dem Lapidaren, nach dem Vorbild der Sprache meiner Vorfahren, wo der Ausdruck für den »eintönigen Finkenlaut« abgeleitet ist von dem Wort für einen einzigen »Buchstaben«. Denn ohne die Wortwinkel ist die Erde, die schwarze, die rote, die begrünte eine einzige Wüste, und kein Drama, kein Geschichts-Drama will ich mehr gelten lassen als das von den Dingen und Wörtern der lieben Welt – dem Dasein –, und die Bombe, welche die Viehsteig-Pyramide bedroht, soll dort weich auftreffen in Gestalt jenes Worts für eine »längliche Birne«! Ich werde einen Ausdruck finden für das dunkle Innere einer weißen Kastanienblüte, das Gelb des Lehms unter dem nassen Schnee, das Überbleibsel der Blüte am Apfel und den Laut des aufspringenden Fisches im Fluß!

Ich öffnete wieder die Augen und ging wieder vor der Feldhütte auf und ab, immer schneller, so als wollte ich einen Anlauf nehmen. Ich hielt wieder inne. Ich fühlte den Brustkorb zum Instrument geworden, und so schrie ich los. Der Filip Kobal, der seit jeher wegen seiner leisen Stimme überhört und in dem geistlichen Heim von den Aufsehern gerügt worden war, weil sein Beten »nicht durchdrang«, schrie, daß alle, die ihn kannten, ihn von da an mit anderen Augen betrachtet hätten.

Etwas Vergleichbares hatte sich bisher nur einmal begeben, eben in dem Internat, als er eines Tages, von sich selber überzeugt, nicht singen zu können, von dem Lehrer dazu aufgefordert, sich beklommen erhob, atemholte und, mitten in der vor sich hinbrütenden Klasse, aus seinem tiefsten Innern einen fremdartigen und zarten Gesang anstimmte, welcher die Zuhörer zuerst auflachen und dann seltsam scheu wegblicken ließ, und seit jeher schon, so dachte der

Sänger, ganz unten in ihm gesteckt haben mußte. Auf der Hochebene nun, wo er allein war, kam aus ihm kein Singen, auch kein Brüllen oder ein Rufen, sondern ein klares Schreien, das geradezu herrisch sein Recht suchte. Er schrie aus sich heraus die lakonischen oder schwingenden, die einsilbigen oder vielsilbigen Wörter des Bruderbuchs. Die Wörter gingen hinaus in das Land und zeitigten auf den leeren Viehsteigen ein Echo, dessen anderer Name »Weltgeräusch« war. Und bei jedem Schrei gewahrte ich die offenen Ohren der Vorfahren, ihre belustigten Brauenbögen und ihre heiteren Mienen.

Ich stemmte das Buch in die Höhe, berührte es mit den Lippen, verbeugte mich vor dem Ort. Dann schnitt ich von der Hasel an der Ecke der Hütte einen Stock, ritzte diesem den Namen des Orts und das Jahr ein – »Dobrawa, Slovenija, Jugoslavija 1960« – und erklärte ihn zu unserer Stele, mit Aufwärtszählung. – Wie ohne Hoffnung auf eine Zukunft dabei der Zwanzigjährige war (nie mehr würde sein König erscheinen); und wie unerschütterlich war seine Erwartung in die Gegenwart; und wie schwach, oder vorsichtig, ist die Stimme dessen, der ihn wiederholt. Wird sie nicht längst übertönt von den aus allen Himmelsrichtungen, aus allen Talschaften, auf die Tischebene schallenden Kommandoschreien in den Kasernenhöfen, den schießübenden, feldgrauen Soldaten und dem Scharren der Grabschaufeln im Ortsfriedhof? Nein, immer noch, wo ich auch bin, muten die blinden Fenster und die leeren Viehsteige mich an als die Wasserzeichen eines Reiches der Wiederkehr, angesichts dessen der Pfiff einer Lokomotive ebenso Taubenruf werden kann wie Indianerschrei. Immer noch spüre ich die Schnur des Seesacks, mit dem Buch der Wörter drin, an meiner Schulter. Mutter, dein Sohn geht immer noch unter dem Himmel!

Hinstürzend auf die Erde, erfuhr ich dann ein für allemal, was der Geist ist.

3. Die Savanne der Freiheit und das neunte Land

Ich bin damals auf der Hochfläche geblieben, bis das Nachbild der Sonne von meiner Augenhaut schwand. Es war, als drehte sich in mir, immer langsamer, eine Achse, mit der ich auch die Dinge in meinem Rücken erfaßte. Hinter den nördlichen Bergen stand eine Brandwolke, in der Vorstellung genau über dem Elternhaus. Aus der Westwand der Scheune hatte man, zur Belüftung, ein Muster aus Herz, Karo, Pik, Eichel gesägt, und durch die schwarzen Löcher wehte meines Vaters jahrhundertealte Verlassenheit.

Rückwärts verließ ich den Ort und drehte mich auch später im Gehen wiederholt nach ihm um. Ein kleiner Vogel stieg hoch über den Rand des Plateaus, wie gerade unten der Hand des Zwergs entschlüpft, der so das Steinwurfduell mit dem Riesen gewinnen wollte, und fiel dann aus der Luft wie abgeschossen. Der See hinten am Talschluß erschien im letzten Licht des Tages gallertig, wobei ich ihn mir voll von ertrinkenden Bienen dachte, die mit den durchsichtigen Flügeln kreiselten.

Hin ging ich jedesmal mit gesenktem Kopf, zurück mit erhobenem. An einem der Eingangshäuser des Dorfs war die Tafel angebracht, welche besagte, im Keller hier habe man sich an dem angegebenen Tag des Jahres 1941 erstmals zum Widerstand gegen den Faschismus versammelt. (In jedem slowenischen Ort, durch den ich noch kommen sollte, stieß ich dann auf ein Gebäude mit der entsprechenden Inschrift.) Auch ich wollte Widerstand leisten, und beschloß ihn, in keinem Keller, sondern auf offener Straße, im Frieden, ohne Versammlung, für mich allein. »Bilde einen Satz mit Kampf!« sagte ich zu mir, und merkte dann erst, daß ja das schon solch ein Satz war, mehrdeutig wie ein Orakel. Einmal bog ich in dieser Stimmung in eine Holzhütte ab und hieb dort mit Wucht das Beil in den Hackklotz. Ein ältere Frau kam dazu und forderte mich auf, den Haufen der gesägten Blöcke zu zerkleinern. Ich schlug zu, daß die Scheiter durcheinander flogen – eins spüre ich jetzt noch an der Stirn –, und hatte mir in einer Stunde das Abendessen und ein paar neue Wörter, wie »Licht spalten« für »Späne machen«, verdient. Ein andermal lief mir ein Ball über den Weg, den ich so gut traf, daß man mich zum Mitspielen einlud (noch heute träume ich manchmal davon, Stürmer in der Nationalmannschaft zu sein). Das Schuhwerk umspannte das Fußgelenk, und das Lederband des Vaters, kein bloßer Pulswärmer mehr, stärkte die Hand.

An den Abenden hatte Filip Kobal seinen Eckplatz im Gasthaus »Zur Schwarzen Erde«. Niemand, nicht einmal die unaufhörlich rundendrehende Miliz, fragte nach seinem Namen; bei allen hieß er nur »der Gast«; selbst das Tito-Bild hier war von ihm abgekehrt und blickte himmelwärts, zu einem Bombergeschwader. Auf den Tischen, statt der Körbe vollgesteckt mit den vielfältigen Formen des österreichischen Gebäcks, was zuzeiten an die kopfüber gepurzelten Leichen in einem Massengrab erinnern konnte, wieder die einfachen Stapel der Weißbrotscheiben, auf Tischtüchern, deren altertümliche Bezeichnung »Brottuch« lautete. Es war Hochsommer, und manchmal warm genug, draußen vor dem Haus zu sitzen. Bei der Rückkehr war ich in der Regel sogar so erhitzt, daß ich die Luft von dem Sturzbach an den Schläfen als ein wohltätiges Fächeln empfand. An dem offenen Fenster zum Saal stand ein mehrstufiger Schemel, auf welchen der Kellner jeweils stieg, um von der Köchin innen die Teller mit den bestellten Speisen zu übernehmen. Neben dem Gestell eine Betonfläche mit tiefen Rillen, die etwas von den Tasten eines Klaviers hatten: der Abstellplatz für die Fahrräder, meist leer. In ihn mündete von oben der Blitzableiter; es verging ja auch kaum ein Tag ohne Gewitter, und die Abende im Freien waren bestimmt von dem Wetterleuchten, für welches der Schulabsolvent das altgriechische Wort »Raumauge« hatte. So wurde es Juli, und die Leuchtkäfer, eben noch die Büsche durchfliegend, verkrochen sich ins Gras und verschwanden dort.

Der Kellner war noch um einiges jünger als ich; kam vielleicht gerade erst von der Ausbildung. In meinen Augen konnte er, klein, hager, mit einem braunen, schmalen, beinahe dreieckigen Gesicht, nur aus einem felsigen und menschenleeren Landesinneren stammen, eins von den vielen Kindern eines Kleinhäuslers, geboren auf einem von Steinmauern umgebenen Einzelgehöft, aufgewachsen als Hirte oder Sammler von Waldfrüchten, von denen er jeden noch so verborgenen Fleck wußte. Die Freundin hatten immer nur die andern als schön bezeichnet – er war der erste Mensch, für den ich dieses Wort bei mir selber gebrauchte. Mit ihm redete ich, über Gruß, Bestellung und Dank hinaus, nie; er unterhielt sich nicht mit den Gästen; sprach bloß das Notwendigste. Die Schönheit der Erscheinung kam dabei weniger von seiner Gestalt als von einem stetigen Aufmerksamsein, einer freundlichen Wachsamkeit. Nie brauchte man nach ihm zu rufen, oder auch nur den Arm zu heben: im hintersten Winkel des Saals oder Gartens stehend, wo in den freien Momenten sein Platz war, und scheinbar in irgendeine Ferne träumend, übersah er den ganzen Bereich und folgte dem kleinsten Mienenspiel, kam diesem sogar zuvor, in einer anderen Weise das Bild eines »Zuvorkommenden« als das Ideal der Benimmdichbücher. An den Vormittagen deckte er, auch wenn es schon donnerte, unter den Kastanien die Tische, und hatte sie dann, noch vor den ersten Tropfen, wieder abgeräumt. Eigenartig, ihn manchmal als einzigen in dem Saal anzutreffen, wo er einem jeden Stuhl seinen Platz suchte, als ginge es um die Sitzordnung einer festlichen Gesellschaft, einer Taufe oder einer Hochzeit, wo noch dazu alle Gäste ihre besondere Heikelkeit hatten. Eigenartig auch die Sorgfalt, welche er den billigsten und schäbigsten Gegenständen antat (es gab in dem Wirtshaus fast nur solche): wie er das Blechbesteck parallelrichtete, wie er die Plastikkappe der Gewürzflasche sauberwischte. Einmal stand er am Vorabend in dem kahlen, leeren Raum, reglos vor sich hinblickend, schritt dann zu einer entfernten Nische und vollführte an der Karaffe dort eine kleine zärtliche Wendung, welche das ganze Haus erfüllte mit Gastlichkeit. Ein andermal, bei, wie oft zum Nachtmahl, bevölkertem Saal, stellte er eine Schale Kaffee, bevor er sie an den Tisch brachte, ab auf die Theke, rückte bedächtig den Henkel gerade, ergriff dann das winzige Gefäß mit einer weitausholenden Geste und überbrachte es schnurstracks dem Besteller. Auffällig zudem der vollkommene Ernst, mit dem er selbst den Betrunkenen Feuer gab, und er brauchte dazu auch immer nur eine Bewegung, wobei ich seine halbgeschlossenen Augen leuchten sah.

Tagsüber allein, im Zimmer oder im Freien, dachte ich an den Kellner mehr als an die Eltern oder die Freundin, und weiß jetzt, daß das eine Art zu lieben war. Nicht zu ihm zog es mich, doch in seine Nähe, und an dem Ruhetag fehlte er mir. Wenn er dann endlich wieder auftrat, belebte seine schwarzweiße Kleidung die Zwischenräume, und ich bekam einen Farbensinn. Vielleicht rührte solche Zuneigung auch von dem Abstand, den er ständig bewahrte, nicht nur in seinem Dienst. Eines Tages traf ich ihn in Zivil, am Stehbüffet der Bushaltestelle, nun selber in der Rolle des Gasts, und es war kein Unterschied zwischen dem Kellner im Gasthof und dem jungen Menschen im grauen Anzug, einen Regenmantel über dem Arm, den Fuß unten auf die Stützstange gestellt, langsam an seiner Wurst kauend, die Augen auf den fahrenden Omnibussen. Und vielleicht machte dieser Abstand, im Verein mit der Aufmerksamkeit und dem Gleichmaß, jene Schönheit aus, die, den Betrachter erschütternd, Beispielkraft annahm. Noch heute, in einer Zwangslage, bedenke ich, wie sich der Wocheiner Kellner verhielte; das hilft in der Regel zwar wenig, doch es kehrt zumindest sein Bild zurück, und für diesen Augenblick zumindest fasse ich mich.

An meinem letzten Tag im Gasthof »Zur Schwarzen Erde« kam ich gegen Mitternacht – alle Gäste und auch die Köchin schon gegangen – auf meinem Weg zum Zimmer an der offenen Küche vorbei und sah dort den Kellner vor einem Zuber voll Geschirr sitzen, das er abtrocknete, mit einem Tischtuch. Später blickte ich oben aus dem Fenster, und er stand unten auf der Brücke des Sturzbachs, in Hose und Hemd. In der Beuge des rechten Arms hatte er einen Tellerstapel, von dem er Teller um Teller nahm und mit der Linken einen nach dem andern, gleichmäßig und elegant, wie eine Sammlung von Spielscheiben ins Wasser segeln ließ.

Die Nächte des jungen Filip Kobal in seinem Vierbettenzimmer der »Schwarzen Erde« waren fast durchweg traumlos. Vor Jahren, eingepfercht in den Schlafsaal des Internats, von einem ständigen Kopfschmerz an das Polster genagelt, hatte er sich oft vorgestellt, auf seinem Bett allein unter dem freien Himmel zu liegen, inmitten einer weiten Ebene, über die der Sturm und die Schneeflocken jagen, und gewärmt zu werden von der Decke bis über die Ohren, einzig der Drachen in seinem Schädel vereist: Auf andere Weise erfüllte sich das nun durch den tosenden Bach, der dem Schläfer die Zimmerwand aufschob und ihm die Träume ersetzte.

Nur einmal träumte er von seinem Vater (der sich die Pension ja als Wildbacharbeiter verdient hatte), oder eigentlich bloß von dem Heft, in welches dieser die Geschichte der Familie hätte einschreiben sollen. Es war zum Buch geworden, und enthielt nicht, wie in Wirklichkeit, gerade jene zittrige Zeile mit der Feldpostnummer des Bruders und Filips Wäschezahl, sondern stand voll mit Text, nicht handschriftlichem, sondern gedrucktem. Der Wildbacharbeiter war zum

Bauernschriftsteller geworden, ein zeitgemäßer Nachfolger jener slowenischen Bauern von der Jahrhundertwende, deren Erzählungen man sammelte, und die, nach der bei ihnen üblichen Erzählstunde, übersetzt etwa »Abendleute« heißen, was vor ihrem Auftreten auch die Abendwinde oder die Abendfalter sein konnten und nach ihrem Verschwinden nur noch die »Abendzeitungen« waren, und des Traumbuchs aufmerksamer Leser war der junge Kellner.

Es war dann ein Morgenwind, der wehte, als ich mit dem blauen Seesack und dem Haselstock auf dem Plateau der Bahnstation Bohinska Bistrica stand. Ich wollte weiter nach Süden; vom Abfahrgleis war dort im Hintergrund schon der Tunnel durch die Bergkette sichtbar. Wie jenseits der Grenze in Mittlern diente auch hier der erste Stock des Gebäudes als Wohnung, und wie dort flatterten aus den Holzkästchen die Pelargonienblüten in den Schotter herab; der Geruch war mir inzwischen lieb geworden. Die kleinen Bahnhöfe der beiden Staaten hatten selbst die Schrift auf den Emailschildchen gemeinsam, welche »die Höhe über dem adriatischen Meere« angaben; zeigten ein und dasselbe Grundmuster: das des einstigen Kaiserreichs. Zum Abort daneben führte ein Steinportal, die Tür blau bemalt wie der Himmel der heimischen Bildstöcke (drinnen dann diente der Notdurft ein bloßes Loch). An eine hölzerne Hütte waren

Kuhhörner genagelt, wuchtig wie die eines Büffels. Der zum Bahnhof gehörige Gemüsegarten lief aus in einem Dreieck, umzäunt von Bohnenranken, das eine Gewürzbeet beherrscht von dem grünen Gewoge des Dillkrauts; an der Dreieckspitze ein Kirschbaum, der Boden dunkel mit Fruchtflecken. In den Kastanien des Vorplatzes schrillten Schwalben, unsichtbar, von denen es nur ständig im Blätterwerk zuckte. Das Wartezimmer hatte einen Bretterboden, der, schwarz eingelassen, zusammen mit dem hohen Eisenofen die Busbaracke zuhause wiederholte, und lag, wie fast immer unbesetzt, die Fenster nach beiden Seiten, in einem Wohnraumlicht. Neben dem Eingang, halb schon in einer Betonschicht versunken, ein Fußabstreifgestell, aus kaiserlichem Gußstahl, wie die nach oben gekehrte Klinge eines Messers, eingefaßt links und rechts von ornamentverzierten Miniaturpfeilern. Weiträumig und zugleich in jeder Einzelheit ziseliert, so wirkte die ganze Anlage, und ich empfand da das Atmen eines milden Geists, derer, die sie einst, zur Zeit des Reichs, entworfen und belebt hatten, und auch der das jetzt bedachte, war kein Bösewicht.

Neben mir wartete, in Schweigen, eine Soldatengruppe, eingetrockneten Schweiß an den unrasierten Wangen, eine Lehmschicht bis an die Schuhschäfte. Mein Blick hob sich von ihnen zu der südlichen Bergkette, die oben schon in der Sonne lag; der Himmel über der Wochein einmal unbewölkt. Ich entschloß mich in diesem Moment, das Gebirge zu Fuß zu überqueren, und machte mich schon auf den Weg. (»Nicht wieder einen Tunnel!« und: »Ich habe ja Zeit!«) Mit dem Entschluß ging ein Ruck durch das Land, so als würde es mit ihm erst Tag; und bedeutete in der anderen Sprache der »Ruck« nicht zugleich »Kampf«?

Der einzige Gipfel, den ich bis dahin kannte, war die Petzen, noch ein wenig höher als das Massiv hier; in den schattigen Karen manchmal selbst im Sommer ein Schneefleck. Aber durch die langsame Steigung war es zu ihr hinauf eher eine Wanderung, und ich hatte sie immer gemeinsam mit dem Vater unternommen. Auf halber Höhe übernachteten wir im staubigen Heu einer Scheune, wovon mir dann die Augen zu verschwollen für einen Rundblick waren. Kamen wir auch nur in die Nähe eines Gehöfts, stürzte in aller Regel ein Hund herbei, gefolgt vom Besitzer, der im Laufen schrie und einen Stock schwang: eingefleischtes Mißtrauen der Bergbauern gegen die Kleinhäusler aus dem Flachland, die ihnen das Futtergras zertraten, das Vieh scheu machten und die Pilze aus den Wäldern räumten. Erst im Näherkommen dann die Besänftigung, wenn einer der Fremden sich erwies als der weithin bekannte Zimmermann, von dem auch der Hausdachstuhl stammte, und Einladung zu Speck, Brot und Most. Auf der Kammlinie, hinter der

Jugoslawien anfing, stellte sich der Vater einmal ge-
grätscht auf, den einen Fuß hier, den anderen dort,
und hielt mir eine seiner kurzen Reden: »Sieh her, was
unser Name bedeutet: nicht *der Breitbeinige,* sondern
die Grenznatur. Dein Bruder der Mittemensch – und
wir zwei die Grenznaturen. Ein Kobal, das ist sowohl
der, der auf allen vieren kriecht, als auch der leichtfü-
ßige Kletterer. Eine Grenznatur, das ist eine Randexi-
stenz, doch keine Randfigur!«
Bergauf drehte ich mich, wie aus Dankbarkeit, öfter
um nach der fremdländischen Gegend, in der, so
anders als zuhause, mich niemand beargwöhnte, und
die paar Fragen, die man mir gestellt hatte, jedenfalls
keine Fangfragen waren. Sonst hielt ich den Kopf
gesenkt und dachte, angesichts der in einem schweigenden Flug unter mir vorbeiziehenden Sommer-
wiese, an den Bruder, der, in den Krieg marschierend,
keinen Vogel mehr hörte und nicht mehr sah, »was an
der Straße blühte«. Ich empfand am Körper, wie das
stetige Steigen ihn wappnete, für die Ereignisse des
Herbstes, ob Militär oder Studium, und gegen den
nächsten Feind. Die Eidechsen verwandelten sich in
beiseite kollernde Wegsteine oder raschelten in den
Gebüschen wie Vögel. Das letzte Menschenzeichen,
das ich, für eine lange Zeit, wahrnahm: das nasse
dunkle Wäschebündel vor dem Endhaus eines Berg-
dorfs (wobei ich bedachte, daß die slowenische Sprache ein eigenes Wort für solch einen »Endhäusler«

hatte). Dann folgte ich nur noch den Schneisen im Gras, die sich als Wildspuren ins oft Unwegsame erwiesen, und alles, was ich hörte, war ein gleichmäßiges Insektengesumm, wie die Stimme einer sich mehr und mehr entfernenden Bevölkerung. In meinem Rücken die Talschaft versunken, dafür am Horizont der Julischen Alpen das Auftauchen des Dreikopfs, des Triglav, des höchsten der jugoslawischen Berge, vor und hinter mir nun nichts als die Wildnis.

Wieder einmal kürzte ich ab und wollte eine gerade Linie, wo, durch die Arbeit des Wassers, gar keine sein konnte. So bedächtig ich begonnen hatte, so bedenkenlos hetzte ich weiter; es trieb mich hinauf, durch Unterholz wie durch Geröllrinnen. An der Baumgrenze, wo der kahle Kamm näherrückte und auch das Gras, bis dahin kniehoch, kürzer und stoppliger wurde, erblickte ich vor mir eine vollkommen starre Wolke, aus der im gleichen Moment auch der erste Blitz fuhr. Ich war nicht unbekümmert, hatte sogar Angst – gerade am Vorabend hatte man im Gasthof von einem Gewittertoten erzählt –, und stieg zugleich unverzüglich weiter. Noch oft bin ich, wie magnetisiert von der Gefahr, und keineswegs leichtsinnig oder gar freudig, sondern panisch, einen Schlager nachstammelnd oder zählend, in sie hineingelaufen. Ja so verängstigt war der Gebirgsüberquerer, daß er selbst das Knattern seiner Hosen als Donner hörte. Was er von weitem für das steinerne Gipfelhaus gehalten hatte, erwies sich oben auf dem Kamm als die Überreste einer Kriegsfestung; die Fenster einer möglichen Unterkunft als deren Schießscharten. Immerhin gab ihm die Ruine ein Dach über den Kopf. Ein Ruck, und Gleichmut ergriff ihn: Seelenruhig betrachtete er ein fernes Grasfeld, das, als einziger Fleck im Umkreis, auf den es sonst nur regnete, weiß von Hagelschloßen war; so groß dabei die Erschöpfung, daß der Blick die Perspektive vergaß und in der weißen Stelle ein Leintuch auf einer Bleiche sah. Wie er da saß, sank er um, wie bewußtlos; »Schlaf ohne Willen« nennt in einem Brief, geschrieben nach einem Gewaltmarsch, der Bruder die Ohnmacht.

Als ich zu mir kam, begann schon die Dämmerung; in der südlichen Talsenke, auf welche die Scharten vor allem zielten, einzelne Hauslichter. Ich ging draußen im Regen auf und nieder, und beschloß dann, zu bleiben; geradezu einladend erschienen in dem schwindenden Tag die Waben der Festung, wie kleine Hotelzimmer. Das Diesige, das über den Kamm zog, waren die Wolken: zum ersten Mal fand ich mich in solch einem Gebilde, besonders deutlich unten im Gras, wo die kleinen Bergblumen vernebelt wurden und wieder aufleuchteten; und ein Falke, die reglosen Flügel wie zerschlissen, ließ sich im Wolkenzug mittreiben. Gelagert im Bunkerinnern, auf eine Schicht alter Zeitungen, aß ich von dem, was ich mithatte; es konnte mir, jedenfalls heute, nichts mehr passieren – wobei ich an jene Sage vom Kobold dachte, der den Elementen aus seiner Felsnische heraus die Zunge zeigt; am Ende, von einem boshaften Menschenkind abgelenkt, wird er vom Blitz ja doch noch erschlagen.

Es wurde lange nicht Nacht; die Dämmerungsumrisse lösten sich nur auf zu einer immer formloseren Helligkeit, die einzige Kontur der blaue Tragsack darin: »Seesack auf dem Gebirgskamm«, wunderte sich der Einschlafende, der dann Stunden im Eismeer schwamm, das um ihn herum zufror. Plötzlich auf seinem Gesicht Fingerkuppen, eine Berührung, wie sie wärmer und wirklicher nicht sein konnte, und eine vertraute Stimme, die sagte: »Mein Lieber!« Doch als der im Finstern die Augen aufschlug, war um ihn niemand; nur ein sich verstärkendes Knistern, welches sich näherte und, nach einem Krach, statt des wilden Tiers der gekippte Seesack war.

Vor dem ersten Licht ging ich los, oben den Kamm entlang, Schritt für Schritt. Ich wollte es so; wollte endlich wieder, wie einst das barfüßige Kind auf dem Feldweg neben dem Vater, an der Grenze der Nacht jene Einzelheit unterscheiden, die den Anfang des Tages und zugleich alles bedeutete; wollte endlich wieder das Abenteuer »Dasein« erleben. Doch das mißglückte: Seinerzeit hatte sich gerade mit den vereinzelten Tropfen eines Frühregens, die in den Weg-

staub winzige Krater schlugen, die Urwelt eingeprägt; hier aber war gleich alles die Urwelt – der wie
seit jeher dem dunklen Himmel entstürzende Regen,
der von der schwarzen Erde wie aus Lavaspalten
aufsteigende Rauch, das Grau-in-Grau des naßkalten
Gesteins, die Fußfallen des Kriechgestrüpps, die
Windlosigkeit –, und so konnte nichts die Gestalt
jenes Musters im Staub annehmen. Es fehlte dazu
vielleicht auch das Hand-in-Hand mit dem andern,
und die Nähe des Bodens, die nur dem Erzähler jetzt
nachfühlbar ist, nicht jedoch dem Nachfolger des
Kindes dort oben auf dem Bergkamm; demnach ließ
sich etwas wiederholen und erneuern weniger im
Nachtun und Nachmachen, als im Nachziehen und
Umreißen? Statt des Schimmers, der den Staubkratern
entstieg, als ginge in dem Planeten selber die Sonne
auf, begegnete dem Einzelgänger, so sehr er auch Aus-
schau hielt, ein bloßes stumpfes Gedämmer, worin die
Formen, sogar die der Nacht, sich auflösten und überhaupt keine Empfindung einer noch so fernen Sonne
entstand; und statt des Kindheitswegs mit dem Vater
wiederholte er nun im Morgengrauen, über Felsbrocken und Wurzeln stolpernd, frierend und schwitzend in einem, bis auf die Knochen durchnäßt, den
feuchten Klumpen des Seesacks als immer schwereren
Tornister am Rücken, das Sich-Schleppen des Solda-
tenbruders durch die Ödnis hin zu einer Schlacht, die
schon im voraus verloren war; statt des Feldwegs die

Heerstraße. Obwohl ich doch sicher war, westwärts zu gehen, dachte ich zornig, ich würde, wie damals der Bruder, in den Osten verschickt; und obwohl ich mich genau meinem Wunschziel entgegenbewegte, jammerte mich der Gedanke, mich mit jedem Schritt von dem Ort zu entfernen, welcher mein Ein und Alles war. Galt der erste Murmeltier-Warnpfiff, statt den Genossen, nicht eher mir? Zeigte der albinobleiche Berghase, aus den Schwaden mit einem Quäken an mir vorbeischießend, nicht das Bild einer heillosen Flucht?

Das alles dachte ich, zornig, beklommen, und ging zugleich unentwegt weiter. Bei Tagesanbruch ließ der Regen nach, und ich machte mich an den Abstieg hinunter in das noch verborgene Isonzotal. Es gab keinen sichtbaren Weg, aber ich würde mir einen bahnen. Ich entdeckte an mir tatsächlich jene Leichtfüßigkeit aus der väterlichen Gipfelrede; ein gleichmäßiges rasches Springen von einem Felsblock zum andern, ohne ein Stocken oder Absetzen. Ich empfand sogar ein Vergnügen dabei, das noch zunahm, als ich an einer Stelle zum Kletterer werden mußte: Da war ich nun auf allen vieren, Vater, doch aufrecht, und spürte einen gemeinsamen Zug zwischen Fingerspitzen und Fußballen, wie bei den körperlichen Arbeiten, die du mir angeschafft hast, nie! Den Fuß der kleinen Wand erreichte ich belebt, wie in die Sonne getaucht, die dann auch wirklich erschien.

Ich war nun an der südseitigen Baumgrenze und hatte ein zwar weite, doch geruhsame Wanderung vor mir. Im Weitergehen ergriff den Wanderer freilich etwas anderes als die Angst vor dem Gewitter, dem wilden Tier oder dem Absturz. Der Lehrer, von seinen Alleinexpeditionen als junger Erdkundler erzählend, sagte, er habe sich da immer erst frei gefühlt, sowie »die letzten Jägerzeichen« hinter ihm geblieben seien: Ich dagegen, weitab von jeder Siedlung, in einem Gebiet, wo, fast mit Gewißheit, außer mir lang niemand hingeriete (man wußte ja auch nicht, daß ich hier war), bekam es nun zu tun mit Bangigkeit, der Angst vor einem Monstrum – welches ich selber war. Verschwunden jeder Anhaltspunkt einer Welt; an ihrer Stelle die Fahlheit, durch welche, gehetzt vom jäh aufgeschossenen Bluthund im Innern, blindlings das Ungeheuer mit Namen »Allein« irrte. Und wieder der Ruck, der zugleich die Besinnung war. Mußte ich ihn mir selber geben, oder geschah er? Er geschah, und der ihn dem Irrenden gab, das war ich. Manchmal war der Jugendliche sich schon so begegnet, in der Regel im Erwachen, und immer dann, wenn ihn, wie er meinte, etwas bedrohte. Zuerst sprang die Bangigkeit über in einen Schreck, so als sei es nun soweit, und der Schreck in ein Grauen, mit dem er, nur noch ein Auswuchs, reglos seine Abschaffung erwartete. Diese kam jedoch nicht; dafür die Anwesenheit eines Fremden, wie er fremder nicht sein konnte, welcher Ich war. Es war Ich, und dieses Ich schrieb sich groß, weil es nicht irgendwer war, sondern riesenhaft und raumbeherrschend über ihm stand, ihm die Zunge und die Glieder löste und sein Schreibname war. Aus dem Grauen wurde ein Staunen (auf das für einmal jenes Beiwort »grenzenlos« paßte), aus dem bösen ein guter Geist, und aus dem Auswuchs ein Geschöpf, auf das in meiner Vorstellung, statt des ominösen einen Fingers, eine ganze Segenshand weist – war es doch bei dem Erscheinen des Ich, als würde man gerade erschaffen: Augen, die sich rundeten, Ohren, die nichts taten als lauschen. (Heute allerdings will es sich mir nicht wieder zeigen; die Verwunderung über jenes unfaßbare »ganz Ich!« scheint für immer von mir gewichen, und das hat vielleicht mit der Schuld zu tun, die, ein Teil des Fünfundvierzigjährigen geworden, diesen mit seiner oft traurigen Vernunft allein läßt, während ich den Zwanzigjährigen noch im Stand der Gnade des Wahnsinns der Unschuld sehe. Wahnsinn? Er heilte damals, dort in der Wildnis, die Angst.)

Gefaßt setzte ich meinen Weg fort, mich selber auf dem Rücken, nicht als Last, sondern Schutz. Schon im Wald, krachte es hinter mir, und ein Felsblock sprang zwischen den Bäumen talwärts. Ein Sirren im Moos, wie von einem Schwarm Fliegen, aufgescheucht von einem Kothaufen, kam von einer hochaufgerichteten moosgrünen Schlange, die mich anzischte, und die es mir da zu bewundern gelang. Das

Skelett unter dem Reisighaufen war das eines Reh-
bocks, am Schädel noch die Krucken, die ich samt
Kopf ein Stück mitnahm und dann wieder wegwarf.
In einer Lichtung, weglos, dicht bestanden mit brust-
hohen Farnen, ließ ich mir beim Durchqueren Zeit,
auf jedes Schwirren der sonst lautlosen, unsichtbaren
Vögel unten am Farngrund zu hören. Zu solcher
Sorglosigkeit war es kein Widerspruch, daß ich mich
dann freute über den Anblick eines überwachsenen
Steigs, der sich im bergab erweiterte zu einem alten
Weg, und mehr noch freute über die ersten frischen
Karrenspuren darin, mit der Bremsrille – so steil ging
es hinab – im Grasmittelstreifen: Es war mir dabei
sogar, als setze mit der Rille, den vom Bremszapfen
ausgerupften Wasenknollen, den tiefeingeschnitte-
nen, schwarzglänzenden, mit öligem Wasser gefüllten
Radfurchen, den Hufeisentritten, den Abdrücken der
Stiefel des Nebenhergehenden, mit dem klaren Ab-
bild der Schrift an der Sohle, ein ganzes Orchester ein,
und diese allerzarteste Weise ist bis jetzt mein Ideal
von Musik geblieben. Dann die ersten Spatzenlaute
und Hundestimmen. Obwohl es wieder zu regnen
anfing, setzte ich mich an den Waldrand und aß von
den Brombeeren, von denen es hier, anders als im
nördlichen Tal, schon reife gab. Ich zog die Schuhe
aus und ließ mir von dem »Himmelwasser« die
schmerzenden Füße waschen. Ich schwitzte so, daß es
von mir wegdampfte. Im Spiegelgriff der Taschen-

lampe sah ich ein Gesicht verklebt mit Fichtennadeln. Da die Beeren den Durst nicht löschten, trank ich im Weitergehen vom warmen Regen. Auch der Holunder am Ortseingang war schon schwarz gesprenkelt; daneben, mit Früchten, die scheinbar gleich aus den Ästen wuchsen, das Ereignis des ersten Feigenbaums. Am Fuß der Dorf-Terrasse dann eine weiße Steinwüste, von einem hellgrünen Streifen durchschlängelt, welcher die Soča oder der Isonzo war.

Zwei Tage war ich umhergeirrt, und dachte nun, in Sicherheit, wie auch später bei solchen Ankünften immer wieder, daß ich noch viel zu kurz in die Irre gegangen sei. Sicherheit? In meinem Leben habe ich mich noch keinmal in einer Sicherheit gefühlt.

Der Zwanzigjährige blieb im oberen Isonzotal damals nur eine Nacht und einen Tag. Er schlief in dem Markt Tolmein, dem Hauptort des Tals, in dessen Wappen der Fluß mäandert, durchkreuzt von Gabelzinken und Axt des Großen Bauernaufstands; fand sein Unterkommen in einem Privathaus, wo man im Souterrain Zimmer vermietete. An der Decke saßen Spinnen, und die Kellerluft wurde nach Mitternacht verstärkt vom Gestank nach Erbrochenem: Nebenan übergab sich lauthals und wortlos ein Mitbewohner, in einem fort bis zum Morgengrauen. Als ich aufstand, fand sich oben in der Wohnküche nur ein stummes Kind mit einer Katze im Schoß, die Eltern schon auswärts zur Arbeit. Ich legte das bißchen Geld auf den Tisch, frühstückte im Gasthaus und atmete beim Anblick des Brotes tief ein.

Auf der Terrasse, über die eine alte Straße führt, und wo die Dörfer liegen, ging ich flußaufwärts nach Kobarid oder Karfreit; der Isonzo zunächst unten im Tal, dann sich annähernd; jenseits Weideflächen mit fenster- und kaminlosen Steinhäusern fürs Heu. An dem Berührungspunkt von Straßentangente und Mäanderbogen stieg ich zum Ufer hinab, zog mich im Regen aus und ließ mich von einem überhängenden Stein in die Strömung, die von außen so reißend gewirkt hatte und sich nun, halb so wild, vor mir zweiteilte. Das Wasser reichte mir bis zur Schulter und war, eben erst aus dem Gebirge in die Weite geflossen, von einer Eisigkeit, die sich im ersten Moment in die Bauchhöhle fraß. Ich schwamm sofort mit aller Kraft flußauf und merkte nach hundert gezählten Zügen, daß der mit meinem Gewand markierte Stein immer noch auf derselben Höhe war. So blieb der Schwimmer auf der Stelle und betrachtete, den Kopf gerade über dem Wasser, die Gegend, welche aus dieser Perspektive zu einem fremden Kontinent gehörte, ein einziges schimmerndes Daherfließen von allen Seiten, unterteilt nur von den zungenförmigen Schotterbänken, überlagert von Dunstschwaden, begrenzt hinten am Horizont von einem nadelbaum-dunklen Bergmassiv, regenverschleiert, als der im-

mertätigen Quellwand für diese namenlosen Strom-
massen. Soča? Isonzo? Die Menschenleere, die sich
erstreckte von meiner Kinnspitze bis hin zu einem
bugförmigen, von einer fernen Sonne angeleuchteten
Gipfel, nichts als die kalten Wellen und der warme
Regen, erinnerte eher an eine Vorwelt, die nicht bezeichnet sein will, sondern für sich allein steht. Doch
dann begegneten mir, mitten im Fluß, hintereinander
drei Schwimmgenossen, offensichtlich – Muster der
Unterhemden an den sonst braunen Armen – Arbeiter bei ihrer Mittagspause: Sehr schnell unterwegs,
jauchzten sie dabei, einer lauter als der andre, und
waren schon wieder aus dem Bild (ich sah sie dann
oben auf der Straße in einem Treck von Schotterlast-
wagen). Soča oder Isonzo? Paßte auf den Fluß mehr
der weibliche slowenische Ausdruck oder der männ-
liche italienische? Ich dachte, er sollte für mich eher
männlich sein, für die drei Arbeiter dagegen weiblich.
– Im Weitergehen oben auf der Straße fühlte ich eine
wärmende Hand zwischen den Schulterblättern, und
die Schuhe wurden zu langsam dahingleitenden Ein-
bäumen.

Als ich dann, zum ersten Mal von einem Einheimischen ausgesprochen, den Namen Kobarid hörte,
klang er mir wie aus dem Mund eines Kindes. Ja, die
Namen verjüngten, immer wieder, die Welt! Und,
anders als zuhause, hatte ich kein Dorf vor mir, son-

dern stand mittendrin in dem Fragment einer Metropole, samt dem ins Zentrum, mit Buchhandlung und Blumenladen, vorspringenden Wald und den nassen Kühen gleich neben der Fabrik an der Peripherie. Obwohl am Ausgang der Alpen, erschien Kobarid oder Karfreit dem jungen Menschen als das Inbild des Südens, mit dem Oleander an den Hauseingängen, dem Lorbeer am Kirchentor, den Steinbauten und den vielfarbigen rundköpfigen Pflasterwegen (die freilich nach ein paar Schritten weg ins Fichtendickicht Mitteleuropas führten).

Man sprach Slowenisch und Italienisch durcheinander, so wie die Häuser ein Durcheinander, dicht auf dicht, von Holz, Fels und Marmor waren, und all das zusammen ergab ein Funkeln der Verwegenheit. Im Gasthof, der, wie die andern, nach einem Berg hieß, saß ein Kartenspieler und zeigte seinem Gegner am Schluß der Partie mit einem kurzen Lächeln sein Gewinnerblatt. Eine Frau, auf einer geschwungenen Estrade, knipste mit den Fingern die welken Blüten von der hauswandlangen Pelargoniensammlung und stellte am Schluß einen leuchtroten Topf dazu. »Hier ist meine Herkunft!« Ich bestimmte es so.

Um die Ecke kam aus dem Norden der Bus, den ich, auf einer Holzbank sitzend, erwartete. Doch es war der falsche; anders als die jugoslawischen glänzte er von Lack, worin sich, als er hielt, die Oleanderlazetten spiegelten; und als ich nun aufblickte, thronte

über mir die gesamte Einwohnerschaft meines Hei-
matdorfes, Fenster für Fenster ein vertrautes Profil.
Unwillkürlich suchte ich mir einen Platz weiter weg,
im verborgenen. Thronten die Dörfler denn wirklich?
War es nicht eher ein Hocken, ein Kauern? Und als sie
sich jetzt erhoben – war das nicht eher ein Sich-Aufraf-
fen? Mühselig, krummgliedrig krochen sie aus dem
Bus, und der Chauffeur mußte vielen vom Trittbrett
helfen. Draußen standen sie in der Straßenbucht zu-
sammengeschart, und suchten einander mit den
Blicken, wie um sich nicht zu verlieren. Obwohl es ein
Werktag war, hatten sie sich festlich gekleidet, sogar in
ihre ländlichen Trachten; nur der Priester, der sie an-
führte, war in seinem schwarzen Reisehabit, mit wei-
ßem Kragen. Die Männer trugen Hüte und unter den
braunen Anzügen Samtgilets mit Metallknöpfen; die
Frauen in den Regenbogenfarben schillernde Schul-
tertücher mit Fransen, und einer jeden hing vom Arm-
gelenk eine übergroße aufklappbare Tasche, alle in der
gleichen Form. Selbst die ältesten Weiber hatten sich
einen Zopf geflochten und diesen als Kranz um den
Kopf gewunden. Ich saß im Abstand, unter einer Au-
ßentreppe, auf einem Hackklotz, im Halbschatten.
Wohl schauten ein paar zu mir her, doch niemand, der
mich erkannte; nur der Priester stutzte, und ich stellte
mir vor, es fiele ihm bei dem Anblick des fremden Burschen der Seminar-Flüchtling und Religionsverräter
Kobal Filip ein. Wo der wohl gerade sein mochte?

Sie betraten, einer immer hinter dem andern, das Gasthaus und blieben dort lange. Ich nahm mir vor, auf sie zu warten; es fuhr noch ein späterer Bus in Richtung Karst, wo das Ziel meiner Spurensuche sein sollte. Neben mir ein Holzstoß mit einem pyramidenspitzen Tunnel am Grund, wie ein Hundeschlupf; darüber der Rest einer lateinischen Wandschrift: »Die Stunde kann nicht gewußt werden.« Ich bildete mir ein, dem Verhalten der Dorfleute abgelesen zu haben, mit der Mutter stehe es gut; allein der Anblick der vertrauten Handtaschen war eine Versicherung.

Ich wurde auf meinem Sitz in Ruhe gelassen; daß ich so offensichtlich Zeit hatte, schien Ausweis genug. Als die Rinkenberger ins Freie traten, hatten auch die Greise gerötete Wangen. Sie waren nicht betrunken, doch sämtlich erfaßt von einer seltsamen, unbeholfenen Beschwingtheit. Ich hörte von ihnen die Landessprache, erstmals die reine, mit klaren Stimmen, ohne das dorfübliche Mischmasch und Silbenverschlucken. Wie auf eine Anweisung drehten sie sich nun vor dem Einsteigen gemeinsam um zu der Hauswand, die, an dieser Stelle ohne Fenster, nur eine große gelbe quergerillte Fläche war. Von dieser hoben sich die dunklen Rückenfiguren der Dörfler deutlich ab, und ich sah einige Frauen, gleich welchen Alters, sich an der Hand halten, und Männer die Arme umeinanderlegen. Keiner war ohne geknickte Knie, und es ging mir auf, daß nicht nur wir, die Kobals, Vertriebene waren, sondern die Gesamtheit der Dorfkleinhäusler; das ganze Dorf Rinkenberg ein Exildorf, seit unvordenklicher Zeit; jeder gleich knechtisch, gleich elend, gleich fehl am Platz; selbst der Pfarrer erschien mir, statt als geistlicher Herr, hier im Verband eher als ein kurzgeschorener knochiger Sträfling. Mochten sie zu dem Haus die Gesichter auch nur heben, weil man sie da gut und billig bewirtet hatte, so standen sie in meinen Augen davor doch wie vor den Rillen einer Klagemauer, und die Ausflügler waren zugleich Pilger (»Pelegrin« ja ein häufiger Name im Ort), wozu auch der Ernst der Frisuren und des Aufzugs paßte. Erstmals erkannte ich da einen Sinn in der Tracht (wie dann später noch einmal in dem Bild jener alten Frau, die, mit fast geschlossenen Augen, vor ihrer Karst-Hütte stand und über dem Arm, weiß und schwarz, ihr Totengewand hatte, das einstige Hochzeitskleid). Es gab auch ein Kind in der Gruppe, das nun schnell auf den Sims kletterte, sich von dort in den Rillen mit Finger- und Fußspitzen weiterhangelte und aus der Hälfte der Wand, von den Zuschauern beklatscht, zu Boden federte: Abschluß der Reise und Zeichen zur Rückfahrt.

Als der Ausflugsbus eine Schleife beschrieb und sich nordwärts, in die sogenannte Alpenrepublik entfernte, verkleinerte er sich mir, ähnlich wie im Blick der Erschöpfung, und schnurrte zu einem Spielzeugauto zusammen, in dem das Dörfler-Knechtsvolk, auf seinem Transportweg vom Mutterland in den Verbannungsort, auf Nimmerwiedersehen verschwand. Wie fein und vornehm war mir der verlorene Haufen erschienen (selbst das Aderwerk an den Händen ein edles Muster), und wie grobschlächtig und profan, unentwegt zigarettenpaffend, schleimspuckend, sich die Geschlechtsteile kratzend, wirkte jetzt, mitsamt allem südlichen Schwung, die alteingesessene jugoslawische Bevölkerung.

Ich ging über den leeren Platz hin zur Mauer und stellte mich im nachhinein noch dazu. Von außen gesehen, war ich, die Rillen nachziehend, mit dem Kopf im Nacken den Dachvorsprung studierend, der Betrachter eines Bauwerks aus der Kaiserzeit. Inwendig aber hatte ich beide Arme zum Himmel erhoben, die ich dabei als Stümpfe empfand. In der Vorstellung ein Fluchen und Ausspeien: Nichts, was nach oben führte; die Klagemauer war Einbildung, es gab nur die Parallelstruktur in der Waagrechten, keine Leitlinien, sondern Hohlformen verklebt mit Straßenstaub und Spinnennetzen, an den beiden Hauskanten, ob nach Norden oder Süden, begrenzt von nichts. Ort meiner Herkunft? – Sollte die Mauer, aus der Nähe ein gelbes Geflimmer, doch abbröckeln und einstürzen, meinetwegen auf mich! – Aber ist die südliche Zypresse an der einen Seite, Flammennachbild, aufgehellt von den Zapfen, erfüllt von dem Geschrei der allgegenwärtigen Spatzen – großes Äugeln im Baumversteck –, sind die Oleanderblüten, Geruch nach Vanille, denn nichts? – »Oleander«, »Zypresse«, »Lorbeer« – nicht meine Wörter – bin nicht mit ihnen aufgewachsen – habe nie in der Umgebung des von ihnen Gemeinten gelebt – unsereiner kennt den Lorbeer höchstens als getrocknetes Blatt in der Suppe. – Und auch dieses Problem wird durch die Beschreibung noch verstärkt: Möchte ich von einer Palme erzählen, die mir, als ich vor ihr stand, ein Erlebnis war, so kommt mir das Fremdwort »Palme« dazwischen, mit dem der Baum selbst, samt Schuppenstamm und klatschenden Fächern, mir entschwindet. Immer neu könnte ich etwa den Schnee benennen, der gerade wieder an nördlichen wie südlichen Fenstern vorbeifliegt, den Wind, das Gras, die »Fichten«, die »Föhren« (das Nutzholz des Vaters), die »Pelargonien«, den »Dill«, doch sowie der im Binnenland Großgewordene etwa das »Meer« heraufbeschwören will, das er später so vielfältig erfahren hat, entzieht es sich mit dem ihm nicht angehörenden »Meer«-Wort. Nach wie vor ist es mir nicht geheuer, Dinge zu erwähnen, die dem Kind bloße Namen oder überhaupt unbekannt waren. Ja, auch alles Städtische will dem, dessen Kindheit auf dem Land vor sich ging, nur schwer von den Lippen und von der Hand, ob der »Hauptplatz« oder die »Straßenbahn«, der »Park« oder das »Hochhaus«. Selbst für einen Erzähl-Satz mit dem liebgewordenen Baum, dessen hellfleckiger

Stamm und pendelnde Samenkugeln ihn so oft aus der Dörflerversunkenheit holten und aufheiterten, und der ihm Süden und Stadt in einem verkörpert, mit der »Platane«, tut jeweils ein Sprung not, um das Gefühl von Anmaßung zu überwinden – so wie ich auch angesichts der Zypresse, die »nichts« für mich war und mich dabei doch so ansprach wie von weitem die scheinbare Klagemauer mit dem Himmel darüber, mir befahl, was ich mir jetzt wieder befehle: »Es muß etwas sein! Diese Dinge im Ausland sind genauso mein Teil wie zuhause Bildstock und Buchsbaum.« Das ruhig bedenken zu können war schon die Erhörung: als würde ich erst in der Ruhe, die dem Verfluchen zu folgen hatte, wahrgenommen. – Was für eine Expedition allerdings, für jeden erlebten Gegenstand neu das Gesetz seiner Benennung zu finden. Wohl euch Gläubigen! Verdammte Grenznatur!? Gibt es in der anderen Sprache nicht jenes eine Wort für den, den es »endlos auf der Welt hin und her schiebt«, sowie die entsprechende Sentenz: »Die fremden Türen werden dir gegen die Fersen schlagen«?

Abendbus, aus dem dann in der Vipava-Ebene, nach der letzten Berg-Tal-Enge, vor dem Küstenhochland des Karstes, längst ein Nachtbus geworden war. Durch die Luke im Dach schien der Mond herein und verrückte kaum von der Stelle; endlich ging es geradeaus. In dem vielen Gekurve und Abbiegen zuvor hatte ich das Gefühl der Himmelsrichtung verloren, welches erst wiederkehrte an dem Gasthausschild einer Haltestelle, bemalt mit einem Trauben- und Fische-Stilleben. Dann, herausgeleuchtet wie ein Wahrzeichen aus dem Dunkeln, der erste Rebstock, dem gleich die flirrenden Anfangszeilen der großen Weinhänge folgten. In dem Bus, voll wie er war, wurde unentwegt durcheinandergeredet; auch der Fahrer sprach, mit seinem Nebenmann auf dem Klappsitz, dem Schaffner (eigentümliche Gestalt in einem Überlandbus). Zugleich kam das Radioprogramm aus den Lautsprechern, Volksmusik im Einklang mit der Reisegeschwindigkeit, immer wieder unterbrochen von Nachrichten. Die Szenerie wurde bestimmt von den Soldaten, gedrängt im Mittelgang oder auf den Rücksitzen, dort einer oft auf den Knien des andern, an der einen Station im Rudel einsteigend, an der nächsten im Schwall wieder hinaus, gleich verschwunden hinter einer Steinmauer. Es verging auf der langen Fahrt keine Stunde ohne Rast. Der Chauffeur hielt entweder an einer Gaststätte oder einem Stehbüffet und gab die Pausenzeit an: »Fünf Minuten«; »zehn Minuten«. Ich stieg jedesmal mit aus und kostete von dem Wein, den die Einheimischen in einem Zug leerten. Mir war bald, als gehörte ich von nun an für immer zu diesem quietschenden nächtlichen Landstraßenbus, mit den aufgerissenen Sitzen und kaugummiverklebten deckellosen Aschenbehältern, wo alles Tempo und zugleich Gemächlichkeit war, und zu dieser schwätzenden, unneugierigen, unbestimmbaren Fahrgesellschaft, und als hätte ich da meine Strecke fürs Leben gefunden. Habe ich mich nicht dann und wann doch in Sicherheit gefühlt?

Als wir nach der letzten Rast wieder einstiegen, war unter uns ein fremder Soldat, in Uniform, aber ohne die Mütze. Er trug in der Hand ein verhülltes und verschnürtes Gewehr, das er auf der Fahrt dann aufrecht zwischen den Knien hielt. Er saß getrennt von seinesgleichen, in der Reihe vor mir. Ich hatte mit dem ersten Blick, nicht auf die Waffe, sondern das Profil, die Gewißheit, es würde etwas geschehen. Mit uns? Mit dem Soldaten? Mit mir? Die Aufmerksamkeit selbst, betrachtete ich seinen Scheitel, einen vielfach gebrochenen Wirbel, in dem ich, von hinten, mich selber sah. Kurzgeschorenes Haar, das da emporstand und ein Doppelbild, eines jungen Soldaten und eines gleichaltrigen Niemand, gab. Endlich würde dieser erfahren, wer er war (von einem Dritten beschrieben, hatte er sich jedesmal entweder verkannt oder überschätzt gewußt, dem eigenen Bild – wenn ihm eins glückte – hatte er keinmal glauben können, und doch war die Frage »Wer bin ich?« oft so dringlich geworden wie ein Stoßgebet); endlich hatte er vor sich die Hauptperson aus der Kindheit, seinen Doppelgänger, der, da war er ganz sicher, irgendwo in der Welt zugleich mit ihm aufwuchs und eines Tages, ganz bestimmt, einfach dasein wird als der wahre Freund und, statt ihn nur immer zu durchschauen wie sogar die eigenen Eltern, ihn wortlos versteht und freispricht, wie er umgekehrt ihn, mit einem erkennenden Lachen oder bloßen Aufatmen; endlich blickte er in den untrüglichen Spiegel!

Dieser zeigte ihm zunächst eine Gestalt, die jedem gefallen mußte. Ein junger Mensch saß da, vollkommen unauffällig, im Aussehen kaum unterschieden von seinen Altersgenossen, der sich aber von den anderen abhob, indem er, ohne sich eigens abzusondern, für sich blieb. Es entging ihm nichts von dem, was sich um ihn herum tat, doch er nahm Anteil nur an dem, was ihm entsprach. Während der ganzen Fahrt kam von ihm kein Seitenblick, der Kopf blieb stets geradeaus gerichtet, der Körper verrückte nicht von seinem Platz, und die halb geschlossenen Augen mit den selten zuckenden Wimpern gaben ein Bild des Nachdenkens und zugleich der Wachsamkeit. Er konnte sich gerade einen sehr fernen Ort vorstellen und würde dabei, ohne in seiner Phantasie innezuhalten, mit der einen Hand ruhig das Paket auffangen, das, für jeden sonst unvermutet, zu Häupten seines Nebenmanns aus dem Gepäcknetz kippte; hätte es, ehe man sichs versähe, schon wieder verstaut und zeigte, als sei nichts geschehen, sein einmaliges Blinzeln, das vielleicht einem Berg in der Antarktis galt. Besonders waren es die Ohren, welche den Sinn für die Gleichzeitigkeit von Anwesendem und Abwesendem, so bezeichnend für den jungen Mann, ausdrückten: Sie merkten auf jedes Geräusch in dem fahrenden Bus und konnten sich ebenso eines im selben Moment kalbenden Gletschers, der sich in den Städten aller Erdteile gerade dahintastenden Blinden oder des jetzt wie immer schon im Heimatdorf dahinrinnenden Baches bewußt sein. Sie hatten dabei kein Merkmal, außer daß sie, dünn, durchscheinend, gläsern, ein wenig abstanden; blieben auch unbeweglich; der Gedanke, sie seien unbeirrt tätig, ja das einzig Tätige weit und breit, Sammelstelle für außen und innen, der Mensch buchstäblich ganz Ohr, kam wohl eher von seiner geradezu statuenhaften Haltung, fahrtlang bewahrt, eines Wartenden und auf alles Gefaßten. Was auch immer passierte, er wäre dafür bereit; ließe sich davon zwar berühren, doch nicht überraschen.

Das war die Fahrt. Die Ankunft im Kasernenort freilich entkräftete das Standbild, und es galten nur noch einzelne Umsprungbilder, mit jedem Blick ein andres. Ich bin in den späteren Jahren oft in Vipava gewesen und habe das Dorf, die Stadt, die »Herrschaft« an dem Fuß des »heiligen« slowenischen Berges Nanos (weißes, alleinstehendes Kalkriff, Weggefährte des Gehenden, sich drehend und die Gestalten wechselnd, ebenso Seelennährstoff wie Umriß und Markenzeichen auf vielen profanen Landesprodukten), mit dem Gewässer des gleichen Namens (mehrere Quellen, die, eine neben der andern, völlig lautlos, unmittelbar unten aus den Felsritzen treten, sich sammelnd in Gruben, tümpelhaft, ebenso lautlos, und dann auf einmal allesamt zusammenschießen zu einem einzigen, aufbrausenden, zwischen den Steinhäusern und unter einer Reihe von Steinbrücken schallenden, den Überhang der Saumbäume, der wilden Feigen, im Strömungswind mitziehenden, ins weite Tal hinausschäumenden und dort alsbald wieder sich beruhigenden Fluß), samt dem nach ihm benannten Wein (weiß, grasig und fast bitter), erfahren als einen Ort, den ich, so lange wie möglich, immer wiedersehen will, um nicht zu vergessen, daß ich die Welt werden kann und mir selber wie dieser das auch schuldig bin. Doch beim ersten Mal dort hatte ich Augen nur für den Soldaten, den ich nun, aufgeregt, und zugleich kühl und auf der Hut wie ein Detektiv, bis zum Ereignis beschatten mußte: Einiges habe ich inzwischen erlebt – keine Begebenheit so unerhört wie die mit meinem Doppelgänger. Dabei war Vorsicht gar nicht vonnöten; ich hätte dem andern die Schuhe von den Fersen treten können, und er wäre barfuß, ohne sich umzublicken, weiter geradeausgegangen. Immer dieselbe Linke hielt das verpackte Gewehr umgriffen, aber bedeutsamer noch erschien mir die freie Rechte, an der Daumen und Zeigefinger einen Kreis bildeten. Ich folgte ihm zunächst ins Kino, wo er einmal in der

Masse der war, der lachte; dann in ein Lokal namens »Partisan«, wo nur der Kellner und ich Zivilleute waren. Als was gab ich mich aus? Der einzige mit dieser Frage war ich; die Truppe übersah mich.

Der Soldat gesellte sich an den Tisch zu den andern, bloßer Zuhörer. Und hier begannen die Bilder umzuspringen. Manchmal erscheint mir im Halbschlaf ein Gesicht, an dem sich der Ausdruck ändert mit der Geschwindigkeit von Zehntelsekunden-Ziffern: So wechselte auch mein Doppelgänger, den ich keinen Moment aus den Augen ließ, immerzu seine Mienen. Der Ernst schlug um in Belustigung; die Belustigung in Spott; der Spott in Verachtung; die Verachtung in Mitleid; das Mitleid in Abwesenheit; die Abwesenheit in Verlassenheit; die Verlassenheit in Verzweiflung; die Verzweiflung in Verfinsterung; die Verfinsterung in Verklärung; die Verklärung in Sorglosigkeit; die Sorglosigkeit in Unernst. Er hörte zwischendurch auch gar nicht zu, ließ sich ablenken von einer Fliege, beirren von den Ping-Pong-Spielern draußen im Flur, wegtragen von der durch den Saal dröhnenden Jukebox. Wenn er freilich zuhörte, zeigte er sich als die Instanz im Raum, und es war auffällig, daß für die, die sich von ihm abwandten, immer neue nachrückten und ihm ihre Sache vortrugen. Selbst wenn er einmal allein saß, wurde er doch allseits beäugt, so als warteten seine Kameraden entweder auf ein Zeichen von ihm oder, noch mehr, auf eine Blöße. Ja, ich erkannte

in ihm einen Ausgesetzten, einen, den die andern, weil
er alles in einem war, doch nichts auf die Dauer,
belauerten, um sich, so oder so, an ihm zu messen.
Und er war sich, zum Unterschied von der Fahrt,
dessen auch bewußt und verlor allmählich, was ihn
am meisten ausgezeichnet hatte, die Fassung. Nichts
mehr war ihm natürlich, und das Unnatürlichste dabei
wurde er selber. Nicht nur wechselte er ständig die
Miene, sondern auch die Haltung; schlug die Beine
übereinander, streckte sie aus, zog sie unter den Stuhl,
probierte es vergebens mit angewinkeltem rechtem
Bein lässig auf linkem Knie. Verschwunden von der
ganzen Gestalt das schöne Miteinander von Nähe und
Ferne, welches auf den Betrachter Sammlung, Acht-
samkeit, Sanftmut und vor allem Reinheit übertrug;
statt dessen ein so entstellendes wie abstoßendes
Durcheinander starrer Augen, roter Ohren, schiefer
Schultern und einer Hand, die, zur Faust geballt, nach
einem Glas griff und es umstieß. So war ich also?
Schluß der Fahrt, Ende des Traums? Die Frage schlug
um in Entsetzen; das Entsetzen in Ekel; aus dem Ekel
wurde die Erkenntnis des Ekels (vor mir, dem andern, dem Dasein) als der Krankheit unseres Ge-
schlechts; die Erkenntnis der Krankheit verwandelte
sich in Verwunderung; die Verwunderung in Innehalten. Als was begegnete mir nun der Doppelgänger?
Als Freund, wie ihn das Kind sich erhofft hatte? Als
Feind, wie er, ab jetzt lebenslänglich mein Begleiter,

furchtbarer nicht sein konnte? – Selbst die Antwort ergab ein Umspringbild: Freund-Feind-Freundfeind-Feindfreund . . .

Es war gegen Mitternacht, und die Gaststätte leerte sich. Die urtümliche Wurlitzer an der hinteren Wand war überdacht mit einer Glaskuppel, in der sich, getaucht in gleißendes Licht, emporgehievt von einem Greifarm, aufrecht wie ein Rad, eine schwarze Scheibe drehte; ein Anblick so bestimmend, daß die Musik, wie auch immer, nur sein Beiklang war. Der Soldat und ich, wir schauten beide in dieselbe Richtung, durch den großen düsteren Raum, und zugleich mit dem Räderkreisen an dessen Ende – im Licht erglänzende Rillen – sah ich wieder die Scheitellinie des andern, mehrfingrig wie ein Delta.

Wir gingen beide hinaus, ich wieder hinter ihm, standen beide auf dem menschenleeren Platz, gesäumt auf der anderen Seite von einer Abordnung steinerner Zwergfiguren aus dem Kaiserreich, blickten zum Asphalt, unserem Vaterland, hinauf zum Mond, unserem Haustier, zur Seite, wo nichts war. O slowenische Sprache, die, welche lebende Sprache sonst?, für das, was zwei tun oder lassen, eine eigene Form hat, die Zweizahl, den Dual; inzwischen auch da im Verschwinden; gebräuchlich allein in der Schrift!

Wir machten zur Kaserne einen Umweg am Fluß entlang, wobei mein Abstand größer und größer wurde. An einer Sandbank traf ich statt des Soldaten nur noch die Spur seiner Schnürschuhe an, kreuz und quer da eingetrampelt, ein Abdruck oft über dem andern, alle verwischt, Schlammballen am Rand, so als habe in dem Kreis gerade ein Zweikampf auf Leben und Tod stattgefunden.

Ich sah ihn erst wieder in einem Fenster der Kaserne. Er stand da im Finstern, doch ich erkannte ihn an der Silhouette. Er hielt in der Hand eine Kugel, die ein Apfel sein konnte, oder auch ein wurfbereiter Stein. Als er an einer Zigarette zog, trat für den einen Moment das mir so vertraute wie unheimliche Gesicht hervor, und ich nahm wieder, wie auf der Fahrt, die forschenden Augen wahr. Ich dachte dabei aber an die Augen eines Forschers, der nichts entdecken will, dafür Bekanntes unbekannt machen; den Bereich des Unbekannten abschreiten und vergrößern.

Es war eine warme stille Nacht, und ich verkroch mich in einen abgestellten Bus, den ich offen fand. Ich streckte mich auf der hintersten, durchgehenden Sitzreihe aus, den Seesack wieder als Kopfstütze; nach dem ersten Unbehagen war das mein Platz.

Trotzdem konnte ich nicht einschlafen. Der Wagen knisterte, als würde er gleich losfahren, und der Mond leuchtete mir in die geschlossenen Augen, grell wie ein Scheinwerfer. Ich dachte an den Herbst und die Militärzeit, die mir, anders als bisher, auf einmal vorstellbar war. Alle Anstrengungen im Leben hatte ich jeweils allein unternommen, und so war mir in der Regel, kam ich danach wieder zu Atem, als sei nichts gewesen; unmöglich, mit Genugtuung sich selbst zu erleben. Bei den Soldaten aber, so meine Vorstellung, versicherte, nach dem gemeinsamen Überqueren eines Gebirges oder einem Brückenschlag, einer dem andern erst die Tatsachen, einfach indem man als Gruppe, jeder gleichermaßen erschöpft, irgendwo am Wegrand lag. Und erschöpfen wollte ich mich, immer wieder; war ich schon kein Dörfler geblieben und kein Arbeiter geworden, so war die Erschöpfung meine einzige Rechtfertigung!

Dann bedachte ich dagegen die Rede, die nach der Tauglichkeitsprüfung ein dazu aus der Garnisonsstadt angereister Wehrertüchtiger den Landburschen gehalten hatte. Auf dem Absatz wippend und mit der Faust auf das Pult hämmernd, hatte der Offizier in die Ferne gestarrt und war dort des eisigen Tundrawindes zwischen den Heldengräbern innegeworden, den er tief eingeatmet und dann, in einem einzigen, langandauernden Gebrüll, den Weichlingen und Feiglingen zu seinen Füßen in die Ohren geblasen hatte, worauf er, nach einem letzten, markerschütternden Tusch mit seinen blechernen Tschinellen – »Kein schönerer Tod als der Tod im Feld!« – und dem gemeinsamen, immer wieder um Worte verlegenen Absingen der Staatshymne, die Hacken zusammenschlagend und sich mit der Handkante an die Stirn tippend, durch eine Fall-

tür zurück in seine Hölle gesaust war; für den jungen
Filip Kobal die erste Begegnung mit einem Wahnsin-
nigen und Gemeingefährlichen, für sämtliche Altersgenossen dagegen ein Naturereignis, unter dem sie
sich, wie damals in dem für die Rede abgedunkelten
»Mehrzwecksaal« der Bezirksstadt, vielleicht ducken
bis zum heutigen Tag. Aber das Erlebnis der Einsamkeit, strahlte es nicht zugleich ein befreiendes Licht
aus?

Der in seinem Bus Liegende sah vor sich schließlich
eine Meeresstraße, und es war der Krieg erklärt. Kein
Mensch auf der Welt außer zwei Wachtposten, einer
diesseits, der andre jenseits des Sunds, beide weit
draußen im Wasser, ein jeder auf einer schmalen, auf
den Wellen schwankenden Scheibe, und eine Stimme,
die sagte, gleich würde man erfahren, weshalb die
Kriege das einzig Wirkliche seien.

Als ich erwachte, wußte ich nicht, wo ich war. Kein
Schrecken, sondern Verzauberung. Der Bus stand,
doch in einer fremden, andersfarbenen Gegend; der
Mond, gerade noch glühend, ein blasser Tagmond
geworden, als die einzige Wolke am Himmel, rund,
klein, der runden kleinen Sonne genau gegenüber.
Ich wußte nicht, wie ich von dem einen Ort zum
andern gekommen war; höchstens erinnerte ich mich
an ein häufiges Schalten der Kupplung und ein die
Scheiben streifendes Gebüsch. Die Falttür war offen,

und draußen traf ich auf den Fahrer, der mir gleich-
mütig – es konnte jetzt alles nur märchenhaft sein –
einen guten Morgen wünschte und dem Burschen wie
einem alten Bekannten von seinem Frühstück an-
bot.

Der Bus stand auf offener Strecke, doch von der
Straße führte ein Feldweg zu einem Dorf, wie ich es
noch nie gesehen hatte; von dort kamen dann auch die
Fahrgäste, alle auf einmal, wie aus einem einzigen
Haus; hier war wohl der Abfahrtsort. Sie bewegten
sich im Pulk und waren für den Werktag irgendwo
auswärts gekleidet, darunter ein Gendarm, der neben
den andern in seiner Uniform als der Marschall auftrat. Kaum waren sie eingestiegen und außer Sicht,
wirkte das Dorf, wie schon auf den ersten Blick,
unbewohnt, ein der Geschichte entrücktes hellgraues
Steinmal, eins mit dem leeren windigen Umland. Wie
ich mich näherte, hörte ich freilich ein Radio, roch
Benzin und begegnete einer ernüchternd häßlichen
älteren Frau, die einen Brief in den üblichen gelben
Kasten warf. Warum begrüßte sie mich nur dabei als
den »Sohn des verstorbenen Schmieds, endlich wieder einmal daheim«, lud mich auf die Hofbank, windgeschützt hinter hohen Mauern, brachte mir eine
Schüssel, mich zu waschen, nähte mir die fehlenden
Knöpfe an den Rock, stopfte mir die Socken – anders
als der Bruder war ich nie fähig, meine Sachen zu
schonen; ein Hemd, an ihm nach zehn Jahren wie neu,

hatte ich am ersten Tag zerrissen –, zeigte mir die Photographie ihrer Tochter, bot mir Wohnung in ihrem Haus an? Als sei es so Märchengesetz, stellte ich keine Fragen, und fragte weder nach dem Namen des Ortes noch des luftigen freien Landes, dessen Grenze, einen Übergang wie zuvor und danach keinen, ich im Schlaf gequert hatte, und wo, ganz anders als bisher unterwegs, nichts mir vertraut vorkam; ich wußte auch so, daß ich im Karst war.

Die Verwunderung und die Beklommenheit, in einem Märchen zu sein, gaben sich bald, mit dem linoleumbespannten Küchentisch, der ersten Schlagzeile einer Zeitung (keine Verschleierung mehr durch die andere Sprache), der einen Zisterne, wo ein Schild daran erinnerte, daß im Weltkrieg der Schacht den Widerstandskämpfern als Geheimsender gedient hatte. Dennoch ist der Karst, zusammen mit dem verschollenen Bruder, der Beweggrund dieser Erzählung. Kann aber von einer Landschaft überhaupt erzählt werden?

Der Karst-Sog, schon beim Kind, begann mit einem Irrtum. Von klein auf hatte ich die schüsselförmige Senke, in der sich der Obstgarten des Bruders befand, für eine Doline, die am meisten augenfällige Erscheinung des Karstes, gehalten. Sie allein war es, welche unsre unscheinbare Jaunfeld-Ebene interessant machte; die paar Bombentrichter im Dobrawa-Wald waren gerade groß genug für Abfallgruben, und die Drau floß so tief verborgen unten in ihrem Trogtal, befahren weder von Schiffen noch von Booten (höchstens einst nächtlich überquert von den Partisanen in Waschzubern), daß wohl keinem im Dorf Rinkenberg jemals bewußt war, an einem richtigen, ja bedeutenden Fluß zu leben. Die Mulde im Flachland war das einzig Sehenswürdige bei uns, nicht ihrer Form, sondern ihrer Einmaligkeit wegen: Hier sei, dachte der Schüler stolz, so weit nördlich des Karstes, wie dort an unzähligen Stellen, eine unterirdische Höhle eingebrochen, und von oben sei das Erdreich nachgerutscht und habe den fruchtbaren Schüsselboden gebildet. Wo sich einmal etwas ereignet hatte, da würde sich, so mein Kinderglaube, in Zukunft wieder etwas, etwas ganz anderes, ereignen, und mein Blick in die vermeintliche Doline war einer der Erwartung und zugleich Scheu.

Als mich der Lehrer (für Erdkunde und Geschichte) dann aufklärte, hatte der Schein, der langjährige, sein Werk schon getan, und wenn es ein Ziel für mein Fernweh gab, war es der Karst. Ich hatte dabei gar kein Bild von ihm, es sei denn nackten Fels, darin eingelassen, dicht auf dicht, die Dolinentrichter, mit der roten Erde am Grund. Einmal sitzt der Halbwüchsige in meiner Erinnerung zuhause an der Fensterbank und bricht, bei dem Gedanken an das unbekannte Küstenplateau hinter allen Bergen, in Tränen

aus, so heiß, daß sie, anders als das zeitweise Kinder-
geplärre, die Kraft eines Aufschreis haben: Sie sind,
das erkenne ich jetzt, das erste, was er ungefragt, aus
eigenem, von sich gab – sein erstes eigenes Wort.

Jener Lehrer ist es auch wieder, von dem ich jetzt das
Verfahren übernehme, für den Versuch meiner Karst-
Erzählung den Anfang zu setzen (obwohl, entsprechend dem Aufweinen damals an der Fensterbank, es
in mir eine Stimme gibt für das bloße »O Geflügelter
Felsen!«). Er begann seine Herzensgeschichte, die der
Maya, zwar mit einem Ausruf, entwickelte sie dann
aber, statt aus einem historischen Ereignis, aus dem
Erduntergrund. Die Geschichte eines Volks, so
meinte er, sei vorgezeichnet von der Beschaffenheit
des Bodens und könne nur gesetzmäßig erzählt werden, wenn dieser in jeder Phase mitspiele; die einzige
wahre Geschichtsschreibung habe immer zur gleichen Zeit Erdforschung zu betreiben. Er traue sich
sogar zu, allein von den Formen eines Landes den
Zyklus eines Volks abzulesen, und ob sich da bei den
Einwohnern Zyklen wie Volk überhaupt hätten bilden können. Auch die Halbinsel Yucatán, das Land
der Maya, sei ein Karst, eine ausgehöhlte Kalkplatte,
doch im Unterschied zu *dem* Karst, dem »Mutter-
karst«, der Hochfläche über dem Golf von Triest, von
dem alle vergleichbaren Erscheinungen in der Welt
ihren Namen hätten, dessen »Umkehrform«: Was
über dem Mittelmeer Schwärme von Trichtern seien,

würde in den Tropen aufgestülpt zu Türmen und Kegeln; wo in Europa der spärliche Regen und auch die aus dem Landesinnern heranströmenden Flüsse von dem rissigen Kalk auf der Stelle verschluckt würden, sprudelten die zentralamerikanischen Regengüsse aus den Gesteinslöchern wieder zurück, sogar als Süßwasserbrunnen draußen vor der Küste, im salzigen Atlantik, und die Maya seien, zu ihrer Zeit, da hinausgerudert zum Schöpfen.

Nach der Doktrin des Lehrers hätten demnach die Leute im Ur-Karst das »Umkehrvolk« zu den Maya sein müssen. Stiegen sie nicht zu ihrer Feldarbeit, statt hinauf zu den Terrassen, hinunter in die Dolinen; zeigten sich ihre Heiligtümer nicht deutlich auf den kahlen Kuppen, statt sich zu verbergen im Urwald; waren für sie ihre Grotten nicht Zufluchtsstätten, während die Maya darin ihre Menschenopfer darbrachten; bestanden nicht all ihre Bauwerke – nicht nur der Tempel, auch die entlegene Feldhütte – statt aus Holz und Maisblättern, aus festem Stein, das Haupthaus ebenso wie der Hühnerstall, die Schwelle ebenso wie das Dach, und hier und dort sogar dessen Rinne?

Trotzdem sind die auf dem Feldweg zum Bus Gehenden und die sehr dicke Frau, die mich aufnahm, und alle, die ihr nachfolgten, in meinem Gedächtnis zu einer Prozession von Indianern geworden. Waren diese ein Volk? Slowenen oder Italiener zu sein, schien mir jedenfalls nicht ihr Hauptmerkmal. Doch zu einem Volk für sich waren die Karstleute, trotz der Größe ihres Gebiets und der hundert Dörfer, zu wenige. Oder vielleicht waren sie viele: Ich habe sie jedenfalls immer nur einzeln, zu zweit oder zu dritt gesehen; mehrere zusammen höchstens in der Kirche, im Bus und im Zug, und in dem einen Karstkino. Ein einzelner stand auf dem Friedhof; ein einzelner oder zwei (in der Regel Mann und Frau) harkten unten in ihrer Doline; drei (in der Regel Veteranen) saßen kartenspielend im Steinwirtshaus. Nie habe ich sie in einer Runde erlebt, oder im Kreis, versammelt zu einem gemeinsamen Zweck; zwar fehlten auch hier nicht die Tito-Porträts, aber mir war, als seien dort oben auf dem Plateau sowohl Staatsmacht wie politisches System bloße Formsachen; so spärlich und klein waren ja die Nutzflächen in dem Ödland, daß ein Kollektiv nicht einmal in Frage kam: Der Acker vom Ausmaß eines Apfelbaumschattens am Grund der Doline, weit außerhalb des Dorfs, konnte nur im Besitz eines einzelnen sein. Warum hatte dann freilich jener Bauernaufstand von Tolmein auch übergegriffen auf den Karst und da nicht mehr nur um das »alte Recht«, sondern die »endliche Befreiung« gekämpft, mit der Parole: »Wir wollen keine Rechte, wir wollen den Krieg, und das ganze Land wird sich uns anschließen«? Warum waren hier in den folgenden Jahrhunderten mehr Schulen gegründet worden als anderswo? Warum stelle ich mir vor, der Kellner aus der Wochein und der Soldat von Vipava würden einander, als Passanten in einer gesichtslosen Menge, sofort erkennen und, wenn auch nur mit einem Blick, begrüßen als Versprengte von der heimatlichen Hochfläche, wo sich die Erde, statt als neuzeitliche Kugel, noch als Scheibe darstellt? Trotzdem: Ein eigenes Volk (samt Zyklus) ist mir im Karst nicht begegnet; dafür eine Einwohnerschaft, für die in allen Himmelsrichtungen »unten« oder »draußen« ist, ein Miteinander und ein Ortsbewußtsein entsprechend dem einer Weltstadt, mit Unterschieden von Dorf zu Dorf genau wie dort zwischen den einzelnen Bezirken (im Wörterbuch des Bruders hatte der Karst von ganz Slowenien die meisten Sprachfundorte), nur daß jeder Stadtteil für sich allein, eine Fußstunde vom nächsten, im Niemandsland liegt, und keiner den Ruf des Elendsviertels, des Viertels der Bürger oder des der Reichen hat: Zu allen gehen die Straßen, kaum eine mit Namen, gleichermaßen bergauf, im Süden der Stadt vielleicht eine Zeder oben vor der Kirche anstelle der Kastanie am Nordrand, und am Westrand vielleicht ein italienischer Name mehr auf dem Gefallenendenkmal. Unvorstellbar sowohl eine Notunterkunft wie eine Villa; das einzige Schloß, erbaut von den Venezianern, die den Karst, wie zuvor die Römer, für den Bau ihrer Schiffe abgeholzt und so erst die wasserschluckende Steingegend vollendet haben, steht, verlassen und verfallen, die geschweiften Zinnen des Dogenreichs unzugehörige Schnörkel in der sonstigen Einförmigkeit und Geradlinigkeit, auf seiner Felskuppe da wie ein Wüstenschloß.

Das Volk, zuhause immer wieder von den einen zitiert, von den andern beschworen: Im Karst entbehrte ich es nicht; fand auch keinen vertriebenen König zu betrauern; brauchte auch nicht mehr, wie in der heimischen Umgebung, als die Siegel des versunkenen Reiches, die leeren Viehsteige und die blinden Fenster zu suchen; die Häuser hier konnten ohne die Sockel und die Zierrillen bleiben – und im Blick nach Norden, wo sich über dem Rücken des Nanos meine mitteleuropäische Wolkenbank staut, sage ich: Sie *sollen* es!

Woher kam, schon mit dem ersten Sich-Umblicken damals, diese Freiheit? Wie kann eine Landschaft überhaupt etwas wie »Freiheit« bedeuten? Ich habe den Karst in dem vergangenen Vierteljahrhundert ja noch viele Male betreten, beladen mit Rucksäcken (der einzige Mensch dort mit solch einem Ding), Taschen und Koffern – und warum ist mir, als habe ich die Arme und Hände immer freigehabt, als sei schon mit dem ersten Tag der Seesack, den ich dabei doch überall mitschleppte, von meiner Schulter verschwunden?

Als Antwort fällt mir zunächst nur der Karstwind ein

(und vielleicht dazu noch die Sonne). Es ist ein Wind, der in der Regel aus dem Südwesten kommt; ein Wind, der von der Adria aufsteigt zu dem Plateau und als steter, im Sitzen oder Stehen kaum wahrnehmbarer Luftstrom über dieses hinwegzieht. Das Meer, nur an ein paar geradezu geheimen Stellen des Karstes zu erblicken, ist in dem Wehen eine nie verebbende, mächtige Ahnung, weit verläßlicher und wirksamer, als befände man sich tatsächlich davor oder segle sogar weit draußen, allem enthoben, dahin. Das Salz im Gesicht zu spüren, ist sicher nur eine Einbildung, nicht aber die wilden Kräuter vom Wegrand, den Thymian, den Salbei, den Rosmarin (allesamt zäher, kleiner und ursprünglicher – jedes Blatt und jede Nadel zugleich schon die Essenz des Gewürzes – als in unseren Küchengärten), den Duftballen der fast schon afrikanisch knorrigen Minze, die Blütenlippen der Mannaesche, das aus den Bäumen tropfende Kiefernharz, die an ein scharfes Getränk erinnernden Wacholderkugeln (ohne die Gefahr, sich daran zu berauschen). Dieser Wind ist nicht bloß, weil er unten vom Meer kommt, ein Aufwind: Er greift einem, ungeheuer sanft, unter die Achseln, so daß der Gehende, auch wenn er sich ihm entgegenbewegt, sich von ihm transportiert fühlt. Gibt es nicht, vor allem im Süden, alte Küstenvölker, deren größtes Fest es ist, sich zu gewissen Zeiten auf die verlassenen Hochflächen zurückzuziehen, wo sie im verborgenen den

Wind dort feiern und sich von ihm sozusagen einweihen lassen ins Welt-Gesetz?

Als eine solche Einweihung erlebte ich auch, wieder und wieder, den Karstwind – doch in welches Gesetz? War es überhaupt ein Gesetz? Einmal hatte mir die Mutter die Augenblicke meiner Geburt erzählt: Obwohl ihr letztes Kind, nach den zwei andern, sei ich über die Zeit, mich dann auch nicht mehr bewegend, in ihr geblieben; endlich im Licht der Welt, hätte ich, nach einem ersten Wimmern, einen Schrei ausgestoßen, für den die Hebamme den Ausdruck »wie eine Siegesfanfare« gebraucht habe. Die Mutter hat mich mit ihrer Erzählung vielleicht erfreuen wollen; doch ich empfand dabei ein Grauen, als sei die Rede statt von meiner Geburt von meinem Tod. Statt meiner ersten Augenblicke beschrieb man da meine letzten, und es würgte mich, so als würde ich unter jenem Fanfarenklang gerade zur Hinrichtungsstätte gezerrt. In der Tat hatte ich ja der Mutter immer wieder vorgeworfen, mich geboren zu haben. Ich bedachte den Vorwurf gar nicht, er fuhr aus mir heraus, weniger ein Fluch als eine Leier, einmal, wenn mich der Feind verfolgte, ein andermal, wenn die Frostbeulen oder auch nur ein Niednagel brannten, manchmal bei einem bloßen Blick zum Fenster hinaus. Die Mutter nahm sich mein Lamento zu Herzen und brach dabei jedesmal in Tränen aus, mir aber war es nie ganz ernst damit; in dem Heranwachsenden stritt mit den Launen von Ekel und Unwillen etwas Beständiges, eine Vorfreude, die freilich stumm blieb, weil sie ohne Gegenstand war. Dieser ging ihm nun auf am Beispiel der Landschaft des Karstes, und er konnte seiner Mutter, mochte es dazu auch zu spät sein, sagen: Ich bin einverstanden, geboren zu sein. Und der Karstwind? Ich wage das Wort: Er hat mich damals getauft (wie er mich heute wiederum tauft), bis in die Haarspitzen. Doch einen Namen hat der Taufwind nicht seinem Täufling gegeben – gehörte zur »Freude« nicht »namenlos«? –, sondern dem Grasmittelstreifen auf dem Karrenweg, den Geräuschen der verschiedenen Bäume (ein jedes hieß anders), der Vogelfeder, die über eine Lache trieb, dem durchlöcherten Stein, der Doline des Mais, der Doline des Klees, der Doline mit den drei Sonnenblumen: den Dingen im Rund. Von jenem Fächeln habe ich mehr gelernt als von dem fähigsten der Lehrer: Mir die Sinne schärfend, alle zugleich, zeigte es mir im scheinbar Wirrsten, der menschenfernen Wildnis, Form um Form, eine klar getrennt von der andern, und eine die Ergänzung der andern, und ich entdeckte das nutzloseste Ding als einen Wert und kam in den Stand, die Dinge zusammen zu benennen. Ohne den Karstwind hätte ich auch von dem eher windstillen Kärntner Dorf nichts so erzählen können; stünde keine fortlaufende Inschrift auf meiner Stele. Ergab das nicht ein Gesetz?

Was aber war mit dem Gegen-Wind, der aus dem

Norden blasenden berüchtigten Burja (oder Bora), einem einzigen frostigen Sausen über die Hochfläche, wo dann nichts einem mehr duftete, und einem Sehen und Hören verging? Da gab es, war man draußen irgendwo, den Weg hinab in die Dolinen, die unter dem Wind lagen und auf deren Boden sich dann auch, ohne Scheu voreinander, das Karstwild sammeln konnte, ein kleines gedrungenes Reh neben einem Hasen und einem Rudel dunkler Wildschweine; oben an dem Rundhorizont der Schüssel standen die Bäume gleichmäßig schräg, und unten zitterte kaum das stopplige Gras, schwankten kaum Bohnenranken oder Kartoffelstauden. Selbst ausgesetzt dem Sturm auf der Hochfläche, ohne einen Dolinenschutz, brauchte man sich nur hinter einen der vielen da aufgeschichteten Steinwälle zu setzen, und war von einem Moment zum andern aus der sirrenden Eiseskälte in ein stilles Warmbad getaucht. In diesem Schutz hatte man entweder Zeit, an jene Schlacht des Altertums zu denken, wo die Bora zwei gegenüberstehenden Heeren die Pfeile und Speere einerseits über die Köpfe der Feinde hinausgetragen und andrerseits vor die Füße geworfen hatte, oder bekam, wie im fächelnden Westwind für den Wert der Naturdinge, Augen für das Menschenwerk, die Steinwälle ebenso wie die kleinen Holzgatter darin, ein Muster aus parallelen Stangen, geschnitten aus dem Gestrüpp nebenan, so schmal, so krumm, die Zwischenräume so groß, daß darin das Urbild eines Gatters, einer Tür, eines Tors, einer Pforte kenntlich wurde: So wie die Natur für das Ausformen von Kristallen die Zwischenräume nötig hatte, so das forschende Auge für das Innewerden der Urbilder. Selbst ein Weg, sich dann verlaufend in Steppengras und Wüstenfels (der ganze Karst war durchzogen von solch trügerischen Zielverheißungen), war nicht irgendein Trampelpfad, sondern *der* Weg, ein Bauwerk, indem er, zumindest bis auf die Höhe der Nutzfläche, der Oase, der Doline, eine klare Dreiheit von Randmauern, zurechtgeklopften Fahrbahnen und aufgewölbtem Mittelstreifen zeigte.

Diese Erscheinungen, draußen im Unbewohnten für sich – ein Einödhaus gab es auf dem Hochland nirgends –, wuchsen in den Dörfern zusammen. Gerade die Bora rückte das Einzelne aneinander und ließ das Einssein erkennen von Wehrhaftigkeit und Schönheit. Die Nordfassaden, Stein verzahnt in den Stein, kaum eine winzige Luke darin, dabei oft kirchenschifflang, sich in einem großen sanften Bogen von dem Sturmwind wegkrümmend, wichen ihm so elegant aus, und die Hofmauern, höher als mancher Feigenbaum dahinter, nach oben hin abgerundet, mit Marmorportalen von der Spannweite einer Fürstenkarrosse (samt den standesgemäßen weißen Prellsteinen und dem Monogramm IHS im Scheitel), umfriedeten ein Geviert, das man, von dem Getöse noch halb blind und taub, betrat als einen Schauraum, einen

Bazar gesammelter Kostbarkeiten, wo der Sägebock zusammenspielt mit dem Weinspalier, die Reisigbündel mit der Maiskolbenwand und den Kürbishaufen, der Flechtwagen mit der hölzernen Balustrade, das Zelt aus Stützstangen mit dem Brennscheiterzug (leg deinen Haselstock und das Tuch mit den Pilzen dazu auf die Hofbank, sie passen ins Bild). Die Häuser des Karstes, Trutzburgen von außen, eine in die andre verschachtelt, mit Kaminen obenauf, die eigene Häuser sind, konnten im Innern umso zierlicher sein; brauchen kein Tonnengewölbe; wölben sich nur draußen leichthin gegen die Witterung.

In keinem der Gebäude dort sah ich, was man ein Kunstwerk nennt: Warum ging mir dann aber fast bei jedem Blick in einen Hofraum – auch bloß im Vorbeigehen – das Herz auf wie in den Bilderausstellungen, sogar den prächtigsten, einzig zu den heiligen Zeiten, und lud ein Schemel, mit einer Sitzfläche gerade breit genug für den Hintern eines Kleinkinds, ein, darauf zu thronen? Auffällig dabei, daß so viele Erzeugnisse der Karstleute die Hauptform der Landschaft, das Rund der Dolinenschüsseln, wiederholten; daß all die grazilen Körbe, gebauchten Fuhrwerke, gemuldeten Hocker, mit einem Bogen gekrönten Heurechen dem einzig Fruchtbaren des Landes, der Mutter Doline, zu huldigen schienen, wie ja auch die hölzerne mittelalterliche Madonna in jener Kirche den entsprechend sich vorwölbenden Bauch hatte.

Ohne die Gestelle und Geräte des Karstes hätte ich auch nie die Hinterlassenschaften meiner Vorfahren würdigen können, weder den Obstgarten des Bruders noch die Dachstühle und das Mobiliar des Vaters. Immer bis dahin hatte ich mir unser Anwesen verziert gewünscht, nicht mit einem blinden Fenster allein, sondern auch noch einer Statue darin, daneben vielleicht dem Fragment eines jahrhundertealten Freskos, und drinnen im Haus einem Ornamentteppich oder dem Rest eines römischen Mosaiks; die Ziehharmonika des Bruders in einem Winkel, mit ihren Perlmuttasten, schimmerte da schon als ein Schmuckstück, und ein Ereignis war es, wenn die Farbrolle alle paar Jahre den Wänden ein frisches Muster gab. Von unsrer Ebene hieß es ja überhaupt, deren Bewohner seien gekennzeichnet von Nüchternheit und hätten nichts im Sinn außer das Zweckdienliche und das Einfachstmögliche. Jetzt aber erkannte ich gerade in diesem den Ausdruck, der mir so sehr gefehlt und den ich mir von den Zutaten und Zusätzen versprochen hatte: Der Tisch des Vaters, zusammen mit den Stühlen, dem Fensterkreuz und dem Türstock, machte den Raum nicht nur bewohnbar, er strahlte auch etwas Feines und Liebliches aus; bezeugte nicht bloß eine sorgfältige Hand, sondern überlieferte etwas, das der Mann, im Auftreten oft sprunghaft, jähzornig, unbarmherzig, nur auf diese eine Weise hatte äußern und weitergeben können, und das allein ganz er war: Befangen und verschüchtert neben ihm in Person, atmete man vor seinen Gegenständen auf, und lernte von ihnen das Augenmaß. Die Buchstaben IHS über den Karstportalen verbanden sich mir so mit der Jahreszahl, vom Vater gesägt in den Giebel der hölzernen Scheune, als Luftlöcher fürs Heu, und zu diesem Muster, wie eingebrannt in das verwitterte, lichtgraue Plankendreieck, blickte ich seitdem auf als zu jenem Einmaligen, das sonst nur ein Kunstwerk sein kann, und brauchte am Haus keine andere Zier mehr. Und der Grüne Weg in dem Brudergarten, kurz wie er war, mündete im Karst ein in den alle Wege des Nordens aufnehmenden, in den ozeanischen Horizont führenden schnurgeraden Karst-Mittelstreifen, so wie der steinerne Damm dort am Eingang des Grabens, vom Bruder einst gebaut, um den Humus zu erhalten, inzwischen nur noch eine Ruine, jetzt weitergeführt wurde in den lückenlosen, ebenmäßigen, geschwungenen Karst-Feldmauern – als sei er in seinem Alpenland bloß so unter die Erde gesunken und hier in der Meeresnähe wiederaufgetaucht, intakt wie am ersten Tag, von der südlichen Sonne geschmückt wie zu einem Richtfest, edler als je zuvor, und als würde damit offenbar, daß unseren Kontinent, entsprechend der Chinesischen, auch eine Europäische Mauer durchzieht.

Aber war denn auf die Dinge einer Landschaft und auf die Werke ihrer Bewohner ein dauerhafter Verlaß?

Was war mit jenen windstillen Tagen im Karst, wie es sie zu jeder Jahreszeit gab, ohne die Sonne und auch ohne Wolkenform in dem Ohneweltraum, wo auf der kahlen Erdscheibe – weder Umriß noch Laut noch Farbschimmer – über Nacht jedes Leben erloschen sein mußte, man selbst das letzte gerade noch Atmende; Beklommenheit, die, anders als sonstwo, nicht auf den Moment des Erwachens beschränkt blieb und auch durch die schreienden Hähne und dann die Mittagsglocken, alle gleich blechern, aus den hundert Stadtteilen nicht zu verscheuchen war (die Fernsehgeräte hallend aus verlassenen Häusern, und die Busse leer dahinbrausend, schwarze Gestänge, die Fahrer vorn, wie längst verkohlt, nur noch von ihren Uniformen zusammengehalten)? Kein toter Satellit konnte fahler sein an solchen Tagen als der wie mit Knochenasche bedeckte Karst, wo dann zahllose Gerippe, die sogenannten Karrenfelder, hervorstanden, messerscharf, nicht zu betreten. Aber gerade das hat mir etwas beigebracht, was eben nur eine Weltstadt einem Dörfler beibringen kann: einen Gang.

Das Gehen zuhause auf dem Land war das simple Hintersichbringen einer Strecke, möglichst geradlinig, bedacht auf jede Abkürzung, ein Umweg immer ein Fehler, nur stracks auf ein Ziel zu! Ein zielloses Gehen erfuhren einzig die Unglücklichen, Verzweifelnden: Wie in einem Anfall konnten sie plötzlich davonstürzen über die Felder, blindlings hinein in den Wald, durch den lianenverwachsenen Graben irgendwie hinunter zum Flußtrog, und wenn einmal einer derart drauflosging, mußte man fürchten, er käme nicht mehr lebend zurück. Die Mutter, unterrichtet von ihrer Krankheit, wollte auf der Stelle zum Dorf hinaus laufen, und man war gezwungen, vor ihr die Haustür zu versperren; sie riß dann daran fast die Klinke ab. Auch das Schlendern der Spaziergänger und das Ausschreiten der Wanderer war den Dorfleuten fremd; ebenso jedes zünftige Bergsteigen wie das Pirschen; ein Jäger war immer ein Auswärtiger. Es gab nur das Hin zu Arbeit und Kirche, vielleicht noch den Abstecher ins Wirtshaus, und das Zurück ins Haus; die Beine, gewöhnlich bloße Transportstelzen, und der Körper, ihnen steif aufsitzend, spielten in der Regel erst beim Tanzen zusammen. Ein auffälliges Gehen, war es nicht das eines Krüppels oder Idioten, galt den Rinkenbergern als wichtigtuerisch; und in ihrer slowenischen Sprache hatten sie dafür ein Einzelwort, welches man übersetzen konnte mit »Beim Gehen Wind machen«.

So erzeugte auch das Gehen im Karst den Wind, wenn der dort ausblieb, und mit ihm verflüchtigten sich die Grübeleien, und es kehrte mich wieder jener große Gedanke, befreiend wie nichts sonst, nach außen: »Freund, du hast Zeit.« Das Zeithaben war es auch, was dem Dörfler zu seinem besonderen Gang verhalf, einem freilich, der mit jedem Schulterheben, Armeschwenken und Kopfwenden, statt Blickfang für die bestimmte Person sein zu sollen, weiterwies in den Umkreis (so wie manchmal das besondere Schauen eines Wesens, eines Menschen wie eines Tiers, einen sich umdrehen läßt nach dem Unerhörten, was der andere da wohl sehen mag, und das, nach seinem beschwingten Ausdruck zu schließen, nur etwas Erfreuliches sein kann). Zu solch einem Gang gehörte es, daß der Gehende selbst sich in Abständen, unwillkürlich, doch umso bewußter, umblickte, nicht aus Angst vor einem Verfolger, sondern aus reiner Lust am Unterwegssein, je zielloser, desto besser, mit der Gewißheit, dabei in seinem Rücken eine Form zu entdecken, sei es auch nur den Riß im Asphalt. Ja, die Gewißheit, eine Gangart zu finden, ganz Gang zu sein und dabei zum Entdecker zu werden, hob mir den Karst ab von den paar sonstigen freien Weltgegenden, durch die ich gekommen bin. Zwar hat sich das »Auf und geh!« auch woanders bewährt, in ausgetrockneten Bachrinnen ebenso wie am Rand der großstädtischen Ausfallstraßen, am strahlenden Tag wie (noch wirksamer) in der Stockfinsternis – aber kein Aufbruch in den Karst, der nicht bestimmt worden wäre von der Überzeugung, mir dort, über das Durchatmen hinaus, eine Neuigkeit zu ergehen. So unerschütterlich ist meine Erwartung in die Kraft dieser einen Landschaft, dem, der Zeit für sie hat, jedesmal neu ein

Urbild, eine Elementarform, den Inbegriff eines Dings zuzufächeln, daß wenig fehlt, und ich würde sie Gläubigkeit nennen; der Taufwind gilt wie am ersten Tag, und der Gehende erfährt sich, von ihm umfangen, noch immer als Weltkind. Freilich wird er dazu nicht drauflosgehen, wie ein Passant, sondern sich verlangsamen, sich im Kreis drehen, innehalten, sich bücken: Die Fundstätten sind in der Regel unter der Augenhöhe. Er braucht sich dazu nicht zu zwingen; ehe er sichs versieht, haben Landschaft und Wind ihm sein Maß zugeteilt. Im Bewußtsein, Zeit zu haben, habe ich mich im Karst nie beeilt; gelaufen bin ich nur, wenn ich müde wurde, und es war dann ein langsamer Lauf.

Aber gehörten die Funde nicht einer vergangenen Epoche an, waren es nicht die letzten Reste, Überbleibsel und Scherben von etwas, das unwiederbringlich verloren war und durch keine Kunst der Welt mehr zusammengefügt werden konnte, und dem nur der kindische Finder noch einen Glanz andichtete? Verhielt es sich mit jenen vermeintlichen Elementarteilchen nicht ähnlich wie mit den Tropfsteinen, die, in ihrer Grotte, im Kerzenflackern, einen Schatz verheißen und dann, abgeschlagen, draußen im Tageslicht, in der Hand des Räubers nur noch steinerne gräuliche Kartoffeln sind, wertloser als jeder Plastikbecher? Nein. Denn was zu finden war, ließ sich nicht mitnehmen; es ging nicht um die Dinge, die man, in den vollgestopften Taschen, wegschleppte, vielmehr um ihre Modelle, die sich dem Entdecker, indem sie sich zu erkennen gaben, einprägten in sein Inneres, wo sie, im Gegensatz zu den Tropfsteinen, aufblühen und fruchtbar werden konnten, zu übertragen in gleichwelches Land, und am dauerhaftesten ins Land der Erzählung. Ja. Wenn Natur und Werke des Karstes archaisch waren, dann nicht in dem Sinn eines »Es war einmal«, sondern eines »Fang an!« Wie ich bei dem Anblick einer steinernen Dachrinne nie »Mittelalter« dachte, sondern, wie bei keinem Neubau, hier wie dort, »Jetzt!« (Paradiesesgedanke), so empfand ich auch in Gegenwart eines Dolinentrichters nie den Vorzeit-Moment nach, wo sich die Erde da plötzlich gesenkt hatte, sondern sah, verläßlich, immer wieder, aus der leeren Schüssel etwas Kommendes aufsteigen, Schwade um Schwade eine Vor-Form: Man mußte diese nur festhalten! Nirgendwo habe ich bisher ein Land getroffen, das mir, wie der Karst, in all seinen Einzel-Teilen (samt den paar Traktoren, Fabriken und Supermärkten) als das Modell für eine mögliche Zukunft erschien.

Eines Tages habe ich mich da verirrt – wie so oft absichtlich, aus Neugier, aus Wißbegier – in eine weglose Steppe, durchkreuzt von Gestrüpp und Steinrippen. Schon bald wußte ich dann nicht mehr, wo ich war; es gibt von der Gegend, einem Grenzland, keine anderen Detailkarten als geheime militärische. Von den hundert Dörfern, wie es die Regel ist bei ein paar Schritten querfeldein, trug der Wind kein Lebenszeichen mehr herbei, weder ein Bellen noch die Kinderschreie (die am weitesten gingen). Stundenlang schlug ich mich durch, mutwillig, im Zickzack vorbei an vielen Dolinen, die brachlagen, mit bleichen Felsblöcken am Roterdeboden, dazwischen hervorschießend die Urwaldbäume, deren Kronen auf einer Höhe mit den Sohlen des Gehenden lagen. Jetzt konnte ich von Wildnis reden und erfuhr in dem Landstrich einmal, was er, wasserlos, im ganzen auch war: die unabsehbare Wüste, nur durch ihren Bewuchs vorspiegelnd, kultivierbar zu sein, wo in dem fächelnden Wind sicher schon mancher Ortsunkundige verdurstet war, im Ohr vielleicht bis zuletzt noch das weiche Geräusch der Mannaeschen, in dem ihm, äußerster Hohn, ein klarer Gebirgsbach vorbeirieselte. Schon längst auch kein Vogellaut mehr (ohnehin, gleich am Rand der Dörfer, nur mehr hier und da ein Pieps); nicht einmal eine Eidechse oder Schlange. Da stand der Verirrte, fast schon in der Dämmerung, nach einem durchs Dickicht getrampelten Weg, urplötzlich, am Rand einer mächtigen, stadiongroßen Dolinenschüssel, oben rundum abgeriegelt von einer hohen dichten Urwald-Palisade, zu entdecken erst mit dem Augenblick, in dem man sich da durchgezwängt hatte. Die Doline erschien ungewohnt tief, auch we-

gen der Terrassenstufen, welche, eingefaßt von Steinmauern, die gleichmäßig sanften Hänge gliederten;
auf einer jeden Stufe ein anderes Grün, je nach der
dort gepflanzten Fruchtart, und das kräftigste Grün
leuchtete unten vom unbebauten, leeren Grundkreis,
zauberischer als ein olympischer Flutlichtrasen. Hatte
ich in all den Dolinen bisher höchstens ein oder zwei
Beschäftigte gesehen, so bestaunte ich vor dieser jetzt
eine ganze Bevölkerung: Auf sämtlichen Terrassen,
bis hinab zum Boden, waren auf den Kleinfeldern und
Gärten gleich mehrere Leute am Werk. Sie arbeiteten
mit vollendeter Langsamkeit, so daß selbst von ihrem
Gebücktsein und gegrätschten Dahocken Anmut
ausging, und aus dem weiten Rund scholl, so gleichmäßig wie leise, was mir im Ohr geblieben ist als das
Grundgeräusch des Karstes: das Harken. Stehende
sah ich nur, halb versteckt unter dem Laubdach, auf
der Weinterrasse, wo sie die Reben an die, auffällig
krummen, Pflöcke banden oder besprühten, und, allein an den Händen sichtbar, in dem winzigen Oliven-
hain. Von Stufe zu Stufe zumindest ein Baum, immer
eine andere Sorte, darunter sogar, kaum vorstellbar
so fern von allem fließenden Wasser, Aubäume wie
Erlen und Weiden (von denen ich einen Alpenbewoh-
ner einmal habe sagen hören, »das sind doch gar keine
Bäume, sondern bloßes Zeug; eine Fichte oder eine
Eiche, ja *das* ist ein Baum!«). So mannigfaltige Grüns
unterschied ich da, daß ich jedem für sich einen beson-

deren Namen hätte geben können, die sich insgesamt, lieber Pindar, gefügt hätten, zu einer anderen Olympischen Ode! Das letzte Licht schien sich in der Doline zu sammeln wie in einer Linse, welche die Einzelheiten scharf umriß und vergrößerte. Zu bemerken war so, daß keine Mauer der anderen glich: daß die eine aus zwei Steinreihen bestand, die nächste zwischen diesen noch eine Erdschicht hatte, und der scheinbare Felsblockhaufen am Rand des Grundkreises eine Behausung, eine Feldhütte war, kegelförmig, die Blöcke nach obenzu sich verkleinernd, mit einem regelrechten Schlußstein in der Form eines Tierschädels und einer Dachrinne, von der ein langes Rohr unten zu einer Regentonne führte, und das Loch am Boden keine zufällige Lücke, sondern der Eingang dieser »Casita«, mit einer Oberschwelle von Adlerschwingenlänge, darin eingeritzt, ja, eine Sonnenuhr.

Jemand tritt jetzt gebückt da heraus, ein Halbwüchsiger, in der Hand ein Buch, richtet sich auf zu einem Mann, und der Betrachter ist wieder umgeben von dem Holzgeruch und der Sommerwärme in dem väterlichen Feldunterstand, sitzt dort, von der Schule gleich zu den Seinigen auf den Acker gegangen, am Tisch bei seinen Aufgaben, barfuß, sieht in der einen Ecke, mit weißen Tüchern bedeckt, den Korb mit dem Speck und dem Brot und den Mostkrug, und in der andern die Brennesselstaude, von der, ohne einen Luftzug im Raum, immer neu eine Schwade Blütenstaubs weggeraucht, zeichnet das von den Bretterritzen und Astlöchern geformte Sonnengeflecht auf dem Erdboden nach, hört draußen die Stimmen der Eltern, wie sie von den zwei Enden des Felds aufeinanderzuarbeiten (zuerst das einsilbige Verständigungsrufen, dann der Wortwechsel – väterlicher Fluch, mütterliches Auslachen – schließlich in der Mitte des Felds das gemeinsame »Jausenzeit!«), spielt mit sich allein Karten, horcht auf das Donnergrollen, streckt sich auf der Bank aus, träumt, erwacht von dem Gedröhn einer Hornisse, mit der gleich ein ganzes Bombergeschwader aus dem Himmeldunst schießt, ißt einen Apfel, darauf das helle Nachbild des Blattes, das ihn am Baum beschattet hat, und am Stengel die verschrumpelte Blüte, tritt ins Freie, richtet sich nun seinerseits auf zu einem Erwachsenen, einem Mann, holt tief Luft und gewahrt die Feldhütte als die Mitte der Welt, wo in der bildstockkleinen Höhlung seit jeher der Erzähler sitzt und erzählt.

So freundlich war der Raum, in den ich hinabblickte, und eine solche Kraft stieg aus der Tiefe empor, daß ich mir vorstellen konnte, selbst der Große Atomblitz würde dieser Doline nichts anhaben; der Explosionsstoß würde über sie hinweggehen, ebenso wie die Strahlung. Und in der Vorwegnahme sah ich dann die zu meinen Füßen, in der fruchtbaren Erdschüssel, Tätigen als die Rest-Menschheit, nach der Katastrophe, wie sie da wiederanfing zu wirtschaften. Ja, als

eine Wirtschaft, eine zudem autarke, so erschien mir
der in der abgestorbenen Wüste versteckte Ort, und
die Erde ernährte da immer noch ihre Bewohner. Und
kein Ding der Welt war verlorengegangen; zwar gab
es nichts mehr in Fülle, doch von jedem Grundstoff
und jeder Grundform bestand noch zumindest ein
lebenskräftiges Beispiel. Und indem alles Notwen-
dige zur Hand und zugleich eine Seltenheit war,
zeigte es die Schönheit des Ursprungs. Und kostbar
war nicht nur, was zur Hand, sondern auch alles, was
vor Augen war, das Getreide ebenso wie der Schatten
des Farns auf dem Stein – wobei mich in solchem Phan-
tasieren die Karstleute bestärkten, hatten sie doch, seit
jeher im Mangel lebend und bedroht vom Nichts, neben den hundert Namen für den Maiskolben, die Wei-
zenähre und das Traubenbüschel, ebenso viele für alle
die spärlichen Vögel und Blumen, allesamt mit dem
Klang von Kosenamen (jedenfalls weder »Würger«
noch »Spottdrossel«, weder »Wolfsmilch« noch »Kü-
chenschelle«), als sollte mit den vielen Bezeichnungen
das Ding an sich umhegt und bewahrt werden. Das
Bild der in die Karsterde eingesenkten Plantage, vor
jedem Feindeinfall geschützt, atombombensicher, unter freiem Himmel, als eines Ziels hat mich bis heute
nicht verlassen, samt dem Transistorgedudel aus der
steinernen Feldhütte als seinem Preislied. Bild? Chi-
märe? Fata Morgana? – Bild; denn es ist in Kraft.

Obwohl meine Zeit im Karst fast nur Gehen, Innehalten, Weitergehen war, hatte ich nie mein übliches schlechtes Gewissen, ein Nichtsnutz und Müßiggänger zu sein. Das Hochgefühl der Freiheit bei jeder neuen Ankunft kam von keiner Entrückung. Nicht losgelöst wußte ich mich, vielmehr verbunden, endlich. Sagte ich nicht im stillen, gleich nach dem Schritt über die Hochlandschwelle, das Sausen an den Schläfen, immer wieder: »Jetzt sind *wir* da!«; sah mich, allein, in der Mehrzahl? Ähnlich wie die täglichen Verrichtungen des Vaters, das Verstopfen eines Lochs, das Aufwickeln eines Seils, das Spalten von Kienspänen, zu einer gewissen Zeit Rituale für die Gesundung der Mutter sein sollten, so bildete auch ich mir ein, mit meinem Erforschen des Karstes einer Sache zu dienen, und zwar nicht einer bloß guten, sondern einer großen und herrlichen. Viele Antriebe wirkten zusammen: mich der Vorfahren würdig zu erweisen und das, wofür sie stehen, auf meine Weise zu retten; dem Lehrer der von ihm so ersehnte Schüler – ohnehin sein einziger – zu sein; eine unwiderstehliche Finte im Duell – seltsame Zwangsvorstellung – mit meinem imaginären Feind zu schlagen; gerade durch die Entfernung in die Menschenleere und das Ertragen mannigfacher Entbehrungen mir die Liebe der liebreichsten unter den Frauen zu verdienen – doch über das alles hinaus ging etwas, das ich die Begier oder den Appetit nenne, eine Orgie zu feiern.

Was für eine Orgie? Die Antwort darauf gebe ich, Traumgläubiger seit je, mit der Erzählung eines Traums. In einer gläsernen Kanzel, Linienbus und Schwebebahn in einem, trafen sich immer wieder dieselben Passagiere, kein Wort miteinander wechselnd, zur gemeinsamen Fahrt in das Weltreich des Karstes. Der Übergang wurde markiert von einem schimmernden, hochaufragenden, von dem blauesten Himmel überspannten Indianerfelsen, zu erklettern von jedem Kind, wo auch die letzte Haltestelle war. Nun waren wir vollzählig. Nie aber zeigte sich auf der Weiterreise etwas von dem Land; es gab nur das Gefährt, so still unterwegs, als stünde es, und die Reisegesellschaft, jeder im Abstand zum andern, für sich, kein einziges Paar. Zwar kannte ich diesen und jenen von der Straße, als Schalterbeamten, als »meinen Schuster«, als Ladenmädchen, und wir pflegten sonst alle einander zumindest zu grüßen, doch, einmal eingestiegen, kam von keinem mehr ein übliches Zeichen des Erkennens. Statt Blicke auszutauschen, saßen wir bewegungslos da, vereint in Erwartung, Angesicht in Angesicht. Je öfter sich unser Aufbruch wiederholte, immer von einer sehr belebten Station, für jedermann öffentlich zugänglich, desto festlicher erschien das Licht in der Kabine. Eine Verzückung stand uns bevor, am Endpunkt der Fahrt, im Herzen des Landes, wie sie gewaltiger Menschen nicht zuteil werden konnte: die Seligkeit, gemeinsam aufgenommen zu werden in das Nichts. Das ereignete sich freilich nie, wir kamen dem nicht einmal nah. Dafür empfing ich auf der letzten Traumfahrt von einem meiner Gefährten im Zusteigen ein Lächeln, mit dem er sich mir zu erkennen gab und das zugleich mich erkannte. Orgie des Einander-Erkennens: statt Verzückung und Vereinigung Erschütterung und Einung, und das Zeitwort zu »Orgie« übersetz mit »unbeirrbar verlangen«, und die Gegend *Orgas* mit »Land der Demeter« oder »Aue« oder »Fruchtland«.

In Wirklichkeit ist der Karst ein Mangelgebiet, und der Übergang kein bizarrer Indianerfels. Erst lang nach der Grenze wunderst du dich, daß bergauf etwas anders geworden ist, nicht nur der Wind: kein rieselndes Bachwasser, nicht einmal ein Rinnsal mehr; die dunklen Kiefernwipfel anstelle der lichten Laubkronen; umgekehrt der braune Lehm und der schwarzgraue Schiefer, im Ziegelmuster, so lang deine Wegbegleiter, gewichen einem schroffen, massiven Kalkweiß, die Grasnarbe darüber kaum handbreit, keine saftige Wiese mehr, sondern borstige Alm. Obwohl die Ebene unten noch nah ist, klar sichtbar die Städte und Flüsse, sogar ein Flugplatz mit einer aufsteigenden Düsenmaschine und ein Exerzierplatz mit hüpfenden Soldaten, herrscht auf dem Plateau eine Stille, als seist du schon weit draußen auf dem offenen Meer. Zuerst sind dir die Spatzen vorausgeflogen; jetzt die

Schmetterlinge. So still ist es, daß du das Rascheln hörst, wenn ein Falter mit seinen Flügeln, einer fallenden Blüte nachjagend, den Grund streift. An einer Kiefer knistern in der Sonne die trockenen Zapfen des Vorjahrs, einer hoch oben, der nächste in Augenhöhe und so fort, eine abgestufte Folge, ein stetiges Zirpen bis Sonnenuntergang, während aus dem frischen heurigen Zapfen ebenso stetig das Harz tropft – dunkle, sich vergrößernde Flecken im Wegstaub.

Bleib auf dem Weg; begegnen wird dir ohnedies lange kein Mensch; die dunklen Männer links und rechts, die dir Geleitschutz geben, immer wieder weit ausschwärmend in die fahle Savanne, sind die Wacholderstauden. Stunden, Tage, Jahre später stehst du vor einem weißblühenden wilden Kirschbaum, in der einen Blüte eine Biene, in der zweiten eine Hummel, in der dritten eine Fliege, in der vierten ein paar Ameisen, in der fünften ein Käfer, auf der sechsten ein Schmetterling. Was auf dem Weg aus der Ferne glänzt wie eine Wasserstelle, ist eine silbrige Schlangenhaut. Vorbei an langen Reihen von Holzstößen, die sich beim näheren Hinschauen erweisen als getarnte Waffendepots, vorbei an runden Steinhaufen, die in Wirklichkeit die Eingänge zu unterirdischen Materialbunkern sind; stößt du mit dem Fuß dran, ist der Fels Pappe. Bei jedem Schritt werden dir aus dem Grasmittelstreifen die Heupferdchen aufspritzen. Ein toter gelbschwarzer Salamander bewegt sich, kaum merklich, voran in der Karrenspur: Als du dich nach ihm bückst, entdeckst du, daß er dahingetragen wird von einem Aaskäferzug, der den Leichnam geschultert hat. Das erste größere Tier, ein weißgesichtiger Fuchs, ein um einen Ast gewickelter Siebenschläfer, wird dir nach all den Kleinlebewesen erscheinen wie ein Bruder. Das Sausen dort in dem Einzelbaum spürst du im nächsten Moment auf deinem Gesicht. Dein Ruhepunkt ist eine Höhle, für deren Begehung du keine Lampe brauchst, denn vom anderen Ende und auch aus ein paar Löchern oben in der Decke kommt Tageslicht. Hier tropft dir Wasser auf die erhitzte Stirn, und in einer Nische liegen Wachteleier, keine Gewehr-, sondern Steinkugeln, runder und heller als in jedem Sturzbach, die du im Weitergehen draußen in der Hand schüttelst, und deren Geruch dir für immer, anders als die stinkenden Kothaufen der Fledermäuse, die weitverzweigten lehmigen Fluchten der Karsthöhlen ins Zimmer bringen wird.

Du kannst nun nackt gehen; die Wildsau, ein einziger mächtiger schwarzbrauner Buckel, der grunzend und schnaubend aus dem Unterholz zur Rechten bricht und, gefolgt von zwei hasenkleinen Jungen, weiterpoltert in das zu deiner Linken, hat keine Augen für dich. Deine Beine stampfen die Erde, und deine Schultern schwingen sich auf, und deine Augenhaut rührt an Himmel.

Am nächsten Ruheplatz hörst du in der Stille ein langgezogenes Frosch-Unken: ein zarter Ein-Ton in dieser Wüste. Du wirst dich nähern und an eine Lache kommen, die eine sehr lange Strecke des Wegs einnimmt. Das Wasser ist klar, und es treibt eine einzelne Feder darauf. Auf dem tiefroten Grund, der aufgerissen ist im Sechseckmuster, die paarweisen Eindrücke von Rehhufen, und eine Vielzahl von Vogeltritten, pfeilförmig in alle Richtungen, eine Keilschrift, die entziffert sein will. Die Entsprechung erblickst du darüber im Luftraum, wo in einem wabenförmigen Wolkenfeld – für unsere Schäferwolken gibt es den Karst-Ausdruck »Der Himmel blüht«, so wie für unsre unruhige See »das Meer fließt« – eine azurblaue Stelle in der Form deines Fußes erscheint. Die Feder wird wegwehen, und die lange Lache wird im Wind dahinziehen wie in einer Dünung. Streck dich am Ufer aus, dein Kleiderbündel als Polster. Du wirst einschlafen. Die eine Hand des Schläfers wurzelt zwischen den Knien in der Erde, die andre hat er am Ohr (unsere eingerissenen Augenwinkel, Bruder, kommen vom Horchen). Du hörst im Traum von der Lache als einem See, und siehst dort eine Barke im Schilf, mit deinem Haselstock als dem Ruder, worauf aus der Leere nun ein Delphin taucht, den Rücken, von der Last der Früchte darauf, eingewölbt zu einer Doline. Ein kurzer, erquickender Schlaf wird das sein, und erwachen wirst du von den Tropfen eines

beginnenden Regens an deiner Ohrmuschel – kein
sanfterer Wecker. Du richtest dich auf und kleidest
dich an. Nicht aus der Welt wirst du gewesen sein,
sondern einmal ganz hiesig. Tatsächlich kommt nun
eine Ente aus der Savanne im Tiefflug zur Lache
geflügelt, landet da weich und schwimmt vor dir auf
und ab; und eine verlaufene Kuh benützt das Wasser
als Tränke. – Du läßt dich anregnen. So ruhig wirst du
davon, daß allerlei Falter sich auf dir niederlassen,
einer auf dem Knie, der andre auf dem Handrücken,
und der dritte beschattet die Augenbraue.

Die Bäume, als der Himmel, bei deinem Weiterweg
durch den Karst, wieder blau ist (eine Empfindung
von »Wetter« nur angesichts des üblichen dunklen
Getürmes nördlich, über dem Nanos), werden rauschen im Uhrzeigersinn, jeder nach seiner Art, und du
wirst begreifen, wie das Schwirren der Eichen, besonders vernehmlich und vordringlich, bei den Alten die
Stimme des Orakels sein konnte. Du wirst mitschreiben, und das Scharren deines Geräts wird eins von
den friedlichsten Geräuschen unter der Sonne sein. Es
wird dich zurückführen zu den hundert Dörfern und
Stadtteilen (dem Karstkino, dem Karsttanzsaal, der
Karstwurlitzer), die, wenn es Nacht wird und der
Himmel wieder bedeckt, in der nun lautlosen Wildnis
erkenntlich sind an dem kreisförmigen Schein hier
und da an der Wolkendecke. Wirst dort bewirtet
werden mit dem weißen Brot, dem Karstwein und

jenem besonderen Schinken, an dem du deinen Weg, mit allen seinen Gerüchen, nachschmeckst, vom Rosmarin des Mittelstreifens über den Thymian an den Feldrandmauern zu den Wacholderkugeln draußen in der Savanne: Mehr brauchst du jetzt nicht. Und eines Tages im Lauf deiner Jahre wirst du dann an die Stelle gekommen sein, wo tief unten am Horizont der besonnte Nebelstreifen das adriatische Meer sein wird; wirst da, Ortskundiger, die Frachtdampfer und Segler im Golf von Triest unterscheiden von den Kränen der Werft von Monfalcone, den Schlössern von Miramare und Duino und den Kuppeln der Basilika von San Giovanni am Timavo, und dann am Grund des Dolinentrichters zu deinen Füßen, zwischen zwei Felsbrocken, die ganz wirkliche, mehrsitzige halbverrottete Barke samt Ruder entdecken, und sie, den Teil für das Ganze, unwillkürlich, du bist nun so frei, bedacht haben mit dem Namen BUNDESLADE.

Natürlich: Das Gehen, selbst das Gehen im Herzland, wird eines Tages nicht mehr sein können, oder auch nicht mehr wirken. Doch dann wird die Erzählung da sein und das Gehen wiederholen!

Damals, auf meiner ersten Reise, bin ich kaum zwei Wochen im Karst unterwegs gewesen, fast jeden Tag davon als jemand andrer. Nicht nur ein Spurensucher war ich, sondern auch Tagelöhner, Hochzeiter, Betrunkener, Dorfschreiber, Totenwächter. Sah in Gabrovica die aus dem Kirchturm gefallene Glocke, welche, die spielenden Kinder obenauf, schief in der Erde steckte; erschreckte in Skopo, aus der Wildnis tretend, die einsam in einer Doline harkende Greisin; zeichnete in Pliskovica, in der einzigen werktags unverschlossenen Kirche, die über das Altartuch krabbelnde schwarzgelbe Hornisse; bestaunte in Hruševica, dem, wie alle im Karst, bachlosen Dorf, die steinerne Statue des heiligen Nepomuk, die man doch sonst nur an Brücken findet; trat aus dem Kino von Komen hinaus in eine Mondnacht, heller und lautloser als die Mojave-Wüste, durch die sich gerade noch Richard Widmark gekämpft hatte; verlor mich in den Edelkastanien-Wäldern von Kostanjevica, wo die einzig hohen Bäume des Karstes wachsen und das Rascheln des Laubs all der vergangenen Jahre, knöcheltief, und das Knirschen der Fruchtschalen im Gehen mit keinem Geräusch der Welt zu vergleichen sind; schritt durch das freistehende Portal von Temnica, das vom Rand des Feldwegs hinaus in die Steppe und Wildnis führt; verneigte mich in Tomaj vor dem Sterbehaus des slowenischen Dichters Srečko Kosovel, welcher, fast noch ein Kind, die Heilkraft der Kiefern, Steine und stillen Wege seiner Gegend beschwor, von dort dann aufbrach und – Ende des Krieges, Ende des Fremdreichs Monarchie, Anfang von Jugoslawien – einzog (»hineinrasselte«) in seine Hauptstadt Ljubljana, wo er, Bruder meines Kellners und meines Soldaten, sich aufschwang zum Manifestanten der neuen Zeit, und, für dergleichen auf die Dauer vielleicht zu wenig frech, zu sehr auch bestimmt von der »Stille« (»tišina«, sein Hauptwort) des Karstes – siehe sein weit abstehendes Ohr! –, bald schon nicht mehr am Leben war.

Die Indianerin, die mich damals aufnahm und für den Sohn des verstorbenen Schmieds aus dem Nachbardorf hielt: Ich habe sie über ihre Verwechslung nie aufgeklärt. Sie war auch so bestimmt gewesen in ihrer Anrede, daß es mir gefiel, für jemand andern gehalten zu werden; und schließlich spielte ich vor ihr entschlossen die Rolle eines, der nach einer langen Zeit zurückgekehrt ist in seinen Bereich. Ich erzählte Begebenheiten aus meiner Kindheit im Karst, zu denen die Alte abwechselnd den Kopf schüttelte und nickte, wie es nur das Staunen über das Unerhörte und doch Glaubhafte bewirken kann, und entdeckte mein Vergnügen an Lügengeschichten, die freilich immer von einer genauen Einzelheit auszugehen und so folgerichtig wie beschwingt zu sein hatten: Solches Erfinden war Teil meiner Freude, hier einmal frei zu sein, ja kam mit dem gleichen Atemzug.

Und dabei war jene Frau der erste Mensch, von dem ich mich sowohl gemeint als auch erkannt fühlte. Den Eltern war ich immer »zu ernst« (die Mutter) oder »zu weltfremd« (der Vater) gewesen; die Schwester sah in mir wohl nur den heimlichen Bundesgenossen ihrer

Verrücktheit; die Augen der Freundin bei einer jeden Begegnung oft starr von einer Befangenheit, die sich erst löste, so wie ich sie endlich – das gelang mir nicht immer – von innen heraus anlächelte; und selbst der allesverstehende Lehrer sagte einmal, als ich bei einem Ausflug der Klasse ohne Grund plötzlich davongestürzt war, querfeldein, ins Dickicht, nur weg!, nur alleinsein!, nach meiner Rückkehr, mit dem Unterton einer Urteilsverkündung, die unwiderruflich ist: »Filip, du bist nicht richtig.« Von der Karst-Indianerin dagegen, aus dem Dorf namens Lipa (zu deutsch etwa »Lind«), erfuhr der junge Mensch, herzbewegend, das Vertrauen auf den ersten Blick, aus welchem, nach ein paar Tagen in ihrem Haus, eine Erwartung wurde, eine wortlose Widerrede zu seinem ständigen Selbst-Abtun (»Aus mir wird nie etwas«): ein Freispruch, so überraschend wie einleuchtend; ermutigend und beschützerisch, heute noch. Sie war es auch, die mir, bevor ich überhaupt den Mund zu einem Wort geöffnet hatte, Humor zuschrieb. Zuhause hatte ich der Mutter oft das Lachen verboten, weil es mich an das Gekreisch der Weiber in Gesellschaft zotenreißender Männer erinnerte, und bei den Mitschülern galt ich als Spaßverderber, denn wenn die Stunde des Witzeerzählens kam, pflegte ich im Moment vor der Pointe auf eine Kratzspur im Tisch oder einen losen Knopf am Rock des Erzählers hinzuweisen. Nur die Freundin, waren wir einmal länger allein zusammen, konnte am Ende vielleicht, von mir in der Er-Form redend, wie in den Dialogen vor zwei Jahrhunderten, erstaunt ausrufen: »Er ist ja ein lustiger Mensch!« War es bei ihr aber jedesmal eine meiner kleinen zufälligen Bemerkungen, so genügte nun meiner Gastgeberin schon meine Art des Schauens und Zuhörens, und was auch immer sie mir vorführte oder bedeutete, geschah mit dem heiteren Schwung, welchen ein Schauspieler empfängt von seinem vollkommen geistesgegenwärtigen Publikum – war der sogenannte Humor demnach nichts als die glückliche Geistesgegenwart? Einmal freilich, spät, kurz vor meiner Abreise, als wir zu zweit am Küchentisch saßen und ich nur stumm hinaus in den Hofraum blickte, sagte sie mir etwas anderes, Gegensätzliches? Zusätzliches? Inwendig in mir sei ein einziges großes stilles heißes mächtig nach außen drängendes Weinen, es sei da nicht bloß, es »wüte«, und gerade das mache meine Stärke aus. Sie fügte hinzu, eines Tages habe sie, in der fast dunklen Kirche von Lipa, einem Mann gelauscht, der da allein, hochaufgerichtet, mit einer so zarten wie festen Stimme die Psalmen gesungen habe, und was das Besondere gewesen sei: mit allen Fingern der Hand habe sich der Sänger dabei die Augen zugedrückt. Als sie sich dann erhob, um mir das vorzuführen, brachen wir tatsächlich über den abwesenden Dritten in einverständliche Tränen aus.

Ab und zu half ich ihr bei der Arbeit, beharkte mit ihr die kleine Familiendoline. Wir gruben aus der roten Erde die ersten Kartoffeln aus, sägten im Hof das Brennholz für den Winter. Ich setzte ihr die täglichen Briefe für die Tochter in Deutschland auf und weißte deren Kammer (als würde sie jemals dahin zurückkehren). Ich erfuhr, daß unten in den Dolinen kein Wind fächelte, den salzigen Schweiß abzutrocknen. Wie zuhause mußte ich mich zu jeder körperlichen Arbeit erst überwinden und hatte, gerade in dem üblichen Eifer, der mich zwischendrin ergriff, keinen Gedanken als an den Feierabend. Ich stellte mich auch kaum geschickter an als sonst; doch da die Alte, so anders als der Vater, mir meine Ruhe ließ, öffnete sie mir die Augen für das, was ich falsch machte; zeigte mir überhaupt, wie ich war und mich bewegte, von dem Moment an, da ich tätig werden sollte.

Sie ließ mich erkennen, daß ich seit jeher, stand eine Arbeit bevor, nicht zur Stelle war, sondern in der Regel erst aus irgendeinem entfernten Winkel herbeigerufen werden mußte. Meine Arbeitsscheu war jedoch in Wirklichkeit eine Angst, zu versagen. Nicht nur fürchtete ich, dem anderen keine Hilfe zu sein: Ich würde darüber hinaus, ihm im Weg herumstehend, in die Quere kommend, seine Mühen verdoppeln, und mit einer verfehlten Handreichung schließlich das Werk eines Tages, vielleicht sogar eines ganzen Sommers vernichten. (Wie oft hat der Vater in seiner

Werkstätte fluchend nach mir geschrien, und mich schon nach meinem Anfangsschlag mit dem Hammer wortlos wieder davongeschickt.) Wo ich etwas ineinanderfügen sollte, zwängte ich; wo ich etwas trennen sollte, riß ich; wo ich etwas stapeln sollte, stopfte ich; mit wem ich auch sägte, ich fand nicht den Rhythmus; der Dachziegel, mir gereicht, fiel ins Leere; und mein Holzstoß, kaum drehte ich ihm den Rücken zu, kam ins Rutschen. Auch wenn es gar nicht darum ging, schnell zu sein, überhastete ich mich. Zwar sah es vielleicht aus, als werkte ich zügig, doch mein Nebenmann, bei dem bedächtig eine Bewegung aus der anderen folgte, war jedesmal früher fertig als ich. Indem ich alles zugleich tun wollte, geriet jede Einzelheit ungleichmäßig: kein Arbeiter war ich, sondern ein Stümper. Ein Meister war ich höchstens im Danebengreifen; wo ein anderer eine Geste benötigte, tappte ich so oft an meinem Gegenstand vorbei, daß ich ihn schon dadurch beschädigte oder zerbrach; wäre ich ein Dieb gewesen, hätte ich an dem kleinsten Ding eine Unzahl von Fingerabdrücken hinterlassen. Es ging mir auf, daß ich von dem Moment an, da ich mich nützlich machen sollte, einen Starrblick bekam und Augen für nichts mehr hatte, insbesondere nicht für meine Tätigkeit. Blind rüttelte, zerrte, wühlte, trat, fuchtelte ich an der mir aufgetragenen Sache herum, bis, gar nicht so selten, mit dem Werkstück auch das Werkzeug entzwei war. Von der vermeintlichen Fremdarbeit ertaubte ich zudem, sogar von dem eher leisen Sausen der Sense und dem sanften Gerumpel der Kartoffeln aus der Kiste in den Wagenkorb; hörte es wohl, war aber nicht mehr aufnahmefähig für das mir allerliebste Geräusch, das von Baumart zu Baumart verschiedene Rauschen. Es konnte ein Auftrag noch so leicht sein – »führ die Kannen zum Milchstand!«, »hilf mir beim Leintuch-Straffziehen!« –, und ich geriet dabei unverzüglich außer Atem; bekam einen roten Kopf; hechelte durch den offenen Mund. Mein Körper war auf einmal nicht mehr eins, wie etwa im Gehen, Lesen, Lernen oder auch bloß still Dasitzen; der Rumpf verlor seinen Verband mit dem Unterleib, und das Bücken war nicht mehr organisch, wie etwa beim Sammeln von Pilzen oder dem Aufheben eines Apfels, sondern ein marionettenhaftes Abknicken.

Vor allem begriff ich in der Zusammenarbeit mit der Karst-Indianerin, daß mein Problem schon begann, sowie ich nur aufgefordert wurde zur Mithilfe, und mochte bis dahin auch Zeit genug zu jeder Vorbereitung sein. Statt mich vorzubereiten, krümmte ich sofort wie in Abwehr Finger und Arme an den Leib, und sogar die Zehen in den Schuhen. Ich fragte mich, ob mein Zurückschrecken vor der Körperarbeit nicht auch von dem Anblick der Gestalten meiner Eltern kam. Hatte ich mich des eingefallenen Brustkorbs und der geknickten Knie des Vaters wie des schweren

Hinterns der Mutter nicht schon von klein auf geschämt, eine Scham, sich dann in den letzten beiden Schuljahren noch steigernd, angesichts der Rechtsanwälte, Ärzte, Architekten und ihrer Gattinnen, welche allesamt, selbst wenn sie sich untertänigst nach den Fortschritten ihrer Kinder erkundigten, ein Auftreten und eine Eleganz hatten?

Die Erkenntnis nun, wie ich arbeitete und wo meine Schwierigkeiten herrührten, half mir, meine Handgriffe zu ordnen, bis ich an meinem Tagelöhnen von Tag zu Tag mehr Vergnügen fand. Ich lernte, die Alte beäugend, bei meinen Verrichtungen abzusetzen, worauf sich die Übergänge, am Anfang ein wahres Dschungel-Wirrwarr, lichteten und mein Arbeitsgebiet, die rote Erde wie die weiße Wand, in Farbe erschien. Die *terra rossa*, als ich einmal mit einer Handvoll heimwärts ging, duftete mir sogar. Befehl an mich selber: Entfern dich vom Vater!

Eines Tages dann winkte mich meine Kostgeberin zum Dorf hinaus und führte mich in die benachbarte Wildnis zu einem jener seltenen Karstäcker, die nicht versenkt in einer Doline liegen. Er war, eingefaßt von einer niedrigen Mauer, mit Unkraut überwuchert, doch das Furchenrelief noch deutlich, und die Erde schimmerte hellrot durch. Der Zugang war versperrt mit einem hölzernen Viehgatter, daneben, diesseits und jenseits der Mauer, Steinstufen, zum Überqueren für einen Menschen; am Boden der Mauer eine viereckige Öffnung, durch die das Regenwasser vom Weg auf das Feld rinnen konnte. Hier streckte die Frau den Arm aus und sagte wörtlich folgendes: »To je vaša njiva!« (»Das ist euer Acker!«)

Ich stieg über die Mauer und bückte mich nach der Erde, die locker war, als sei sie vor gar nicht so langem gepflügt worden. Das Feld war schmal und in der Mitte leicht aufgewölbt; hinten begrenzt von Fruchtbäumen, ein jeder verschieden. Irrte sich die Alte bloß, oder machte sie sich über mich lustig, oder war sie, wie ich es mir schon auf den ersten Blick überlegt hatte, eine Wahnsinnige? Als ich mich zu ihr umdrehte, lachte sie, über das ganze breite Gesicht, mit den kleinen, entzückten Lauten eines sehr jungen Mädchens, ein Lachen, das seinen Namen verdiente.

Nicht nur die Indianerin, alle in den hundert Dörfern behandelten mich als einen alten Bekannten oder als dessen Sohn; ich konnte nur etwas dergleichen sein, weil in den Karst nie ein Fremder kam. Und wie Odysseus oft voll des Weines war, so lag dann auch ich, sein Sohn, im Verlauf meiner Suche nach ihm, einmal als ein Betrunkener auf dem Erdboden. Bei uns zuhause wurde höchstens Most getrunken, und nur gegen den Durst; und von den zechenden Mitschülern hatte ich mich ferngehalten, nicht erst, seit einer von ihnen, auf jener gemeinsamen Wienreise, aus seinem Stockwerkbett in der Jugendherberge unter Ächzen und Würgen einen gewaltigen sauren Schwall auf mich darunter ergossen hatte. Allein schon der Geruch des Alkohols, das eigentümliche Gluckern, und vor allem das binnen kurzem verwandelte Gebaren der Trinker waren mir unheimlich. Vom Wein hatte ich immer nur genippt, aber im Karst, im Freien, in der Sonne, im Gewürzwind, begann er dem Zwanzigjährigen – was ist wieder das sprechende Wort? – zu munden. Er trank ihn Schluck um Schluck, nach jedem einzelnen das Glas absetzend, und spürte oft schon bei dem ersten sowohl eine Verbundenheit mit dem Vorhandenen als auch, wie bei zwei Waagschalen, die endlich gleich auf gleich schweben, Gerechtigkeit. Ich sah darauf besser, träumte scharfsinnig, durchschaute die Zusammenhänge, erfreute mich der klar gestaffelten Zwischenräume, die mir im Zeigersinn, ich brauchte mich gar nicht mitzudrehen, einen geordneten Erdkreis ausmalten. Unbegreiflich, wie man den »Wein« verleumden konnte als »Alkohol«.

So war es, wenn ich für mich trank. In Gesellschaft aber – dem Telemach liefen ja die Gefährten zu – verlor ich in der Regel den Sinn für das Maß. Ich soff zwar nicht, leerte auch nicht, wie oft die andern, das Glas in einem Zug, doch ich schluckte den Wein hinunter, ohne ihn zu schmecken, und wollte insbesondere derjenige sein, der am Ende als einziger übrigblieb. Eines Nachts, ein Hahn krähte schon, die Gefährten alle vertrollt, stand ich auf und merkte, daß ich erstmals im Leben betrunken war. Nach ein paar Schritten fiel ich um. Ich lag im Gras, mit dem Gesicht nach unten, und konnte keinen Finger mehr rühren. So nah an der Erde hatte ich mich noch nie gefühlt; ich roch sie, spürte sie an der Wange, hörte in der Tiefe den unterirdischen Fluß, den Timavo, brausen und lachte im stillen, so als hätte ich etwas geschafft; und als man mich dann, an den Beinen und Armen, ins Haus trug, konnte ich meine Errungenschaft auch benennen: Endlich zeigte ich mich, zeitlebens auf Eigenständigkeit bedacht, so hilflos, wie ich war, und endlich konnte der Mensch, der insgeheim so oft geradezu gewütet hatte, daß niemand ihm beisprang, sich ohne ein Sträuben helfen lassen – eine Art der Erlösung.

Tags darauf bekam ich erzählt, man hätte mir meine Trunkenheit zuvor gar nicht angemerkt; ich sei nur »sehr streng und stolz« gewesen; die Augen hätten »geblitzt«; ich hätte allen »verkündet«, wie sie in Wahrheit seien; und am Schluß hätte ich eine Rede gehalten über die Grammatik, vor allem über die »Leideform«, welche es in der slowenischen Sprache nicht gäbe, weshalb zu fordern sei, das slowenische Volk habe endlich davon abzulassen, sich als »Volk des Leidens« zu bejammern.

In derselben Zeit sah ich auch zum ersten Mal jemanden sterben. Ich ging durch ein Dorf und wäre fast umgerannt worden von einer Frau, die aus einer Tür gestürzt kam und sich auf der Straße hin und her wälzte, mit spitzen Schreien und mit angezogenen Knien, als läge sie in den Wehen. Sie wurde auf eine Bank gebettet, wo sie sich, den Kopf hintüber, ausstreckte. Nie habe ich so tiefe und klagevolle Laute gehört wie ihre letzten Atemzüge. An der Toten bewegte sich noch eine Zeitlang die Unterlippe, in einem sich verlangsamenden Rhythmus, wie um so die Luft einzusaugen; als auch diese Bewegung erstarrt war, hatte ich, in der großen ohrenbetäubenden Stille, die Vorstellung, die Lippe habe noch etwas geschrieben, und die Schrift sei jetzt ausgelaufen. Mir war, als hätte ich die Fremde gekannt, und es war auch den Angehörigen selbstverständlich, daß ich mit ihnen an der Bahre die Nacht durchwachte, obwohl mir bei dem unablässigen Rosenkranzbeten dann die Augen zufielen. Das Leichengesicht war glatt; doch die verschrumpelten und verzerrten Lider zeichneten noch alle Schmerzen nach. Seltsam die Ehrerbietung, die ich empfand vor dieser unbekannten Toten; seltsam das Gelöbnis, mich ihrer würdig zu erweisen.

Solch ein Treueversprechen war dann auch, was der Zwanzigjährige damals im Karst für sich als seine »Hochzeit« feierte. Es kam dazu an einem Sonntag nach der Messe, im ummauerten Hof eines Gasthauses, unter einem breitlappigen Maulbeerbaum. Ich saß bei einem Glas Wein, als eine kleine gemischte Schar im Feiertagsstaat durch das Portal trat, in einer Fröhlichkeit, als halte der Segen des »Geht hin in Frieden« sie alle noch zusammen. Die Kinder liefen oder drehten sich im Kreis, die Erwachsenen wandten sich unablässig einander zu, und der eine Einbeinige und die eine Zwergin vervollkommneten den Reigen. Sie grüßten mich, den Unbekannten, in schöner Selbstverständlichkeit, die Männer, indem sie den Hut zogen, die Frauen mit einem Lächeln, und nahmen Platz an einem langen Tisch, für den dann mehrere Tücher benötigt wurden, sich bauschend im Plateauwind, sich rötend im Lauf der Stunden nicht nur vom Wein, sondern auch von den abgefallenen weichen Maulbeeren. In dieser Gesellschaft, redelustig, ohne daß sich aber daraus die lautere Stimme eines Wortführers erhob, erblickte ich eine junge Frau, welche die ganze Zeit stumm blieb, bloße Zuhörerin, die Augen in der Aufmerksamkeit fast ohne Lidschlag. Endlich wendete sie leicht den Kopf und sah mich an. Ihr Gesicht war von einem Ernst, mit dem aus der Zuhörerin eine Sprecherin wurde; und der Angesprochene, das war ich. Kein Lächeln, kein Lippenkräuseln, nur das unbeweglich auf mich gerichtete Augenpaar, welches sagte: »Du bist es.« Fast hätte ich, in meinem Schrecken, zur Seite geschaut, doch ich hielt dem Blick stand, faßte mich und fand selbst zu einem Ernst, der eine Art Erschütterung war, so gewaltig, als hätte ich zwei Jahrzehnte lang ein menschenunwürdiges Leben geführt, ohne Bewußtsein und ohne Seele, und sei erst in der Begegnung mit diesen weiblichen Augen, zu mir, auf die Welt, gekommen. Da war es; da war das weltbewegende Ereignis; da war das Antlitz meiner Frau! Und dieser wurde der junge Mann nun vermählt, in einer ausführlichen, gestuften, feierlichen, erhebenden – »sursum corda!« –, von der Karstsonne und dem Meerwind geleiteten, uns beiden allein erlebbaren Zeremonie, im Abstand, in der Scheu, ohne Wort oder Geste, verbunden im Blick, ohne einen Zeugen, ohne ein Dokument als diese Erzählung hier. Auge in Auge, Ruck um Ruck, näherte sich so einer dem andern, bis du Ich warst, und ich Du. Anbetungswürdige unter dem Maulbeerbaum: Du bist die einzige geblieben, von der auf mich überging, sie sei mein.

Zweimal bekam ich in dieser Zeit auch den verschollenen Bruder zu Gesicht. Jene Nacht in dem Eisenbahnschacht hatte mich gelehrt, daß ein Ort oft erst Inbild wird durch den Nebenort – der Foltertunnel durch den Pioniertunnel –, und so mied ich jetzt eigens die in den Bruderbriefen erwähnten Karstdörfer, im Glauben, diese klarer umreißen zu können durch das Erforschen all ihrer Nachbarschaften.

Strahlten nicht auch die Kindheitsorte, deren Namen mir zwar täglich im Ohr klangen, denen ich aber immer nur in die Nähe kam, einen weit stärkeren Schein aus als jene, die ich tatsächlich betrat? Es gab zum Beispiel am Ostrand des Jaunfelds den Weiler Sankta Luzia, kaum mehr als eine einzeln stehende Kirche, von den Eltern häufig erwähnt, weil sie da geheiratet hatten: Nie war ich dort, doch ich habe ihn von allen Seiten umkreist, und indem ich von Sankta Luzia nichts wahrnahm als vielleicht eine Ackerrand-furche aus dem Waldinnern, oder ein Abendläuten und einen Hahnenschrei, ist mir bis heute, als beginne dort, kaum eine Fußstunde weg von zuhause, eine neue Welt. So sah ich dann in einer sonnigen Stunde, wieder vor einem Gasthaus, in solch einem Neben-dorf den Bruder durch das Hofportal treten. Er er-schien mir in einem Gedränge; denn der Sprengel feierte seinen Kirchtag, und aus der ganzen Karst-hochfläche waren die Leute hierhergepilgert. Trat er wirklich ein? Nein, er stand vielmehr bloß da, unter dem Portal, auf der Schwelle, und obwohl ein großes Kommen und Gehen war, bildete sich um ihn herum ein freier Raum, welcher mir, mit dem Augenblick, seine Zeit, die Zeit vor dem Weltkrieg, wiederholte. Der Bruder war jünger als ich, sein zwanzigjähriger Nachfahr, und erlebte gerade das letzte Fest seiner Jugend. Er trug den Rock mit den breiten Aufschlä-gen, der inzwischen auf mich übergegangen war, und seine Augen – er sah auf beiden – träumten aus den sehr tiefen Höhlen hinaus ins Unendliche. Obwohl ich unter den Gefährten sitzenblieb, war mir zugleich, als erhöbe ich mich, um mich zu vergewissern. Die Augen des Burschen waren von dem schwärzesten Schwarz, jenem der in diesen Sommertagen allüberall ausgereiften Holunderkugeln, und glänzten auch in deren lebendigem Glanz. Unbeweglich standen wir einander die Ewigkeit lang gegenüber, in der Entfernung, unerreichbar, unansprechbar, vereint in Trauer, Gelassenheit, Leichtsinn und Verlorenheit. Ich spürte die Sonne und den Wind an den Stirnknochen, sah das festliche Treiben beidseits des dunklen Durchlasses mit dem Bruderbild und wußte mich in der Mitte des Jahres. Heiliger Vorfahr, Märtyrerjüngling, liebes Kind.

Das andre Mal war es ein leeres Bett, das mir von Gregor erzählte. Ich fuhr viel mit der Karsteisenbahn, oder hielt mich auch nur auf deren so eigentümlichen Bahnhöfen auf. Diese befanden sich in der Regel weit außerhalb der Dörfer in der Wildnis und waren oft nur auf Pfaden, ohne Hinweisschilder, zu erreichen, und in der Nacht ließen sich manche Stationen, die in der völligen Dunkelheit lagen, nur durch langsames Vortasten finden, möglichst mit einem Einheimischen als Führer. Kurz vor der Ankunft des Zuges strahlte dann freilich, auch wenn ich, wie nicht selten, der einzige Wartende war, das ganze Gelände auf und zeigte eine weitläufige, vielfältige Anlage, von der Größe einer Fabrik und der Majestät eines Herrensitzes: heller Kies, Springbrunnen unter eine Zeder, in hellblauen, duftenden Glyzinienbüscheln prangende Fassaden, wappenartige blinde Fenster. Auch hier war das obere Stockwerk bewohnt, und während der Beamte unten im engen Büro vor der leuchtenden Schalttafel saß wie in seiner Weltraumkapsel, ging die zugehörige Frau zu seinen Häupten an den vielen Fenstern vorbei durch eine Gemächerflucht. In der Wüstenstille immer wieder das Schrillen eines Telefons, und schließlich das Ankündigungsgeläut, welches gebieterisch zur Ordnung rief. Die Schienenstränge waren fast durchwegs tief eingeschnitten in den Karstfels wie in einen Canyon, und entsprechend hatten die Geräusche der sich nähernden Züge, das Rattern und Rumpeln, einen Hall, vergleichbar dem in den Schächten einer Untergrundbahn. Oft folgte dem Läuten in der Station unmittelbar jenes starke Klirren draußen in der Einöde, so als würde der Zug gleich im nächsten Moment aus seiner Felsgrotte schießen; verlor sich wieder in einer der vielen Schluchtschleifen, schallte viel später, wenn man schon an eine Ohrentäuschung dachte, neu aus einer unvermuteten Richtung, begleitet von dem sonoren, in Abständen wiederholten Tuten eines auslaufenden Überseedampfers, und endlich trat die rollende Orgel des Karstes hinten aus der Stockfinsternis, pfeifend, brausend, trillernd, dröhnend auf allen Registern, erkenntlich an den Dreiecksaugen vorn an der Lokomotive, von denen das Auge der Stirn im Näherkommen erlosch. Noch abenteuerlicher fast die durchfahrenden Güterzüge, mit ihren massigen, vollkommen dunklen Waggons, oft jeder einzelne von verschiedener Länge, dazwischen auch eine Reihe unbeladener Untergestelle mit aufragenden Stangen, ein scheinbar unendliches Koppel, mit einem wuchtigen Pochen, Hämmern, Klacken und Trommeln, in der Leere dann eine Schleppe aus Stahlgeruch und ein Sirren und Singen hinterlassend, als sei die Menschenwelt unbesiegbar.

In einer solchen Nacht wartete ich in einem Karstbahnhof auf den letzten Personenzug. Es war noch viel Zeit, und ich saß im Gras an der Zeder, ging im Kies auf und ab, zeichnete die Maserung am Tisch des Warteraums samt meinem daraufliegenden Stock, betrachtete den grüngestrichenen Eisenofen, dem das Rohr fehlte. Draußen unter den Sternen die Schatten der Fledermäuse. Eine warme Nacht so wie üblich, der Geruch der Glyzinien zarter als der jedes Flieders. Ich erinnerte mich des Plans aus der Kaiserzeit, die Bahnstrecke Wien–Triest in Slowenien als unterirdische, in einem Durchstich der Karsthöhlen, zu führen. Im Auf- und Abgehen kam ich dann an einem beleuchteten Kellerfenster vorbei; es war mir zuvor nicht aufgefallen. Ich bückte mich und sah hinab in einen großen Raum, wohnlich eingerichtet mit einer Bücherwand und einem Bett. Dieses war bezogen, die Decke umgeschlagen wie für den Benützer; runder Schein der Nachtlampe auf dem Polster. Das also war der Ort, wo sich der Bruder, der fahnenflüchtige, verborgen hielt! Ich trat zurück und erblickte im Stockwerk darüber, an einem der hohen Fenster, die Silhouette einer Frau. Sie umsorgte ihn, und es ging ihm gut bei ihr.

Ich sah mich an einem Ziel. Nicht den Bruder zu finden hatte ich doch im Sinn gehabt, sondern von ihm zu erzählen. – Und eine andere Erinnerung ergriff mich: In einem Frontbrief erwähnt Gregor das sagenhafte Land, das in der Sprache unserer slowenischen Vorfahren »das neunte Land« heißt, als das Ziel der gemeinsamen Sehnsüchte, in dem Satz: »Mögen wir uns eines Tages alle wiederfinden, in der geschmückten Osternachtskalesche, auf der Fahrt zur Hochzeit mit dem Neunten König im Neunten Land – erhöre, Gott, meine Bitte!« Seinen frommen Wunsch sah ich nun übertragbar in die irdische Erfüllung: die Schrift. So wie das leere Bett aus dem Bahnhofskeller übertrüge ich auch das Thermometer außen an der Stationsfassade, verfertigt von einem Wiener Optiker der Jahrhundertwende, den dreibeinigen hölzernen Schemel daneben, das Rebenmuster des Wartezimmers und das Grillenzirpen ins Haus unsrer Familie. Und so näherte sich mein Zug, mäandernd durch die Wüstenei, ein Grollen, Abschwellen, Aufbrausen, die Scheinwerferaugen weit aus den Klüften vorausschweifend, und trat dann selbst auf den Plan, die Lok im Stillstand schließlich, Fugen und Ritzen von all den Innenlämpchen nachgezeichnet, ein knisterndes, kraftstrotzendes, märchenhaftes Gehäuse, und die Waggons belegt mit den Heimkehrern aus den Städten, vom Meer, aus dem Ausland, schnarchend, Kreuzworträtsel lösend, strickend.

So hell die Wachmomente, die nächtlichen wie die täglichen, damals im Karst, so finster die Träume. Sie vertrieben mich aus dem vermeintlichen Paradies und stürzten mich in eine Hölle, wo ich, ohne sonstige Gesellschaft, der Verdammte und der Böse in einer Person war. Ich fürchtete mich vor dem Einschlafen; denn jeder Traum handelte von meiner Schuld, nicht daheim, nicht bei den Meinen, zu sein. Ich sah dabei immer nur das Anwesen, nie einen Menschen dort. Und das Anwesen war Ruine, das Dach ins Haus gestürzt, der Garten Unkraut mit springenden Schlangen; von den Angehörigen keine Spur als ihre klagenden, sich entfernenden Stimmen, oder ein paar Flecken im Erdstaub, wie von geschmolzenen Eiswürfeln. Von Mal zu Mal erwachte ich als ein Verworfener. Selbst die Sonne des Tages, der Taufwind, das Gehen, die trocknenden Zwiebelhaufen unter meinem Kammerfenster im Hof, an Fischernetze erin-

nernd, verloren mit der Zeit ihre Kraft, und ich beschloß, von einem Augenblick auf den andern, heimwärts zu flüchten.

Erst auf dem Weg gewann ich die Ruhe zurück, für
die letzte Station meiner jugoslawischen Reise. Ich
fuhr nach Marburg, oder Maribor, um die Schule des
Bruders zu suchen. Eine Suche war dann jedoch un-
nötig; schon vom Zug aus zeigte sich der Hügel mit
der Kapelle obenauf, mir vertraut von dem Vor-
kriegsphoto. Auch aus der Nähe schien seit dem Vierteljahrhundert nichts sich verändert zu haben: nichts
zerstört, nichts dazugebaut. Verfallen nur das eine
große bemalte Bienenhaus; dafür bunte kleine Kästen
im Gras zwischen den Obstbäumen. Ich ging in der
weiten luftigen Anlage umher, betrachtete den Pal-
menfächer vor dem Hauptgebäude, den wilden Wein,
sich rankend in den Schründen einer Pappel, die In-
itialen, großgewuchert in der glatten Rinde einer
Hainbuche, die vielen Stufen, emporführend zur Tür
eines der Nebengebäude (»da saß er am Abend mit
den andern«), und wünschte mir im nachhinein, dieser Betrieb, diese Plantage, dieses Musterland sei mein
Internat gewesen. Ich stieg den Weinhügel hinauf –
immer höher wurden dabei die Lehmabsätze unter
den Füßen –, mit dem Bedürfnis, mich immer wieder
zu bücken, in die Erde zu greifen, zu sammeln, etwas
mitzunehmen. Behalte, behalte, behalte! In dem

Schieferberg waren Brocken von Kohle eingeschlossen, die ich ausgrub und mit denen ich heute, ein weiteres Vierteljahrhundert später, zittrige schwarze Striche über das weiße Schreibpapier ziehe: Ihr habt euren Dienst nun getan.

Die Kapelle stand oben auf einem Felskopf. So unversehrt unten die Landwirtschaftsschule – die Baumkronen mit dem Schimmer eines Olivenhains, die braunen Ziegeldächer in sich gemustert wie eine Geheimschrift –, so verwüstet das kleine Heiligtum. Es war, als beträte ich das dachlose, unbewohnbare Haus meiner Alpträume. Zerschlagen der Altarstein; die Fresken überschmiert mit den Namen der Gipfelstürmer (nur noch eine Ahnung von dem himmlischen Bildstockblau); am Boden, begraben unter Schutt und Brettern, die Statue des unter das Kreuz gefallenen Christus, daliegend mit abgehauenem Kopf, die Dornenkrone ersetzt durch Stacheldraht; die Eingangsschwelle zerrissen von Baumwurzeln. Ich blieb nicht allein: ein junger Mann stellte sich neben mich, verschränkte die Arme, und dann hörte ich ihn nur noch tief atmen; und später kam noch eine Gruppe vorbei, wie es schien, Leute auf einem Betriebsausflug. Eher zufällig bogen sie zu der Kapelle ab, stellten sich breitbeinig davor auf und bedachten die Ruine mit einem ganz und gar verständnislosen, und den Betenden mit einem gleichermaßen ungläubigen Blick, woraus dann im Weitergehen ein gemeinsames

starres Grinsen wurde, weniger des Hohns als der
Befremdung und der Verlegenheit. Da erst riß es mich
aus dem Traum von der Zeitlosigkeit, und ich bekam
ein klares Bild der Geschichte, jedenfalls dieses Landes hier, und nicht etwa keine Geschichte wollte ich
da, sondern eine andere, und der einzelne Andächtige
erschien mir als deren Verkörperung, als deren Volk,
hochaufgerichtet, wachen Sinnes, strahlend, gesammelt, unbeirrbar, unüberwindlich, kindlich, im
Recht.

Außen an der Fassade fand ich dann den Namen des
Bruders. Er hatte ihn in Großbuchstaben, in seiner
schönsten Schrift, eingeritzt in den Verputz, so hoch
oben, daß er dabei auf dem Sockel gestanden sein
mußte: GREGOR KOBAL. Das war am Vortag seiner Abreise von der Schule gewesen, zurück in das
feindliche Heimatland, wo ihn, statt einer Geliebten,
die fremde Sprache erwartete und der Krieg, als Gegner die Burschen, denen er hier durch die Jahre zum
Freund geworden war. Stille, die mich umgab; im
Gras ein Regenknistern, das von den Flügeln eines
Libellenpaars kam.

Am frühen Abend stand ich unten in der Stadt, auf
der großen Brücke über die Drau. Diese, keine hundert Kilometer östlich von meinem Geburtsdorf, war
ein anderer Fluß geworden. Zuhause eingesenkt in
das Trogtal, versteckt unter Wildwuchs, die Ufer

kaum zugänglich, das Wasser fast lautlos, trat sie hier in Marburg hervor als die weithin sichtbare, glänzende Ader der Ebene, rasch dahinfließend, mit einem besonderen Wind, die Sandbuchten hier und da schon eine Vorahnung des Schwarzen Meeres. Mit dem Auge des Bruders betrachtet, erschien sie mir fürstlich, wie beflaggt von unzähligen Wimpeln, und die geriffelten Wellen wiederholten die leeren Viehsteige, so wie die Schattenbilder der Waggons von der parallelen Eisenbahnbrücke die blinden Fenster des verborgenen Reichs. Die Flöße der Vorkriegszeiten trieben wieder stromab, eins nach dem andern. Feierabendliches Gehen auf der Brücke, immer dichter, die Leute alle schnell unterwegs, mit vom Wind geweiteten Augen. Die Laternenkugeln erstrahlten weiß. In der Brücke waren jene seitlichen Ausbuchtungen, welche seit damals mein Blick auf allen Brücken der Welt sucht. Im Rücken die unablässig Dahingehenden, von denen es mir unter den Sohlen schütterte, umklammerte ich mit beiden Händen das Geländer, bis ich die Brücke samt dem Wind, der Nacht, den Lampen und den Passanten auf mich übertragen hatte, und dachte: »Nein, wir sind nicht heimatlos.«

Tags darauf, im Zug heimwärts, auf einmal ein Ansturm auf die Abteile, als sei das die letzte Möglichkeit zu einer Flucht. (Dabei waren nur die Vor-Züge ausgefallen.) Eingeklemmt zwischen die fremden Körper, wie armlos und einbeinig, selbst das Kinn verrenkt, um damit an kein Nachbarkinn anzustoßen, spürte ich mit der Zeit in mir eine wachsende Vergnügtheit. Ich war in dem Haufen am Platz. Es wurde sogar eine Art von Behagen, derart zusammengepfercht zu sein, und nicht nur mir ging es so: Ich sah zum Beispiel einen Mann, der in der Zwangslage den Raum fand, ein Buch zu lesen, eine Frau, die strickte, ein Kind, das einen Apfel aß. Trauriger Luxus, vor der Grenze den Waggon für sich allein zu haben.

Das Wiedersehen mit Österreich machte mich froh. Ich erkannte, daß selbst im Karst das mitteleuropäische Grün mir gefehlt hatte; es war mir eingeboren. Es tat auch wohl, die Petzen, »unseren Berg«, wieder von der vertrauten Seite zu sehen. Und es genügte die Vorstellung, nach den Wochen in der, vor allem in der Müdigkeit, zungenbrecherischen Fremdsprache nun von meinem vertrauten Deutsch umgeben zu sein, und ich fühlte Geborgenheit. Auf dem Weg von dem Grenzbahnhof zur Stadt Bleiburg sah ich in dem Sonnenuntergangshimmel, von vielfarbigen Wolken umkränzt, noch einen zweiten, tieferen Himmel, und dieser Raum erglühte in Glorie. Und der Gehende gelobte, freundlich zu sein, so wie es sein Teil war, ohne Anspruch, ohne Erwartung, als jemand, der auch in seinem Geburtsland nur zu Gast war, und die Kronen der Bäume verbreiterten ihm die Schultern.

Kaum in der Kleinstadt, geriet der Heimkehrer ins Getriebe der Gesellschaft dort, die, so schien ihm, auch während seiner Abwesenheit ihre Runden gedreht hatte, auf der Suche nach einem Opfer. Und nun war der Unbegreifliche, der Feind wieder da! Schon auf dem Herweg hatten sie ihn mit ihren Autos überholt und den übrigen sein Nahen angekündigt. Ihr Kommando erwartete ihn, getarnt als Abendspaziergänger, die umgehängten Hundeleinen in Wahrheit Gewehrriemen, und ihr Pfeifen und Rufen an allen Straßenecken diente allein der Umzingelung. Doch an diesem Tag konnten sie ihrem Widersacher nichts anhaben. Er blickte ihnen in die Augen, als erzählte er von einem solch fernen Land, daß sie ihn entweder unwillkürlich grüßten oder wegschauten, zum Beispiel hin zur Pestsäule; und wenn sie sich nach den Tieren umwandten, so geschah das eher aus Angst, sowohl um sich als auch um die vierbeinigen Freunde. Und in der Tat verstärkten sich mit jedem Schritt durch die Stadt in mir der Haß und der Ekel, bis ich an der Stelle des Herzens in der Brust nur noch ein Sieden und Kochen spürte. Ich wollte Feuer speien gegen sie, wie sie da marschierten, stolzierten, trippelten, schlichen und schlurften, wie sie im Schutz der Fahrzeuge einander angrinsten, wie ihre Stimmen, mit denen verglichen das Knarren eines Astes oder das Schaben eines Holzwurms beseelt war, schadenfroh, weinerlich, frömmelnd, das Blaue vom Himmel und das Grün von der Erde wegwischten, und wie jedes Wort, das sie sagten, Redensart war, eine liebloser als die andre, vom »Aus dem Verkehr ziehen!« zum »Ein Gedicht und so«. Diese Zeitgenossen waren durchwegs reinliche Leute, wohlfrisiert, adrett gekleidet, blinkende Abzeichen auf Hüten und in Knopflöchern, duftend nach diesem und jenem, topmanikürt, in Hochglanzschuhen (wobei es auffällig war, daß ihre Willkommensblicke zuallererst auf mein staubiges Schuhwerk zielten) – und doch hatte der ganze Zug eine geradezu schuldhafte, strafwürdige Häßlichkeit und Unförmigkeit. Das lag, so schien mir, an den fehlenden Augenfarben, ausgelöscht von einem starrsinnigen Übelwollen, und als ich überlegte, ob das vielleicht nur meine Einbildung sei, traf mich im selben Moment ein Seitenblick, welcher, hilflos vor Wut, den ersten besten nicht töten zu können, wegzuckte zum nächsten hin. In dem Zwanzigjährigen lebte auf, wie in dieser Menge nicht wenige ihre Kreise zogen, die gefoltert und gemordet oder dazu wenigstens beifällig gelacht hatten, und deren Abkömmlinge das Althergebrachte so treu wie bedenkenlos fortführen würden. Jetzt zogen sie dahin als die rachsüchtigen Verlierer, mißmutig über die schon gar zu langandauernde Friedenszeit. Wohl waren sie den ganzen Tag beschäftigt gewesen, aber ihre Arbeit hatte ihnen keine Freude gemacht – höchstens waren sie befriedigt, jemanden ins Gefängnis geschickt oder sonst einen Denkzettel erteilt zu haben –, und so haßten sie sich selber und waren gegen die Gegenwart auf dem Kriegsfuß. In mir war geradezu ein Lechzen nach dem einen, ja, christlichen Blick, den ich hätte erwidern können. Idioten, Krüppel, Wahnsinnige, belebt diesen Geisterzug, nur ihr seid die Sänger der Heimat. Und es war dann ein Tier, welches, indem es als das Gleichnis aller Verfolgten der Kleinstädte erschien, mich besänftigte und dem Dörfler hinter dem Kleinstaat das weiteste Land zeigte, mit Steppe, Küste und Meer. In der Dämmerung tauchte plötzlich am Stadtrand ein Hase auf, rannte im Zickzack zwischen Autos und Passanten durch, quer über den Hauptplatz, und war, von niemandem bemerkt, schon wieder verschwunden. Hase, der Gehetzten Wappentier.

Ich ging ihm nach und geriet in eine Spelunke. Ich kannte sie bisher nur vom Hörensagen; sie war verrufen als Treffpunkt der Trunkenbolde. Dort traf ich dann einige aus der Truppe der Bürger wieder. Sie saßen unter den Verkommenen und Entgleisten, und waren verwandelt. Als seien sie endlich in Zivil, strahlten sie Zugänglichkeit und Zutrauen aus. Sie brannten darauf, zu erzählen, nicht nur vom Krieg. In der Erinnerung höre ich von ihnen ein seltsam sanftmütiges Dank- und Klagelied, über die Süße der Kindheit, über die gestohlene Jugend, und sehe sie als Vereinzelte, als Flüchtlinge und Ausgestoßene. Sie waren es, die darunter litten, im Klüngel von ihresgleichen zu sein; sie waren es, die davon träumten, aufgenommen zu werden, nicht von einem noblen Club, sondern von der lärmenden Versammlung hier. Lärmend? Man redete vielleicht durcheinander, aber mir war, als verstünde ich jedes Wort. Mein Hauptbild von der rauchigen Höhle ist das einer überschaubaren Ordnung, geregelt von einem Zusammenspiel zwischen einer einzelnen Ausgelassenheit und einem gemeinsamen, drängenden Ernst. Wo die Kellnerin ging, entstand Platz, und der Arm des Kochs streckte sich mit dem Teller aus dem Dunst wie aus einer Wolke. Das Geräusch der Karten beim Mischen erinnerte an das Schlackern von Hundeohren und das Sausen von Vogelgefieder, das der rollenden Würfel ersetzte die Musik. Sooft das Telefon läutete, hob ein jeder den Kopf, in Erwartung, der Gerufene zu sein. Die Wirtin hinter der Theke hatte Augen, welche nichts überraschen konnte. Eine Bäuerin trat herein, sehr fremd in dieser Umgebung, legte neben ihren über den Tisch gesunkenen Sohn ein Bündel mit dessen frischgewaschener Wäsche und bestellte ein Glas Schnaps für sich selber, für das sie sich dann viel Zeit nahm. Der neben mir fragte, wer ich sei, und bekam es zu hören. Wir standen Schulter an Schulter. Hinten ging der Blick in einen Gemüsegarten, und vorn hinaus auf die Straße, wo die Autos rauschten und ein dunkler Bus einen beleuchteten überholte wie in einer namenlosen freien Großstadt.

Heimweg durch die menschenleere Ebene, unter einem Sternenhimmel ohne Mond. Wie immer, wenn ich mich nach längerer Abwesenheit meinem Dorf näherte, war ich aufgeregt. Es war mir geradezu feierlich zumute. Es zog mich hin, als würde ich von dem Ort magnetisiert, doch ich befahl meinem Herzen die Langsamkeit. Die Nacht war mild, wie selten in der Gegend, und das einzige Geräusch war das Hundegebell hier und dort, welches, obwohl es nirgends mehr einen größeren Bauern gab, an weitläufige Gehöfte erinnerte. Die Sterne waren so zahlreich, deutlich sogar die Spiralnebel, daß die einzelnen Bilder ineinander übergingen und insgesamt eine die Erde überspannende Weltall-Stadt vorstellten. Die Milchstraße erschien als deren Hauptverkehrsader, und die Sterne an der Peripherie säumten die Landebahn des zugehörigen Flughafens; die ganze Stadt bereit zum Empfang. Ich dachte an jenen Berg auf dem Mars, fast doppelt so hoch wie der Mount Everest, mit den Ausläufern der Himmelssiedlung an seinen Hängen.

Zurück auf die Erde: Von weitem zeigten sich die paar erleuchteten Fenster des Dorfes Rinkenberg wie eingelassen in den gleichnamigen dunklen Hügelrücken; als sei dieser ein vorzeitlicher Bau, umgewandelt in einen modernen Wohnkomplex. An dem Wegdreieck mit dem Milchstand, das die Ortsgrenze markierte, war ich froh, mit dem Seesack, darin die dicken Bücher, beschwert zu sein; es hätte mich sonst in die Lüfte gehoben. Auf den Hausdächern, vor allem den verwitterten Schindeln, ein silbriger Glanz, in dem sie sich krümmten zu Pagoden. Der Wegmacher stand, bloßer Umriß, in seiner Pförtnertür, und seine Begrüßung an mich, eine zittrige Stimme, die erscholl wie aus der entrücktesten Ferne, ohne eine Antwort zu erwarten, hatte den rituellen Klang der Ermahnungen eines Muezzin, hoch oben auf seinem Minarett. Vor einem Anwesen, weit weg von der Straße, am Ende einer Obstbaumallee, saß auf der Bank, Knie an Knie, eine vollzählige Dorf-Familie, vertieft in ein einverständliches Schweigen, wie das in die Menschenwelt übersetzte Inbild der Sommernacht. Ich machte einen Umweg zum Friedhof: Kein frischer Grabhügel (erst bei meinen späteren Heimkünften, da freilich immer wieder). Auf dem Weg zu unserem Haus lief eine Nachbarin an mir vorbei, stumm, mit halb erhobenen Armen; sich einbrennendes Zeichen der Hilflosigkeit. Ich konnte nicht mehr unterscheiden, ob das Rauschen in meinen Ohren von dem Ventilator des Gasthofs oder von meinem Blut kam.

Es war Licht bei uns, in allen Räumen, und auf der Bank im Freien saß die Schwester, allein. Ihr Blick erkannte den Ankömmling zwar, doch er begrüßte ihn nicht. Das Gesicht bot sich dar in einer Verzweiflung, so rein, daß ich sie zunächst für Seligkeit hielt. Aber, so glaubte ich dann zu verstehen, es war weniger ein Jammer über die sterbende Mutter als die Trauer um den verlorenen Liebsten, jahrzehntalt, unsterblich: »Tänzerin Klageweib«. Nie hatte der Zwanzigjährige eine schönere Frau gesehen. Ich wollte der Schwester das Elend aus dem Gesicht küssen, und, ungeheuerer Vorgang!, wurde dabei erregt vor Erbarmen; sie aber war unberührbar.

Unter dem Spalierbaum lagen die Birnen zuhauf, ungeerntet, verfaulend. Ich trat an das Fenster und erblickte drinnen in der Stube auf dem Bett das Elternpaar. Es war eng umschlungen, nebeneinander, und der Mann hatte das eine Bein auf die Hüfte der Frau gelegt. Sie rollten hin und her, so daß ich abwechselnd das eine und das andre Gesicht sah. Der harte Vater zeigte sich einmal gelöst von Schwäche, endlich an das Herz seiner Frau gesunken, jenen Mantel, unter dem er sich in den Osternächten auf den Kirchenboden ausgestreckt hatte, frischrot auf den Schultern, und die Mutter, die Augen geweitet von Todesangst, wollte von der Umarmung ihres Gemahls am Leben gehalten werden. – Jahre danach fand ich dann an der Stelle des Betts, von einer warmen Sonne beschienen, einen gut gedeihenden Gummibaum, erinnerte mich an den einstigen Schmerzenswinkel, empfand ihn erst recht und sah im voraus den Augenblick, wo das sich rankende Ziergewächs wieder weichen würde einem sich krümmenden Menschenwesen.

Hundertmal ging ich in der Nacht vor dem Haus auf und ab, bis ich eintreten konnte zu den zweien, die ich, ihnen dankbar, geboren zu sein, liebte. – Und immer noch habe ich von dem, was folgte, kein Bild als heiß, riesengroß, meine leeren Hände, damit die Blicke der Eltern empfangend, lebenslang.

Oft in meiner Erzählung habe ich Zahlen erwähnt, Jahreszahlen, Kilometerzahlen, Menschen- und Dingzahlen, und ich habe mich immer dazu überwinden müssen, so als seien Zahlen unvereinbar mit dem Geist der Erzählung. Deswegen soll noch einmal die Rede von meinem märchenschreibenden Lehrer sein. Er ist inzwischen im Ruhestand, und von Zeit zu Zeit besuche ich ihn. Er hat sich vor der Stadt einen Garten angelegt, mit einer Hütte, in der er manchmal sogar über Nacht bleibt, und aus seinem bleichen Historikergesicht ist wieder das gebräunte des Erdkundlers geworden. Seine Mutter lebt noch, eine Greisin, doch ich habe sie, so oft ich auch dort war, noch keinmal zu Gesicht bekommen; noch immer höre ich sie nur durch irgendwelche Türen ihren Einzigen anreden, nicht mehr wie früher mit Worten, sondern mit bloßen Klopfzeichen, denen der Sohn, sie zählend, die Bedeutung entnimmt. Das Märchenverfassen habe er aufgegeben; an dessen Stelle sei das

Zählen getreten. Schon in der Kindheit habe er im stillen, oft unbewußt, ständig gezählt. Das sei ihm damals als eine Krankheit erschienen, doch dann, auf seinen Allein-Expeditionen im Urwald von Yucatán, habe er das Zählen, nun bewußt, seiner Schritte, seiner Atemzüge, entdeckt als ein Überlebensmittel; es habe ihm in der Gefahr oft weitergeholfen, ein kräftigerer Zauber als jedes Märchen, und wirksamer als jedes Gebet. Nun, im Alter, fühle er sich, immer empfindlicher gegen die überhandnehmenden öffentlichen Aufschriften und Plakatbilder, beheimatet von den Zahlen, selbst von den Preistafeln und von den Leuchtziffern der Tankstellen. Habe nicht schon der archaische Dichter die Zahl als das allen Schlichen Überlegene bezeichnet? Das Zählen, es mäßige, verlangsame, ordne und umsorge ihn; und er erhole sich dabei von der Schlagzeilenwelt. Und seine heiligen Zahlen seien jene der Maya: die Neun und die Dreizehn. Neunmal streife er sich vor dem Haus die Schuhe ab; dreizehnmal schüttle er am Morgen sein Polster aus; dreizehn Vögel müßten durch seinen Garten geflogen sein, bevor er sich an die Arbeit mache, neun bräuchte er zum Verschnaufen; neunmal dreizehnmal gehe er abends im Kreis, bevor er sich zum Schlafen lege.

Soweit der alte Mann. – Ich dagegen sehe mich, mag ich auch heute noch sterben, am Ende dieser Erzählung nun in der Mitte meines Lebens, betrachte die

Frühlingssonne auf dem leeren Papier, denke zurück an den Herbst und den Winter und schreibe: Erzählung, nichts Weltlicheres als du, nichts Gerechteres, mein Allerheiligstes. Erzählung, Patronin des Fernkämpfers, meine Herrin. Erzählung, geräumigstes aller Fahrzeuge, Himmelswagen. Auge der Erzählung, spiegele mich, denn allein du erkennst mich und würdigst mich. Blau des Himmels, komm in die Niederung herab durch die Erzählung. Erzählung, Musik der Teilnahme, begnadige, begnade und weihe uns. Erzählung, würfle die Lettern frisch, durchwehe die Wortfolgen, füg dich zur Schrift und gib, in deinem besonderen, unser gemeinsames Muster. Erzählung, wiederhole, das heißt, erneuere; immer neu hinausschiebend eine Entscheidung, welche nicht sein darf. Blinde Fenster und leere Viehsteige, seid der Erzählung Ansporn und Wasserzeichen. Es lebe die Erzählung. Die Erzählung muß weitergehen. Die Sonne der Erzählung, sie stehe für immer über dem erst mit dem letzten Lebenshauch zerstörbaren neunten Land. Verbannte aus dem Land der Erzählung, zurück mit euch vom tristen Pontus. Nachfahr, wenn ich nicht mehr hier bin, du erreichst mich im Land der Erzählung, im neunten Land. Erzähler in deiner verwachsenen Feldhütte, du mit dem Ortssinn, magst ruhig verstummen, schweigen vielleicht durch die Jahrhunderte, horchend nach außen, dich versenkend nach innen, doch dann, König, Kind, sammle dich, richte dich auf, stütze dich auf die Ellenbogen, lächle im Kreis, hole tief Atem und heb wieder an mit deinem allen Widerstreit schlichtenden: »Und . . .«

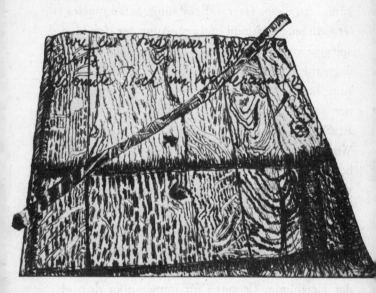

Peter Handke
Sein Werk im Suhrkamp Verlag

25/1/12.90

Peter Handke
Sein Werk im Suhrkamp Verlag

25/2/12.90

suhrkamp taschenbücher
Eine Auswahl

suhrkamp taschenbücher
Eine Auswahl

suhrkamp taschenbücher
Eine Auswahl

265/3/8.90

suhrkamp taschenbücher
Eine Auswahl

suhrkamp taschenbücher
Eine Auswahl

suhrkamp taschenbücher
Eine Auswahl

suhrkamp taschenbücher
Eine Auswahl

265/7/8.90

suhrkamp taschenbücher
Eine Auswahl

265/8/8.90

suhrkamp taschenbücher
Eine Auswahl

265/9/8.90